KB076781

동양철학 이야기
-전통사상과 근대
(제2권)

동양철학 이야기
-전통사상과 근대
(제2권)

이경환

칸트(I. Kant, 1724-1804)는 『논리학』(Logik, 1800)에서 네 가지 철학적 물음을 제시하였다. (1) 나는 무엇을 알 수 있는가? (형이상학) (2) 나는 무엇을 해야만 하는가? (도덕) (3) 나는 무엇을 희망해도 좋은가? (종교) (4) 인간이란 무엇인가? (인간학) 칸트가 제시한 이 네 가지 물음은 우리가 삶을 살아가면서 묻게 되는 궁극적 질문들이다. 철학은 이러한 물음에 답을 찾아가는 학문이다.

지금 세계는 '팍스 아메리카나'로 표현하는 것처럼, '미국에 의한 세계 질서'의 시대가 지배하는 시대이다. 그런데 이것은 여전히 서구에 의한 세계 지배의 연장에 불과하다. 학자들은 또 지금의 세계 질서를 '포스트-식민' 시대라고 부르기도 한다.

19세기 이후 비서구 사회는 서양에 의해 철저하게 파괴되는 과정을 밟아왔다. 오늘날 우리의 모습은 그 결과의 투영물이다. 그 결과 이제 자신의 본래 모습이 무엇이었는지도 모르게 되었다. 그뿐만 아니라 심지어 자신의 모습을 경멸하고 비난하기까지 한다.

　우리나라에서 전통에 대해 말하고 고민하게 된 것이 보편적으로 나타난 때는 주로 70년대 이후이다. 특히 80년대 이후 우리 자신의 모습을 되돌아보는 상황이 나타났다고 할 수 있다. 이것은 무엇보다도 먼저 경제적 성장에 그 원인이 있을 것이다. 그러나 경제적 성장 이후 우리는 우리 자신의 정체성에 대해 고민하지 않을 수 없게 되었다.

　우리의 서양문화에 대한 태도는 기본적으로 세 가지가 있다. 첫째, 서양문화를 절대적으로 받아들이는 것이다. 이것은 중국 자유주의자들이 주장하였던 전반서화론(全般西化論)이다. 둘째, 국수주의, 즉 서양문화의 배격이다. 셋째, 자국의 문화를 중심으로 서양문화를 받아들이는 태도다. 그러나 첫 번째와 두 번째 입장은 이미 실패/불가능하다고 판정되었다. 우리에게 현실적으로 주어진 길은 세 번째 입장뿐이다.

　이전에 자국의 문화를 중심으로 서양문화를 수입하는 태도를 중국

에서는 중체서용(中體西用), 한국에서는 동도서기(東道西器), 일본에서
는 화혼양재(和魂洋才)라 불렀다. 그러나 이 입장은 동양과 서양의 대
립을 전제로 한 한계가 있다. 오늘날에는 이미 통용되지 않는 태도다.
따라서 이런 방식으로는 문제를 해결할 수 없다. 지금 우리가 취할 방
법은 자국의 문화와 서양문화의 체와 용, 도와 기, 혼과 제를 융합하
는 방법-즉 우리나라로 말하면 한국문화와 서양문화를 융합하는 방법
만이 있다. 달리 말하면 이것은 전통과 현대의 만남이라고 말할 수 있
다. 이 문제를 약간 추상적으로 표현하면 음양(陰陽) 관계를 형성해야
한다. 음양은 대대(對待) 관계이다. 어느 하나가 우월할 수 없다. 평등
한 관계이다. 그런데 문제는 이렇다. 무엇을 우리의 전통 혹은 문화로
삼아 서양문화를 융합할 것인가?

우리는 우리의 전통/문화를 고민하지 않을 수 없다. 서양문화(모든
외래문화)가 우리 문화는 아니지 않는가! 서양문화를 우리 문화로 소

화하여 융합하지 않는 한에는 말이다. 따라서 철학적으로 한국문화와 서양문화를 융합하여 새롭게 우리 문화를 만들어가는 것이 현대 한국의 동양철학이 짊어진 과제이다. 이것이 우리의 운명이다.

2023. 1. 20

‖목차‖

제7장 중국철학 6
도학(3)-황로학

제7장 중국철학 6
도학(3)-황로학[1]

제1절 황로학에 관한 일반적 고찰

1. 황로학의 개념

황로학이란 무엇인가? 황로학은 일정 부분 직하학과 겹친다.
정원명(丁原明)은 황로학을 이렇게 정의하였다.

황로학은 노장 원시 도가 이외에서 흥기한 도를 궁극으로 하여 백가의
치국(治國)·치신(治身)의 학설을 겸하여 취한 것이다.[2]

---

1) 이 장은 이경환, 『중국 도가 윤리학』(BOOKK, 2022)의 제7장과 제11장의
   내용을 요약하여 정리하였다.
2) 丁原明, 『黃老學論綱』, 山東大學出版社, 1997, 4쪽; 정원명, 『중국황로학』,
   최대우·이경환 옮김, BOOKK, 2018, 21-22쪽.

- 11 -

그는 황로학의 특징을 이렇게 말한다.

　마왕퇴(馬王堆)에서 출토된 『황로백서』(黃老帛書)·『신자』(愼子)와 『관자』(管子)의 몇몇 편장에서 도가와 법가의 결합이라는 경향이 나타나지만, 『회남자』(淮南子)와 그 후 몇몇 도가의 책에서는 유가와 도가의 결합으로 나타나는데, '그것들은 『논육가요지』(論六家要旨)에서 황로학의 특징으로 개괄한 것과 합치된다.3)

　정원명의 관점을 좀 단순화시켜서 말하자면 황로학의 특징은 '전국시대 도법가의 결합'과 '진한시대의 도유가의 결합'이라고 말할 수 있을 것 같다.
　백해는 이렇게 정의한다.

　황로지학의 학술 특징은 도법결합(道法結合), 이도논법(以道論法), 겸채백가(兼採百家)이다. 그런 까닭에 백가의 장점을 집중하였으며, 그중에는 새로운 조합과 새로운 실험이 많았다.4)

　백해의 관점을 요약하면 '도법결합', '이도논법', '겸채백가' 이 세 가지라고 할 수 있다. 그런데 이 세 가지 특징에서 앞의 두 가지는 기본적으로 도가를 위주로 한 도가와 법가의 결합이라 말할 수 있고, 뒤의 한 가지는 도가와 기타 여러 학파의 결합으로 설명할 수 있을 것 같다.

---

3) 정원명, 『중국황로학』, 22쪽.
4) 白奚, 『稷下學硏究』, 三聯書店, 1998, 82쪽.

유위화(劉蔚華)·묘윤전(苗潤田)은 춘추전국시대의 '황로의 학'은 "노자의 학문과 합쳐지고 유가·묵가·명가·법가의 학설이 섞여 종합적인 색채를 띤 새로운 도가학설"이라 정의한다.5) 이어서 그 구체적인 내용에 대해 아래와 같이 설명한다.

철학적으로 황로학은 '도'를 근본으로 삼고 '때에 순응하는 것'을 쓰임으로 여긴다. '사물의 본성에 따라 사물을 대하고', '원리[理]를 따르고 법칙[則]을 지키는 것'을 강조하며, '지혜를 버리고 자아를 떠나며, 고요한 순응[靜因]'의 도를 주장한다. 정치윤리적으로는 '도'에 근거하여 '법'을 논한다. '법을 숭상하며' 공평함을 귀하게 여기고 '세력'을 중시한다. 예의를 훼손하지 않고 공리를 추구한다.6)

2. 황로학의 구분

황로학을 공간적으로 북방 황로학과 남방 황로학으로 구분한다. 이것은 황로학의 발생, 관계, 변화 등의 연구에서 중요한 의미가 있다.

(1) 지역적 구분

1) 북방 황로학

---

5) 劉蔚華·苗潤田, 『稷下學史』, 곽신환 역, 철학과현실사, 1995, 468쪽.
6) 위와 같음.

　북방 황로학은 제나라를 중심지역으로 한다. 시대적으로 보면 북방 황로학은 남방 황로학에 비해 늦다고 말할 수 있다. 제나라에서 발생한 직하학(稷下學)은 전제(田齊) 때의 일이다. 이 "직하학궁은 정치와 학술이라는 이중적인 성격을 지닌 것"7)이었다.

　직하선생들은 학궁에서 비교적 충분한 언론의 자유를 누리고 있었으므로 자유롭게 정치를 의론할 수 있었고 심지어 정부와 군주를 비판할 수 있었는데, 이러한 것들은 바로 정부와 군주가 격려하고 보장해 주는 것이었다. 따라서 직하선생들 대부분은 대담하고 직설적으로 간하였으며, 국가의 안위와 치란에 대해 일종의 책임감을 갖고 군주에게 영합하기 위해 아첨하는 의견을 말하지 않았다. 고대 지식인들의 언론의 자유는 직하학궁에서 그 최대한도까지 발휘되었는데, 이는 이전에도 없었떤 것일 뿐만 아니라 심지어 그 이후에도 없었던 일이라고 말할 수 있다.8)

　이처럼 제나라 직하학궁은 북방 황로학의 중심지였다.

2) 남방 황로학

　남방 황로학은 초나라를 중심지역으로 한다. 정원명(丁原明)은 이것을 "전국시대 때 초나라를 중심으로 형성된 신도가 사상을 가리킨다"고 말하였다.9) 그는 또 그 대표 저작으로 『황로백서』(黃老帛書), 즉 당

---

7) 바이시(白奚), 『직하학 연구』, 97쪽.
8) 같은 책, 128쪽.
9) 정원명, 『중국황로학』, 104쪽.

란(唐蘭)이 말한 『황제사경』(黃帝四經), 장자(莊子) 후학 중의 황로파(黃老派), 『할관자』(鶡冠子) 등이 있다고 하였다.10) 물론 우리는 정원명의 관점에 전적으로 동의할 필요는 없다.

북방 황로학과 남방 황로학의 연계에서 중요한 역할을 한 인물이 범려(范蠡)이다. 범려에 관해서는 아래에서 따로 논의하기로 한다.

(2) 시대적 분류

황로학을 시대적으로 분류하면 선진시대 황로학과 진한시대 황로학으로 나누어진다.

1) 전국시대 황로학

전국시대 황로학은 주로 제나라 직하황로학을 의미한다. 물론 남방 황로학 역시 중요하다. 중요한 문헌으로 『열자』(列子), 『문자』(文子), 『관자』(管子)의 일부, 『황제사경』(黃帝四經: 즉 『黃老帛書』·『黃老書』) 등이 있다.

2) 진한시대 황로학

---

10) 위와 같음.

주요 문헌은 『여씨춘추』와 『회남자』이다. 『여씨춘추』는 여불위(呂不韋)와 그 식객이 편찬한 책이다. 전국시대 말기의 문헌이다. 『회남자』는 한대 초기에 회남왕 유안(劉安)과 그 식객이 편찬한 책이다.

제2절 전국시대 황로학

1. 관중과 『관자』

(1) 관중이라는 인물과 『관자』의 저자

1) 관중이라는 인물

관자(管子, ?- 기원전 645년)는 이름이 이오(夷吾) 자는 중(仲) 시호는 경(敬)으로 춘추시대 초기의 제나라 정치가이다. 그는 친구 포숙아(鮑叔牙)와의 관포지교(管鮑之交)로 유명하다. 이에 관한 자세한 내용은 『사기』 「관안열전」(管晏列傳)에 보인다.

관중은 젊었을 때 포숙아와 장사를 했다. 후에 그는 강제(姜齊) 때 제나라 환공(桓公)을 도와 패업을 이루었다. 그는 40여 년 동안 제나라에서 국정을 담당하였다.

2) 『관자』의 저자

통행본 『관자』는 제나라 직하학사에서 나온 문헌이다. 그러나 그 안
에는 관중의 사상을 나타내는 편들이 일부 전해졌을 것이다. 따라서
"전국 중·후기 전제(田齊)의 왕립 국제 학술 기관인 직하학궁에서 편
찬된 것"[11]이라고 말할 수 있다.

(2) 『관자』라는 책

『관자』는 『한서』 「예문지」에서 도가류의 저작으로 분류하고 있다.
유향(劉向)은 『관자』 564편을 86편으로 정리하였다. 이 가운데 10
편은 수당시대 때 없어졌고, 다시 송나라 때 「왕언」(王言)편이 없어졌
다. 뒤에 『사기』 「봉선서」(封禪書)에 보이는 환공과의 문답 부분을 발
췌하여 「봉선」(封禪)편을 보완하였다. 그 결과 현재 76편이 되었다. 유
향은 또 86편을 「경언」(經言)·「외언」(外言)·「내언」(內言)·「단어」(短語)·「추
언」(樞言)·「잡편」(雜篇)·「관자해」(管子解)·「경중」(輕重) 8부분으로 분류하
였다.[12] 「경언」 9편, 「외언」 8편, 「내언」 9편, 「단어」 18편, 「추언」 5
편, 「잡편」 13편, 「관자해」 5편, 「관자경중」 19편이다.[13]

(3) 철학사상

11) 朴俸柱, 「齊國 經濟와 『管子』의 經濟 政策論」, 東洋史學會, 『東洋史學研究』
   (제52집), 1995, 2쪽.
12) 김필수·고대혁·장승구·신창호 옮김, 『관자』, 소나무, 2007, 17쪽. 「해제」
   부분 참조 요약.
13) 謝浩范·朱迎平 譯注, 『管子全譯』(上), 貴州人民出版社, 1996, 7-8쪽. 「前言」
   참조 요약.

1) 도론

『관자』에 나타난 형이상학적 이론 역시 도론을 중심을 전개된다.

　　텅 비어 무이면서 형체가 없는 것을 도라고 한다.14)

도는 본래 텅 비어 있는 것이고 형체가 없는 본체이다. 그렇지만 천지 사이에서 가장 크고 작은 것을 뛰어넘는다.

　　도가 천지 사이에 있으면 그보다 큰 것이 없고, 그보다 작은 것이 없다.15)

도는 천지 만물을 모두 감싸고 있다. 천지 만물은 도에 의해 존재 근거를 갖는다.

　　도란 움직여도 그 형태를 보지 못하고, 베풀어도 그 덕을 보지 못하며, 만물이 모두 그 은혜를 입지만 그 오묘함을 알지 못한다.16)

2) 기론

---

14) 『管子』「心術 上」: "虛無·無形謂之道."
15) 위와 같음: "道在天地之間也, 其大無外, 其小無內."
16) 위와 같음: "道也者, 動不見其形, 施不見其德, 萬物皆以得, 然莫知其極."

『관자』 철학의 기론에서 중요한 것은 정기설(精氣說)이다.

정(精)이란 기의 정미한 것이다.[17)]

이 "기라는 것은 몸을 채우는 것"(氣者, 身之充也)[18)]으로, 사람을 비롯한 모든 생명은 하늘과 땅으로부터 이 정기를 부여받아 태어난다.

무릇 사람의 생명은 하늘이 그 정기를 주고 땅이 그 형체를 준 것이다. 이것이 합하여 사람이 되었다. (두 가지가) 조화로우면 태어나고 조화롭지 못하면 태어나지 못한다.[19)]

사람의 생명/탄생은 하늘의 정기와 땅의 형체로 이루어진 것이다. 그렇다면 이 정기를 잘 간직하는 것이 생명을 온전히 보존하는데 있어서 매우 중요하다는 것을 알 수 있다. 그러므로 또 이렇게 말하였다.

기가 모이면 살고 기가 흩어지면 죽는 것이니 생명이란 기에 의존하는 것이다.[20)]

3) 수양론

---

17) 같은 책, 「內業」: "精也者, 氣之精者也."
18) 같은 책, 「心術 下」.
19) 위와 같음: "凡人之生也, 天出其精, 地出其形, 合此以爲人. 和乃生, 不和不生."
20) 같은 책, 「樞言」: "有氣則生, 無氣則死, 生者以其氣."

결국 수양의 문제는 마음의 로 마음 안에 정기를 잘 간직하도록 하는 것이다. 이것을 '안의 덕을 쌓음'[內德]의 문제로 파악하였다.

겉모습이 바르지 않은 사람은 덕이 오지 않고, 마음속에 정성이 없는 사람은 마음이 다스려지지 않는다. 겉모습을 바르게 하고, 덕을 수양하면 만물에 잘 들어맞는다.21)

마음은 군주와 같은 역할을 한다.

몸에서 마음은 군주의 지위와 같고, 아홉 구멍은 관직과 같다. 마음이 올바른 도에 처하면 아홉 구멍이 이치를 따르지만 욕심으로 가득 차면 눈이 색을 보지 못하고, 귀가 소리를 듣지 못한다.22)

군주는 도와 마찬가지로 "스스로를 존귀하다고 여기지 않는 것이 군주의 도리"(不自以爲所貴, 則君道也)23)인 것이다. 그 방법은 다음과 같다.

뜻이 전일하고 마음이 한결같으며, 눈과 귀가 정확하면 멀리 떨어진 것을 증험하여 안다.24)

---

21) 같은 책, 「心術 下」: "形不正者, 德不來; 中不精者, 心不治. 正形飾德, 萬物畢得."
22) 같은 책, 「心術 上」: "心之在體, 君之位也. 九竅之有職, 官之分也. 心處其道, 九竅循理; 嗜欲充益, 目不見色, 耳不聞聲."
23) 같은 책, 「乘馬」.
24) 같은 책, 「心術 下」: "專於意, 一於心, 耳目端, 知遠之證."

이처럼 군주와 같은 역할을 하는 마음을 다스리는 방법은 '욕심을 비우는 것'(虛其欲)이다.

　　도는 멀리 있지 않지만 도달하기 어렵고, 사람과 함께 머물러 있지만 터득하기 어렵다. 그 욕심을 비우면 신(神)이 들어와 자리하고, 깨끗하지 못한 마음을 말끔히 씻으면 신이 머문다.[25]

'욕심을 비우는 것'을 통해야 마음을 평정을 얻을 수 있다.

무릇 마음의 모습은 저절로 가득 차고 저절로 넘치며, 저절로 생기고 저절로 이룬다.

4) 정치

　　관중은 환공을 도와 40여 년 동안 국정을 담당하였다. 제나라는 관중이 국정을 담당하는 동안 개혁정책을 실행하였다. 관중은 먼저 사(士)·농(農)·공(工)·상(商)의 거주지를 편제하였다. 그는 또 군제를 편제하였는데, 전국을 21향(鄕)으로 나누어 공·상의 6향을 제외한 사·농의 15향을 3군(軍)으로 조직하였다. 경제적으로는 정전제(井田制)를 타파하고 토지의 비옥도에 따른 등급을 두어 징세하는 방법을 채택하였다.

---

25) 같은 책, 「心術 上」: "道, 不遠而難極也, 與人幷處而難得也. 虛其欲, 神將入舍; 掃除不潔, 神乃留處."

또 염철(鹽鐵)을 발전시켰고, 화폐를 주조하여 물가를 조절하였으며, 상공업을 발전시켰다.26)

『관자』는 나라를 다스리는 4가지 강령으로 예(禮)·의(義)·염(廉)·치(恥)를 말한다.

> 윗사람이 법도를 준수하면 육친(六親)이 서로 도타와지고, 예의염치(禮義廉恥)를 널리 베풀면 군주의 명령을 잘 지킨다. 형벌을 줄이는 요체는 사치하고 교묘한 것을 금하는 것이고, 나라를 지키는 법도는 사유(四維) 곧 예의염치를 닦는데 있다.27)

이어서 다시 4가지 강령에 대해 이렇게 설명하였다.

> 무엇을 4가지 강령이라 부르는가? 첫째는 예(禮), 둘째는 의(義), 셋째는 염(廉), 넷째는 치(恥)이다. '예'란 절도를 넘지 않음이고, '의'란 스스로 나아가기(自進)를 구하지 않음이고, '염'이란 잘못을 은폐하지 않음이고, '치'란 그릇된 것을 따르지 않음이다.28)

『관자』는 또 만약 국가를 다스림에 이 4가지 강령 가운데 하나라도 없게 되면 국가가 위태롭게 된다고 강조하였다.

---

26) 徐連達·吳浩坤·趙克堯, 『중국통사』, 중국사연구회 옮김, 청년사, 1989, 84-85쪽 참조 요약.
27) 『管子』, 「牧民」: "上服度, 則六親固; 四維張 則君令行; 故省刑之要, 在禁文巧; 守國之度, 在飾四維."
28) 위와 같음: "何謂四維? 一曰禮, 二曰義, 三曰廉, 四曰恥. 禮不踰節, 義不自進, 廉不蔽惡, 恥不從枉."

　나라에는 4가지 강령이 있다. 그 가운데 하나가 끊어지면 (나라가) 기울고, 두 가지가 끊어지면 위태로워지고, 세 가지가 끊어지면 뒤집어지고, 네 가지가 끊어지면 망한다. 기우는 것은 바로잡을 수 있고, 위태로운 것은 안정시킬 수 있고, 뒤집어지는 것은 일으켜 세울 수는 있으나 망한 것은 다시 일으킬 수 없다.[29]

『관자』는 정치의 요체를 백성이 원하는 4가지를 채워주는 것이라고 말한다.

　정치가 흥하는 것은 민심을 따르는 데 있고, 정치가 피폐해지는 것은 민심을 거스르는 데 있다. ①백성은 근심과 노고를 싫어하므로 군주는 그들을 편안하고 즐겁게 해줘야 한다. ②백성은 가난하고 천한 것을 싫어하므로 군주는 그들을 부유하고 귀하게 해줘야 한다. ③백성은 위험에 빠지는 것을 싫어하므로 군주는 그들을 보호하고 안전하게 해줘야 한다. ④백성은 후사가 끊어지는 것을 싫어하므로 군주는 그들이 (자식을) 낳고 잘 기르도록 해줘야 한다.[30]

이런 관점에 근거하여 법치를 강조하였다.

　사람은 본래 서로 미워하고, 사람의 마음은 사납기 때문에 법으로 다스려야 한다.[31]

---

29) 위와 같음: "國有四維, 一維絶則傾, 二維絶則危, 三維絶則覆, 四維絶則滅. 傾可正也, 危可安也, 覆可起也, 滅不可復錯也."
30) 위와 같음: "政之所興, 在順民心; 政之所廢, 在逆民心. 民惡憂勞, 我佚樂之; 民惡貧賤, 我富貴之; 民惡危墜, 我存安之; 民惡滅絶, 我生育之."
31) 같은 책, 「樞言」: "人故相憎也, 人之心悍, 故爲之法."

그러나 이러한 법은 결국 도에서 나와야 한다고 강조한다.

법은 예(禮)에서 나오고, 예는 통치 권력[治]에서 나온다. 통치 권력과 예는 도에 속한다. 세상만사는 통치 권력과 예를 갖춘 뒤에야 안정된다.32)

따라서 일반적으로 말하는 형벌에 의한 다스림에 기본적으로 비판적이었다.

형벌은 백성이 두려워하도록 하기에 부족하고, 죽이는 것은 백성의 마음을 복종시키기기에 부족하다. 그러므로 형벌이 많으나 (백성의) 뜻이 그것을 두려워하지 않으면 법령이 시행되지 않는다. 많은 사람을 죽여도 (백성이) 마음으로 복종하지 않으면 윗사람의 자리는 위태롭다.33)

또 이렇게 말하였다.

법이란 백성의 죽음과 삶을 결정하는 것이다. 백성의 죽음과 삶을 결정하는 만큼 형벌을 신중히 하지 않으면 안 된다. 형벌을 신중히 하지 않으면 회피와 억지[辟就]가 생기고, 회피와 억지가 생기면 죄 없는 사람을 죽이고 죄 있는 사람을 놓아주게 된다. 죄 없는 사람을 죽이고 죄 있는 사람을 놓아주면 신하가 반역하여 찬탈하는 것을 피할 수 없다.34)

---

32) 위와 같음: "法出於禮, 禮出於治, 治·禮, 道也."
33) 같은 책, 「牧民」: "故刑罰不足以畏其意, 殺戮不足以服其心. 故刑罰繁而意不恐, 則令不行矣; 殺戮繁而心不服, 則上位危矣."
34) 같은 책, 「權修」: "法者, 將用民之死命者也, 用民之死命者, 則刑罰不可不審. 刑罰不審, 則有辟就; 有辟就, 則殺不辜而赦有罪; 殺不辜而赦有罪, 則國不免於賊臣矣."

모든 정치 행위는 '때'[時]에 맞아야 한다.

성인이란 다스림과 어지러움의 도에 밝고, 인사(人事)의 인과 관계에 능숙한 사람이다. (성인이) 백성을 다스리는 것은 백성이 이롭기를 기약할 따름이다. 그러므로 그 방법[應]은 한결같으니 옛날을 흠모하지 않고, 지금에 얽매이지도 않으며, 때와 더불어 변하고 풍속에 따라 변해야 한다.35)

5) 경제

『관자』는 기본적으로 '이익'(利)을 긍정한다. 이것은 노장철학 또는 유가학파와 다른 점이다.

창고가 가득 차면 예절을 알고, 입을 옷과 먹을 양식이 풍족하면 영광과 치욕을 안다.36)

노장철학은 항상 무욕·과욕할 것을 주장한다. 그러나 『관자』에서는 백성들의 '이익'을 채워줄 것을 주장한다.

백성은 보배로 삼는 것이 없고 이익을 으뜸으로 여긴다.37)

---

35) 같은 책, 「正世」: "聖人者, 明於治亂之道, 習於人事之終始者也. 其治民者, 期 於利民而止. 故其應齊也, 不慕古, 不留今, 與時變, 與俗化."
36) 같은 책, 「牧民」: "倉廩實, 則知禮節; 衣食足, 則知榮辱."
37) 같은 책, 「侈靡」: "百姓無寶, 以利爲首."

이것은 앞에서 말한 백성이 원하는 4가지를 채워준다는 관점과 일치한다.

경제적 측면에서 사회가 혼란하게 되는 것은 윗사람이 사치하기 때문이다.

　윗사람이 재물을 쓰는 데 절도가 없으면 백성은 난동을 일으킨다. 사치하고 교묘한 것을 금하지 않으면 백성은 문란해진다.38)

결국, 사회 혼란의 막중한 책임은 치자의 몫이다.
백성의 '이익'을 채워주는 방법은 '공평한 분배'[分]에 있다.

　천하에 재물이 부족함을 걱정하지 말고, 재물을 (공평하게) 분배할 인물이 없음을 걱정해야 한다.39)

이 관점은 『논어』의 관점과 일치하고 『순자』의 관점과는 대립된다.

2. 『황로백서』(黃老帛書)[『황제사경』(黃帝四經)]

이 책에서는 『황로백서』와 『황제사경』은 같은 문헌을 의미한다. 따라서 때에 따라 『황로백서』 또는 『황제사경』이라고 표현할 것이다.

---

38) 같은 책, 「牧民」: "上無量, 則民乃妄; 文巧不禁, 則民乃淫."
39) 위와 같음: "天下無患無財, 患無人以分之."

(1) 문헌 발생 지역

『황로백서』가 어느 지역에서 나온 문헌인가 하는 문제에 대해 학자들의 견해가 엇갈린다. 『황로백서』의 발생 지역으로 정(鄭)·한(韓)·서초(西楚)·제(齊)·월(越)이 언급되고 있다.[40] 당란(唐蘭)은 『황로백서』(그는 이 문헌이 『황제사경』이라 주장한다)는 정나라 또는 한나라 법가의 작품이라고 말한다. 용회(龍晦)는 「마왕퇴백서〈노자〉을본권전고일서탐원」(馬王堆帛書〈老子〉乙本卷前古佚書探源:『考古學報』 1975년 제2기)에서 서초(西楚) 회남(淮南) 사람의 작품이라 생각하였다.

(2) 문헌 성립 시기

『황로백서』(『황제사경』)는 4편으로 구성된 문헌이다. 이 문헌의 성립 시기에 대해 학자들은 견해를 달리한다.

『황로백서』의 성립 연대에 관해서는 전국 중기 이전, 전국 중기 무렵, 전국 말기, 진한시대에서 서한 초기 4가지 관점이 있다. 백해는 『직하학연구』에서 몇 가지 관점을 소개하고 있다.[41] 진고응(陳鼓應)은 중국어 용어의 변화를 이용하였는데, 먼저 단사(單詞)가 있고 후에 복합사(複合詞)가 있었던 규칙으로 『황제사경』이 적어도 『맹자』와 『장자』

---

40) 王博, 「論≪黃帝四經≫産生的地域」, 陳鼓應 主編, 『道家文化硏究』(제3집), 上海古籍出版社, 1993, 223쪽.
41) 白奚, 『稷下學硏究』, 98-99쪽.

내편과 동시대라는 것을 논증하였다.42) 이학근(李學勤)은 고대사의 전설 계통의 변화를 통하여 『황제사경』이 전국 중기보다 늦지 않다고 논증하였다.43) 왕박(王博)은 "기"(氣)자가 『황제사경』에서는 일반명사에 불과하지만 『관자』 중에서는 이미 철학적 사변의 의미를 가진 것이고 지적하였다. 그리하여 『황제사경』이 『관자』보다 빠르다는 것을 논증하였다.44) 백해는 이 『황로백서』(그는 이 문헌이 『황제사경』이라는 당란의 관점에 동의한다)의 성립 시기에 대해 "전국 초·중기 무렵으로, 묵자 이후 맹자, 장자 이전이라고 생각한다"고 말하였다.45) 백해는 그 근거로 4가지를 말한다. 첫째, 인성론의 발전 과정이다. 둘째, 인식론의 발전 과정이다. 셋째, 음양오행 사상이다. 넷째, 선진시대 자서(子書)의 고사전설(古史傳說) 계통이다.46) 오광은 진한 교체기 때의 작품이라 생각한다.47)

(3) 철학사상

『황로백서』는 기본적으로 노자 철학의 형이상학을 계승하였다. 그러나 또 노자 철학에 대해 취사선택을 하였다.

---

42) 陳鼓應, 『黃帝四經今注今譯』, 臺灣商務印書館, 1995, 35-36쪽.
43) 李學勤, 「楚帛書與道家思想」, 陳鼓應 主編, 『道家文化研究』 제5집, 上海古籍出版社, 1994, 226쪽.
44) 王博, 「〈黃帝四經〉與〈管子〉四篇」, 陳鼓應 主編, 『道家文化研究』 제1집, 上海古籍出版社, 1992.
45) 白奚, 『稷下學研究』, 99쪽.
46) 같은 책, 100-114쪽 참조.
47) 吳光, 『黃老之學通論』, 129쪽.

1) 천도론

① 도

천도는 어떤 도가철학의 학파, 인물이라고 하더라도 그 이론의 핵심이다. 『황로백서』에서는 이렇게 말하였다.

> [도는] 텅 비어 형체가 없으며, 고요하고 어둡지만, 만물이 그로부터 생겨난다.[48]

이러한 도는 변함없는 천지의 법칙이다.

> 천지에는 항구불변[恒常]하는 법칙이 있다. ……천지의 항구불변의 법칙은 사계절이 순환하고, 낮과 밤이 교대하며, 봄·여름에 생장하고, 가을·겨울에 시들어 죽으며, 부드러움과 굳셈이 [서로를 이루어주는] 것이다.[49]

그러므로 이 도에 의해 사계절의 변화, 낮과 밤의 교대, 사계절의 운행이 이루어진다.

> 천지는 사사로움이 없고, 사계절은 멈추지 않는다.[50]

---

48) 『黃帝四經』「經法」「道法」: "虛無形, 其裻冥冥, 萬物之所從生."
49) 위와 같음: "天地有恒常. ……天地之恒常, 四時·晦明·生殺·柔剛."
50) 같은 책, 「經法」「國次」: "天地无私, 四時不息."

이처럼 천도로 표현한 자연질서는 인간의 의지와는 상관없이 쉼이 없이 운행한다.

② 허정무위

천도는 의지가 없는 것이다. 그러므로 이러한 도의 특징은 허정무위(虛靜無爲)이다.

【□生□, □】은 총명함을 낳고, 총명하면 항상(恒常)의 규율을 따르고[正], 【항상의 규율을 따르면】 고요함[靜]에 이른다. 고요하면 [심기가] 평온해지고, 평온하면 [심신이] 편안해지며, 편안하면 순박해지고, 순박하면 [정신이] 순수해지고, [정신이] 순수하면 신묘해진다. 신묘함이 지극한 경지에 이르면 사물을 인식하는 데 미혹함이 없다.[51]

허정(虛靜)은 텅 비어 고요한 것을 의미한다. 도는 '텅 비어' 있기에 신묘한 작용을 한다. 그러므로 도는 '고요할' 수 있다. 이것은 당연히 군주가 천하를 통치할 때 본받아야 할 법도이다.

2) 수양론

---

51) 같은 책, 「經法」「論」: "□【生】□, □生慧, 慧生正, 【正】生靜. 靜則平, 平則寧, 寧則素, 素則精, 精則神. 至神之極, 【見】知不惑."

노장철학에서는 인간의 욕망에 대해 언제나 부정적 시각을 가지고 있었다. 그러므로 수양을 통한 욕망의 통제를 주장하였다. 그렇지만 『황로백서』는 먼저 인간은 욕망을 가진 존재라는 것을 긍정하였다.

  [인간이] 살아가는데 해로운 것이 있으니 욕심을 내거나 만족을 모르는 것이다.52)

인간에게 '욕망'[欲]이 있는 것은 인간이 이 세상에 '태어나면서 있게 된'(生有) 것이다. 만약 이처럼 인간의 '욕망'이 태어나면서 존재한 것이라면 이 인간의 '욕망' 자체를 제거하거나 부정하는 것은 의미없는 일이다. 물론 인간의 욕망을 긍정한다고 해서 전적으로 그것을 따라도 된다는 의미는 아니다. 그러므로 이 '욕망'에 대해 '해로운 것' (害)이라고 규정한 것이다. 따라서 '만족할 것'(足)을 요구한 것이다. 이것은 기본적으로 노장철학의 관점과 일치한다.

  만족할 줄 알면 욕되지 않고, 그칠 줄 알면 위태롭지 않다. 그렇게 하면 오래갈 수 있다.53)

인간의 '욕망'이란 그 자체를 부정할 수는 없는 것이다. 다만 그것을 적절하게 절제하는 것만이 가능하다. 인간의 '욕망'에 관한 이러한 관점은 당연히 군주가 천하를 통치할 때 핵심이 되는 기본원칙이기 때문이다.

---

52) 같은 책, 「經法」「道法」: "生有害, 曰欲, 曰不知足."
53) 『老子』 제44장: "知足不辱, 知止不殆, 可以長久."

(4) 정치이론

『황로백서』의 정치철학에서 가장 중요한 원칙은 도를 본받는 것이다.

그러므로 도를 간직한 사람[執道者]는 천하를 관찰할 때 붙잡으려 하지 않고[無執], 머무르지 않으며[無處], 작위함이 없고[無爲], 사사로움이 없는[無私] 것이다.54)

그리고 이것을 정치적으로 실현하는 구체적인 방법 가운데 하나가 법치이다.

1) 법치

선진시대 때 유가철학과 노장철학은 모두 법치에 반대하였다. 이 두 학파는 큰 틀에서 말하면 모두 덕치(德治)를 주장하였다.

[노자] 법령이 복잡해지면 도적이 많아진다.55)
[공자] 정령으로 이끌고 형벌로 다스리면 백성은 형벌은 면하려고만 할

---

54) 『黃帝四經』「經法」「道法」: "故執道者之觀於天下也, 無執也, 無處也, 無爲也, 無私也."
55) 『老子』57장: "法令滋彰, 盜賊多有."

뿐 부끄러움을 모르게 된다.56)

그런데 『황로백서』는 이와 다르다. 이 책의 특징 가운데 하나는 법의 근거를 도에서 찾은 점에 있다.

도(道)에서 법(法)이 나온다.57)

이것은 법치에 대한 긍정이다. 천하를 통치하는 기본 원리를 법에서 찾았다. 그런데 이 법의 존재근거는 도이다. 따라서 법은 절대적 타당성을 확보하게 된다.

또 다음과 같이 말하였다.

법도(法度)란 지극히 바른 것이다. 법도를 가지고 다스리는 자는 이것을 어지럽혀서는 안 된다. 법도를 만드는 자는 이것을 어지럽혀서는 안 된다. 지극히 공정하고 사사로움이 없이 상벌이 그대로 시행된다면 나라가 다스려질 것이다.58)

그렇지만 여기에서 말하는 법치는 앞에서 말한 것처럼 도에서 나온 것으로 공평무사함을 특징으로 한다. 그리고 여기에서 핵심은 군주 역시 자의적인 통치가 아니라 법에 따른 통치를 실천해야 한다는 것이다.

---

56) 『論語』「爲政」: "道之以政, 齊之以刑, 民免而無恥."
57) 『黃帝四經』「經法」「道法」: "道生法."
58) 같은 책, 「經法」「君正」: "法度者, 正之至也. 而以法度治者, 不可亂也. 而生法度者, 不可亂也. 精公无私而賞罰信, 所以治也."

법이란 먹줄을 [당겨] 득과 실을 판별하여 [사물의] 휘어짐과 곧음[옳고 그름]을 밝히는 것이다.59)

이처럼 군주 역시 법에 따른 통치에서 예외가 아니다.

그러므로 도를 잡은 사람[執道者]은 법을 만들면 감히 위배하지 않고, 법을 세우면 감히 버려두지 않는다. □능히 스스로 먹줄을 [당겨 득과 실을] 판별할 수 있고 나서야 천하를 인식하는 데 미혹하지 않는다.60)

사실 고대사회에서 정치적 문제는 거의 언제나 군주 한 사람의 절대권력을 어떻게 통제할 것인가로 귀결되었다. 따라서 군주의 절대권력을 어떻게 하면 통제할 수 있는가 하는 문제는 국가의 존망이 달린 핵심 과제였다.

『황로백서』에 의하면, 군주가 천하를 다스릴 때는 근본으로 돌아가 문제를 살펴보아야만 한다. 그렇게 해야만 어떤 문제가 발생했을 때 근본적으로 해결할 수 있기 때문이다.

무형(無形)으로 돌아가 찾으면 화(禍)와 복(福)이 생겨나는 원인을 알 수 있다.61)

---

59) 같은 책,「經法」「道法」: "法者, 引得失以繩, 而明曲直者也."
60) 위와 같음: "故執道者, 生法而弗敢犯也, 法立而弗敢廢也. □能自引以繩, 然後見知天下而不惑矣."
61) 위와 같음: "反索之无形, 故知禍福之所從生."

이것은 어떤 문제가 발생하였을 때 말단이 아닌 그 근본에서 해결하는 것이다.

『황로백서』는 법치를 잘 실행할 수 있는 전제조건으로 '백성의 부유함'[民富]을 말하였다.

인간의 근본은 땅에 있고, 땅의 근본은 마땅함[宜]에 있다. 마땅함은 때[時]에서 생기고, 때의 이용은 백성들에게 있으며, 백성들의 이용은 힘[力]에 있고, 힘의 이용은 절제[節]에 있다. 땅의 마땅함을 알고, 때를 기다려 심고, 백성들의 힘을 절제해 부린다면 재화[財]가 생긴다. 부렴(賦歛)을 거두는데 일정한 기준이 있다면 백성들이 부유해지고, 백성들이 부유하면 염치가 있게 된다. 염치가 있으면 명령에 따르는 것이 습속이 되어 법[號令]을 범하지 않게 된다.[62]

이 기록에 의하면 법치가 잘 실행되기 위해서는 다음과 같은 몇 가지 조건이 충족되어야 한다. 첫째, 백성의 노동력을 마땅하게 잘 이용하여 재화를 많이 생산한다. 둘째, 부세를 합당하게 거둔다. 셋째, 백성이 부유하게 된다. 넷째, 백성이 염치를 안다. 다섯째, 백성이 법을 잘 지킨다.

『황로백서』는 법치의 실행을 위해서는 음양형덕(陰陽刑德)을 모두 사용해야 한다고 생각하였다.

---

62) 같은 책, 「經法」「君正」: "人之本在地, 地之本在宜, 宜之生在時, 時之用在民, 民之用在力, 力之用在節. 知地宜, 須時而樹, 節民力以使, 則財生. 賦歛有度則民富, 民富則有恥, 有恥則號令成."

2) 음양형덕

『황로백서』는 천지의 음양에 맞춰 형벌과 덕을 모두 국가 통치에서 중요한 수단으로 삼았다.

하늘에는 죽이고 살리는 때가 있고, 나라에는 죽이고 살리는 정령(政令)이 있다. 하늘이 [만물을] 살리는 때를 따라서[因] 살려야 할 것을 기르는 것을 문(文)이라 하고, 하늘이 [만물을] 죽이는 때를 따라서 죽여야 할 것을 치는 것을 무(武)라고 한다. 문과 무를 병행하면 천하가 복종할 것이다.63)

그런데 이것을 실행할 때는 반드시 천지의 변화에 인순[因]해야 한다.

[형살의 계절에] 양의 정령을 행하여 음의 기운을 침해하지 말고, [경작의 계절에] 음의 정령을 행하여 양의 기운을 침해하지 말라.64)

만약 음양에 맞는 형벌과 덕을 사용하지 않는다면 당연히 문제가 발생한다.

[형살의 계절에] 양의 정령을 행하여 음의 기운을 침해하면 하늘이 그 빛을 빼앗고, [경작의 계절에] 음의 정령을 행하여 양의 기운을 침해하면 토지가 황폐해진다. ……[형살의 계절에] 양의 정령을 행하여 음의 기운을 침해

---

63) 『黃帝四經』「經法」「君正」: "天有死生之時, 國有死生之政. 因天之生也以養生, 謂之文, 因天之殺也以伐死, 謂之武.【文】武竝行, 則天下從矣."
64) 같은 책, 「經法」「國次」: "毋陽竊, 毋陰竊."

하면 사람들이 질병에 걸리고, [경작의 계절에] 음의 정령을 행하여 양의 기운을 침해하면 기근이 든다.[65]

이처럼 『황로백서』에서 음양형덕을 모두 사용할 것을 주장한 것은 전통적으로 '덕'만을 강조하던 사유 방식과 많은 차이가 있다. 그렇지만 이것은 매우 현실적인 대안이기도 하였다.

문덕(文德)을 미천한 사람들에게까지 두루 미치게 하고, 무력[武刃]을 □□에 시작한다면 [천하를 다스리는] 왕자[王]가 되는 근본을 갖춘 것이다.[66]

역사적으로 볼 때, '문덕'만을 강조한 것과 '무력'만을 강조한 정치는 모두 실패하였다. 이것은 모두 현실에 맞지 않는 주장이다.

정치는 크게 두 가지 측면이 있다. 국내 정치와 국제 정치이다. 『황로백서』는 국내 정치 문제로 '육역'(六逆)과 '육순'(六順)을 제시하였고, 국제 정치 문제로 전쟁을 말하였다.

(5) 전쟁관

선진시대 노장철학은 기본적으로 전쟁에 반대하였다.

도로써 군주[人主]를 보좌하는 사람은 군대로 세상을 강제하지 않는다. 군대로 강압하면 앙갚음을 받게 된다. 군대가 머문 곳에는 가시덤불이 자라고,

---

65) 위와 같음: "陽竊者天奪【其光, 陰竊】者土地荒. ……陽竊者疾, 陰竊者飢."
66) 『黃帝四經』「經法」「大分」: "文德究於輕細, 武刃於□□, 王之本也."

큰 군대를 일으킨 뒤에는 반드시 흉년이 들게 된다.[67]

상식적으로 말해서, 전쟁은 인간의 야만성을 나타낼 뿐이다. 그 어디에도 정당성은 없다고 할 것이다. 그러나 이것은 어디까지나 이상적일 이념일 따름이다. 현실은 언제나 그 반대로 흘러갔다. 이러한 상황은 지금도 변함이 없다. 오히려 더 교묘해졌을 뿐이다.

그러나 이와 달리 『황로백서』는 전쟁을 긍정하였다.

마땅히 응징받을 만한 죄를 범하거나 멸망하여야 할 나라를 공벌(攻伐)하면 반드시 그 나라를 폐허로 만들 수 있다. 타국을 점령하고 나서 함부로 하지 않는 것을 하늘의 공덕[天功]이라고 말한다.[68]

이 단락에 의하면 전쟁을 통해 침략할 수 있는 나라를 침략하고 점령하여 다스릴 때는 두 가지 조건을 충족해야 한다. 첫째, 그 대상은 "마땅히 응징받을 만한 죄를 범하거나 멸망하여야 할 나라"(禁伐當罪當亡, 必虛其國)에 한정한다. 둘째, 그렇지만 그 점령한 나라를 "점령하고 나서 함부로 하지 않아야"(兼之而勿擅) 한다. 첫 번째가 전쟁의 정당성을 말한 것이라면, 두 번째는 점령 이후의 점령지 정책이라고 말할 수 있다.

이 문제와 관련하여 『황로백서』는 점령지를 처리하는 문제에서 신중함을 요구한다.

---

67) 『老子』제30장: "以道佐人主者, 不以兵强天下, 其事好還. 師之所處, 荊棘生焉. 大軍之後, 必有凶年."
68) 『黃帝四經』「經法」「國次」: "禁伐當罪當亡, 必虛其國. 兼之而勿擅, 是謂天功."

천극(天極)을 벗어나고 천당(天當)을 위배하면 하늘이 재앙을 내릴 것이다. ……다른 나라를 겸병하고 나서 그 도성과 성곽을 수리하고, 그 나라의 궁실을 차지하고, 그 나라의 음악을 듣고, 그 나라의 재물을 탐하고, 그 나라의 자녀를 처첩으로 삼는 것을 두고 [크게] 거슬러 황폐해지는 길이라 하며, 나라가 위태로워져 패망에 이른다.69)

아래는 점령지를 다스리는 정책이다.

[점령 후] 1년째는 그들의 풍속[俗]을 따르고, 2년째는 그들 중 유덕자[德]를 임용하며, 3년째는 백성들에게 이득이 있게 하고, 4년째는 호령(號令)을 하달하며, 【5년째는 형률로 다스리고, 6년째는】 백성들이 외경심을 갖게 하며, 7년째는 [전쟁에] 징발할 수 있다.70)

그 이유를 이렇게 설명하였다.

[점령 후] 1년째에 그들의 풍속을 따르면 그곳 백성들의 생활 규범을 알게 된다. 2년째에 그들 중에서 유덕자[德]를 임용하면 백성들이 힘써 일하게 된다. 3년째에 부세를 거두지 않으면 백성들에게 이득이 있게 된다. 4년째에 명령을 내리면 백성들이 외경심을 갖게 된다. 5년째에 형률로 다스리면 백성들이 요행을 바라지 않게 된다. 6년째에 □□□하면 □□□□하게 된다. 7년째에 백성들을 [전쟁에] 징발하면 강적과 싸워 이길 수 있다.71)

---

69) 『黃帝四經』「經法」「國次」: "過極失當, 天將降殃. ……兼人之國, 脩其國郭, 處其廊廟, 聽其鐘鼓, 利其資財, 妻其子女. ○是□逆以荒, 國危破亡."
70) 같은 책, 「經法」「君正」: "一年從其俗, 二年用其德, 三年而民有得, 四年而發號令, 【五年而以刑正, 六年而】民畏敬, 七年而可以征."
71) 위와 같음: "一年從其俗, 則知民則. 二年用【其德】, 民則力. 三年无賦斂, 則民有得. 四年發號令, 則民畏敬. 五年以刑正, 則民不倖. 六年□□□□□□□.

또 이러한 조치의 구체적인 내용을 아래와 같이 말하였다.

　그들의 풍속[俗]에 따른다는 것은 민심에 순응하는 것이다. 유덕자를 임
용한다는 것은 그들을 아끼고 권면하는 것이다. 이득이 있게 한다는 것은
산림수택을 개방하고, 관(關)과 시(市)의 세금을 경감하는 것이다. 명령을 내
린다는 것은 백성들을 십(什)과 오(伍)로 조직하고, 현능한 자와 불초한 자
를 가려 구별하는 것이다. 형률로 다스린다는 것은 죽을 죄를 버한 자를 사
면하지 않는 것이다. □□□□□□□□ 징발이 가능하다는 것은 백성이 죽음
을 무릅쓰고 싸운다는 것이다.72)

　이것은 '명분'이 있는 정벌을 정당화한 것이다. 그러므로 노장철학
처럼 무조건적으로 반전론을 전개한 것은 아니다. 선진시대 전국시대
의 상황을 고려하면 그 나름대로 합리성을 가진 관점이라고 말할 수
있다.

제3절 진한시대 황로학

1. 여불위와 『여씨춘추』

(1) 여불위라는 인물

【七】年而可以征, 則勝强敵."
72) 위와 같음: "俗者, 順民心也. 德者, 愛勉之【也. 有】得者, 發禁弛關市之征也.
號令者, 連爲什伍, 選練賢不肖有別也. 以刑正者, 罪殺不赦也. □□□□□□□
□也. 可以征者, 民死節也."

중국 역사에서 여불위(呂不韋, ?-기원전 235)는 매우 독특한 인물이다. 그의 삶은 부유한 상인에서 정치가로 변신하여 진(秦)나라의 상공(相公)이 되었으며, 또 진시황의 중부(仲父)가 되었지만 결국 자살이라는 비극적 최후(사실 이것도 불명확하다)를 맞이한 인물이다. 여불위의 삶은 부유한 상인에서 한 시대를 풍미한 불세출의 정치가였다고 말할 수 있다.

우리는 여불위의 생애를 『사기』(史記) 「여불위전」(呂不韋傳), 「진시황본기」(秦始皇本紀)를 중심으로 살펴볼 수 있다. 또 이 문헌을 바탕으로 하여 쓴 것으로 한대(漢代) 하동(河東)의 인물 고유(高誘)가 쓴 『여씨춘추서』(呂氏春秋序)가 있다.

1) 부유한 상인

정치가로 변신하기 이전의 부유한 상인으로서의 여불위를 살펴보기로 하자. 『사기』 「여불위전」에서 말하였다.

> 여불위는 양적(陽翟: 河南城 禹縣)의 부유한 상인이다. 이곳저곳에 다니면서 물건을 싸게 사고 비싸게 팔아서 천금(千金)을 모았다.[73]

여불위는 장사를 통하여 천금이라는 거대한 부를 얻을 수 있었다.

---

73) 『史記』 「呂不韋傳」: "呂不韋者, 陽翟大賈人也. 往來販賤賣貴, 家累千金."(『史記』의 원문은 郭逸·郭曼이 표점을 한 『史記』(上/下), 上海古籍出版社, 2001년 판본을 저본으로 하였다)

그것이 장양왕(莊襄王)[74]과의 극적인 만남이 이루어지기 전의 일이이다. 『전국책』(戰國策) 「진책」(秦策)에 여불위와 장양왕의 만남에 관한 기록이 있다.

2) 장양왕과의 만남

먼저 진나라의 권력 계승과 관련된 상황을 살펴보자.

> 진나라 소왕(昭王) 40년에 태자가 죽었다. 42년에 그 둘째 아들 안국군(安國君)이 태자가 되었다. 안국군에게는 20여 명의 아들이 있었다. 안국군에게는 매우 사랑하는 후실(後室)이 있었는데 정부인(正夫人)으로 삼고 화양부인(華陽夫人)이라 불렀다. 화양부인에게는 아들이 없었다.[75]

위에서 인용한 내용처럼, 진나라 소왕 40년(기원전 266년)에 태자가 죽고 42년(기원전 264년)에는 그 둘째 아들 안국군이 태자가 되었다. 그런데 안국군은 그가 사랑했던 후실을 정부인으로 삼고 화양부인이라 불렀다. 이 화양부인에게는 아들이 없었다.

다음으로 이 당시에 자초(子楚), 즉 훗날에 장양왕이 된 이 인물이 처했던 상황을 살펴보면 이렇다.

---

74) 『索隱』: "莊襄王者, 孝文王之中子, 昭襄王之孫也, 名子楚."; 『戰國策』에서는 본명이 자이(子異)로 후에 화양부인(華陽夫人)의 양아들이 되었는데, 이 화양부인이 초나라 사람이므로 이름을 자초(子楚)로 바꾸었다고 하였다.

75) 『史記』「呂不韋列傳」: "秦昭王四十年, 太子死. 其四十二年, 以其次子安國君爲太子. 安國君有子二十餘人. 安國君有所甚愛姬, 立以爲正夫人, 號曰華陽夫人. 華陽夫人無子."

안국군(安國君)의 둘째 아들은 이름이 자초(子楚)로, 자초의 어머니는 하희(夏姬)라고 불렀는데 안국군의 사랑을 받지 못하였다. 자초는 진나라의 인질이 되어 조(趙)나라에 볼모로 잡혀있었다. 진나라가 여러 차례 조나라를 침략하였으므로 조나라는 자초를 그리 예우하지 않았다.[76]

당시에 자초가 처했던 상황은 매우 불리하였다. 그의 어머니 하희는 안국군의 사랑을 받지 못하였고, 자초 자신은 서얼 출신에 둘째 아들이라는 신분에다가 조나라에 인질로 잡혀있는 몸이었다. 그러므로 그가 태자가 되어 왕위를 계승한다는 것은 거의 가능성이 없었다고 할 것이다. 자초가 여불위라는 걸출한 인물을 만나게 된 상황적인 배경이 이러하였다.

「여불위전」에서는 이 극적인 만남을 이렇게 기록하고 있다.

여불위는 장사를 하기 위하여 한단(邯鄲)에 갔을 때 그(자초)를 보고 가련하게 생각하였는데, "이것은 기이한 물건이니 살만하다"고 말하였다. 이윽고 곧 자초를 찾아가 만나서는 말하였다. "제가 당신의 문을 크게 할 수 있습니다." 자초가 웃으면서 말하였다 "먼저 당신의 문을 크게 하고나서 내 문을 크게 해주시오." 여불위가 말하였다. "당신은 모르십니다. 저의 문은 당신의 문이 크게 된 후에 커집니다." 자초는 마음속으로 그가 하는 말의 뜻을 알고서는 안으로 인도하여 대좌하고서는 깊은 말을 나누었다.[77]

---

76) 위와 같음: "安國君中南名子楚, 子楚母曰夏姬, 毋愛. 子楚爲秦質子于趙. 秦數攻趙, 趙不甚禮子楚."

77) 위와 같음: "呂不韋賈邯鄲, 見而憐之, 曰: ʻ此奇貨可居.ʼ 乃往見子楚, 說曰: ʻ吾能大子之門.ʼ 子楚笑曰: ʻ且自大君之門, 而乃大吾門!ʼ 呂不韋曰: ʻ子不知也, 吾門待子門而大.ʼ 子楚心知所謂, 乃引與坐, 深語."

여불위는 세상을 살아가면서 파악한 정치적 식견을 보여준다.. 결국 여불위의 '정치적 도박'으로 자초는 태자의 자리에 오르게 된다.

3) 진시황과의 관계

여불위와 진시황의 관계에 대한 「진시황본기」의 내용은 아래와 같다.

> 진나라 시황제(始皇帝)는 진나라 장양왕(莊襄王)의 아들이다. 장양왕이 진나라의 질자(質子)로서 조(趙)나라에 있을 때 여불위의 첩을 보고 반하여 그녀를 아내로 맞이하여 시황(始皇)을 낳았다.[78]

또 「여불위열전」은 이렇게 말하고 있다.

> 여불위는 한단(邯鄲)의 여러 첩(妾)들 중에서 용모가 예쁘고 춤을 잘 추는 여인을 얻어 동거하였는데 그녀가 임신한 것을 알게 있었다. 한편 자초는 여불위의 집에서 술을 마시다가 그녀를 보고 마음에 들어 이에 일어나 축수(祝壽)를 빌면서 그녀를 요구하였다. 여불위는 화가 났지만 이미 자초를 위해서 가산을 탕진하며 진기한 재화를 낚으려는 계략을 상기하고 마침내 그 첩을 바쳤다. 그녀는 스스로 임신한 몸이라는 것을 숨기고 만삭이 되어 아들 정(政)을 낳았다. 자초는 마침내 그 첩을 아내로 맞이하였다.[79]

---

78) 『史記』「秦始皇本紀」: "秦始皇帝者, 秦莊襄王子也. 莊襄王爲秦質子於趙, 見呂不韋姬, 悅而取之, 生始皇."
79) 같은 책, 「呂不韋列傳」: "呂不韋取邯鄲諸姬絶好善舞者與居, 知有身. 子楚從不韋飮, 見而悅之, 因起爲壽, 請之. 呂不韋怒, 念業已破家爲子楚, 欲以釣奇, 乃遂獻其姬. 姬自匿有身, 至大期時, 生子政. 子楚遂立姬爲夫人."

이 단락의 내용은 진시황의 출생과 관련하여 매우 중요한 정보를 담고 있다. 즉 진시황의 아버지가 장양왕인가 아니면 여불위인가 하는 것이다. 「진시황본기」의 기록에 의하면 장양왕의 아들일 가능성이 높게 보이는데 비하여 「여불위열전」의 기록은 여불위의 아들이라는 점을 분명하게 밝히고 있다. 이처럼 진시황의 출생과 관련된 애매한 기록은 아마도 한나라 정권의 정통성을 강화하고자 한 의도에서 조작되었을 가능성이 농후하다.

4) 그의 죽음과 꿈의 종말

만약 진시황이 여불위의 자식이라면 진시황은 자신의 생부를 죽인 인물이 된다. 그것이 설령 진시황이 이러한 상황을 몰랐다고 하더라도 그러한 행위에 대한 도덕적 평가는 결코 좋을 수가 없다. 먼저 여불위가 진나라의 정치 무대에서 몰락하게 된 계기가 되었던 여불위와 태후(太后)의 연애사건, 태후와 노애(嫪毐)의 연애사건을 고찰해 볼 필요가 있다.

먼저 여불위와 태후의 연애사건이다. 이 문제는 장양왕 자초가 조나라에 인질로 잡혀있던 때부터 시작한다. 그런데 이 자초라는 인물이 태자에 오르고 다시 장양왕이 되었다. 장양왕은 재위에 오른 지 3년 만에 죽고 말았다. 여불위와 태후의 연애 관계를 그리고 있는 「여불위열전」의 내용은 아래와 같다.

시황제(始皇帝)는 날로 성장하였는데 태후의 음란한 행위는 그치지 않았

다. 여불위는 화가 자신에게 미칠 것을 두려워하여 음경이 큰 노애(嫪毐)라
는 사람을 몰래 찾아내어 가신(家臣)으로 삼았는데, 때때로 음탕한 음악을
연주하면서 노애로 하여금 그의 음경에 오동나무 수레바퀴를 달아 걷게 하
였다. 태후에게 그 소식을 듣게 함으로써 유혹하게 하였다. 태후는 그 소문
을 듣고 과연 남몰래 그를 얻으려고 하였다. 여불위는 이에 노애를 바쳤고,
어떤 사람을 시켜 그를 부죄(腐罪: 宮刑)에 처하도록 허위로 고발하였다. 여
불위는 또 은밀히 태후에게 "부형을 허위로 조작할 수 있다면 궁중에서 봉
직하게 할 수 있습니다"라고 일러주었다. 태후는 이에 부형을 주관하는 관
리에게 은밀히 후한 뇌물을 주고 집행을 날조하였고 그의 수염과 눈썹을 뽑
아 내시가 되게 하여 마침내 태후의 시중을 들 수 있게 하였다. 태후는 남
몰래 그와 간통을 하였으며, 그를 몹시 총애하였다. 그녀가 임신하게 되자
태후는 남이 알까 두려워 점을 치고서는 피시(避時: 거처를 바꿔 화를 피하
는 것)해야 한다고 속여 거처를 옹(雍) 땅으로 옮겨 살았다. 노애는 항상 그
녀를 따랐고, 상은 매우 후하게 내려졌으며, 매사 노애에 의해 결정되었다.
이로써 노애의 가신은 수천 명이 되었고, 벼슬을 얻기 위해 노애의 빈객이
된 자는 천여 명이 되었다.[80]

이 기록에 의하면 여불위는 자신의 태후와의 연애사건으로 화를 당
할까 두려워하여 노애라는 인물을 대신 기용했다는 것이다. 노애에 관
한 기록은 「진시황본기」에서도 보인다.

---

80) 『史記』 「呂不韋列傳」: "始皇帝益壯, 太后淫不止. 呂不韋恐覺禍及己, 乃私求
大陰人嫪毐以爲舍人, 時縱倡樂, 使毐以其陰關桐輪而行, 令太后聞之, 以啗太
后. 太后聞, 果欲私得之. 呂不韋乃進嫪毐, 詐令人以腐罪告之. 不韋又陰謂太后
曰: '可事詐腐, 則得給事中.' 太后乃陰厚賜主腐者吏, 詐論之, 拔其鬚眉爲宦者,
遂得侍太后. 太后私與通, 絶愛之. 有身, 太后恐人知之, 詐卜當避時, 徙宮居雍.
嫪毐常從, 賞賜甚厚, 事皆決於嫪毐. 嫪毐家僮數千人, 諸客求宦爲嫪毐舍人千
餘人."

(진시황 8년) 노애가 장신후(長信侯)에 봉해졌다.81)
(진시황 9년) 노애가 반란을 일으켰지만 발각되었다.82)

노애의 반란은 상국 여불위에게도 영향을 주었다. 그 결과 여불위는 면직당하였다.

(진시황) 10년 상국 여불위가 노애의 반란에 연루되어 면직되었다.83)

다음으로 여불위의 죽음과 관련된 내용을 살펴보자.

진시황은 상국(相國: 여불위)을 죽이려고 하였지만, 선왕을 섬겨 세운 공이 컸고, 빈객(賓客)·변사(辯士)들이 그를 위하여 변호하는 자가 많았으므로 차마 처벌할 수 없었다.84)

이때가 진시황 9년(기원전 238년)이므로 그의 나이는 21세 때이다. 그는 다음 해, 즉 진시황 10년(기원전 237년) 그의 나이 22세 때 여불위를 상국의 직책에서 파면하였다.

진왕(秦王: 秦始皇) 10년 10월 여불위를 상국의 직책에서 파면하였다. 제(齊)나라 사람 모초(茅譙)가 진왕을 설득하여 진왕은 태후를 옹(雍)에서 맞이하여 함양으로 돌아왔다. 문신후를 내보내 하남(河南)에 영지를 주었다.85)

---

81) 같은 책, 「秦始皇本紀」: "嫪毒封爲長信侯.
82) 위와 같음: "長信侯毒作亂而覺."
83) 위와 같음: "相國呂不韋坐嫪毒免."
84) 같은 책, 「呂不韋列傳」: "王欲誅相國, 爲其奉先王功大, 及賓客辯士爲遊說者衆, 王不忍致法."
85) 위와 같음: "秦王十年十月, 免相國呂不韋. 及齊人茅譙說秦王, 秦王乃迎太后

다음으로 「진시황본기」의 기록은 다음과 같다.

진시황 12년(기원전 235년)에 문신후(文信侯) 불위(不韋)가 죽어 몰래 장례를 치렀다. 그 가신으로 장례식에 참가한 사람 중에 진(晉)나라 사람은 국경으로 축출했고, 진(秦)나라 사람으로 봉록 600섬 이상인 자는 관직을 삭탈하여 (방릉으로) 옮기게 했으며, 봉록이 500섬 이하로 장례식에 참가하지 않은 사람은 (방릉으로) 옮기게만 하고 관직은 삭탈하지 않았다.86)

진시황은 여불위를 파면한 후에 태후를 다시 궁으로 불러들였다. 그런데 여불위의 권력은 아직 무너지지 않았다.

1년여 만에 제후국의 빈객과 사절들이 도로에서 대기하면서 문신후를 참배했다. 진시황은 그가 변란을 일으킬까 두려워 문신후에게 서신을 보냈는데 "그대가 진나라에 무슨 공로가 있기에 진나라는 그대에게 하남을 봉하고 10만 호의 식읍을 내렸는가? 그대가 진나라와 무슨 친족 관계가 있기에 중부(仲父)라고 불리는가? 그대는 가족과 함께 촉 땅으로 옮겨 살아라!"라고 하였다.87)

결국 진시황과 여불위의 권력투쟁은 여불위의 자살로 마무리가 된다. 「여불위열전」에서는 이렇게 말하였다.

于雍, 歸復咸陽, 而出文信侯就國河南."
86) 같은 책, 「秦始皇本紀」: "十二年, 文信侯不韋死, 竊葬. 其舍人臨者, 晉人也逐出之. 秦人六百石以上脫爵, 遷. 五百石以下不臨, 遷, 勿脫爵."
87) 같은 책, 「呂不韋列傳」: "歲餘, 諸侯賓客使者相望于道, 請文信侯. 秦王恐其爲變, 乃賜文信侯書曰: '君何功于秦? 秦封君河南, 食邑十萬戶. 君何親于秦? 號稱仲父. 其與家屬徙處蜀!'"

여불위는 점점 압박해오는 것을 스스로 느끼고 참수를 당할까 두려워 독주를 마시고 죽었다. 진시황은 분노를 터뜨렸던 여불위와 노애가 모두 죽자 이에 촉 땅으로 추방한 노애의 모든 가신을 돌아오게 하였다.88)

『사기』의 여러 편에서 보이는 여불위에 관한 기록은 철저하게 폄하하고 있다. 그런 까닭에 "공자가 말한 바 있는 '명성만 있고 실속이 없는 자'가 바로 여불위였던가?"라고 비판한 것이다.

진시황, 여불위, 노애의 세력 갈등은 단순히 치정문제가 아니라 정치 권력의 문제, 권력투쟁의 문제인 것이다. 그러나 역사는 패자에게 전혀 너그럽지 않다.

(2) 『여씨춘추』라는 책

여불위를 중국 역사에서 중요한 인물로 남게 만든 것은 아무래도 『여씨춘추』[또는 『여람』(呂覽)이라 부른다]라는 걸출한 문헌의 편찬에 귀결된다고 할 것이다. 우리는 이 문헌을 통하여 여불위와 그 식객들의 세계관을 살펴볼 수 있다.

오늘날 대부분 학자는 『여씨춘추』를 도가 황로학 계열의 중요한 문헌으로 평가한다.89) 물론 일부는 여전히 잡가라고 생각한다. 이 문헌을 이어서 나온 이른바 황로학 계열의 문헌은 또 한 사람의 불세출의

---

88) 위와 같음: "呂不韋自度稍侵, 恐誅, 乃飮酖而死. 秦王所加怒呂不韋·嫪毐皆已死, 乃皆復歸嫪毐舍人遷蜀者."
89) 『漢書』「藝文志」에서는 雜家로 분류하고 있다. 그러나 오늘날 황로학 계열의 문헌으로 보는 것이 일반적이다.

인물 회남왕(淮南王) 유안(劉安)이 그의 식객들과 함께 편찬한 『회남자』(淮南子)이다. 『여씨춘추』는 기원전 241년 성립된 책이다.[90]

1) 편찬 동기

『사기』에 기록된 『여씨춘추』의 편찬 동기에 관한 내용은 아래와 같다.

> 이 당시 위(魏)나라에는 신릉군(信陵君)이 있었고, 초(楚)나라에는 춘신군(春申君)이 있었고, 조(趙)나라에는 평원군(平原君)이 있었으며, 제(齊)나라에는 맹상군(孟嘗君)이 있어 모두 선비를 존대하여 빈객을 맞기를 경쟁하였다. 여불위는 진나라가 강국으로서 그렇게 하지 못함을 부끄럽게 여기고, 역시 선비를 초치(招致)하여 그들에게 후한 대접을 하였는데 식객이 3천명에 달하였다.[91]

이처럼 『사기』의 기록은 여불위의 『여씨춘추』 편찬 의도에 대해 폄하하고 있다. 역사적으로 이어져 온 여불위와 『여씨춘추』에 대한 폄하에 대해 모종감은 이렇게 말하였다.

> 정통 유가학자는 역대로 여불위의 책을 무시하였다. 이것은 그 뿌리 깊

90) 牟鍾鑒, 『≪呂氏春秋≫與≪淮南子≫思想研究』, 齊魯書社, 1987, 1쪽.
91) 『史記』 「呂不韋列傳」: "當是時, 魏有信陵君, 楚有春申君, 趙有平原君, 齊有孟嘗君, 皆下士喜賓客以相傾. 呂不韋以秦之强, 羞不如, 亦招致士, 厚遇之, 至食客三千人. 是時諸侯多辯士, 如荀卿之徒, 著書布天下. 呂不韋乃使其客人人著所聞, 集論以爲「八覽」·「六論」·「十二紀」, 二十餘萬言. 以爲備天地萬物古今之事, 號曰『呂氏春秋』. 布咸陽市門, 懸千金其上, 延諸侯遊士賓客有能增損一字予千金."

은 사회적 근원이 있다. 중국봉건사회는 오랫동안 농업을 중시하고 공상업을 억제하는 정책을 펼쳐 상인을 무시하는 풍조를 조성하였다. 여불위는 일개 상인에서 일약 진나라 상공(相公)이 되었으므로 봉건시대 지식인들은 언제나 그를 역대로 부정하다고 보았고, 덧붙여서 여불위를 계략을 써서 자초를 진나라 왕으로 세워 진나라를 빼앗으려 했다고 하면서 더욱 음모가의 무리로 보았다.92)

그런 까닭에 『여씨춘추』 역시 잡가(雜家)에 둠으로써 오랫동안 무시하였다고 할 수 있다.

다음으로 『여씨춘추』의 구성에 대해 이렇게 기록하였다.

여불위는 식객들로 하여금 그들이 들은 바를 저술하게 하고, 그것을 모아서 논의하여 「팔람」(八覽), 「육론」(六論), 「십이기」(十二紀) 등을 지었는데 모두 20여만 자로 천지(天地), 만물(萬物), 고금(古今)의 일에 관한 것을 갖추었으며 『여씨춘추』라고 하였다.93)

그렇다면 여불위가 『여씨춘추』를 편찬한 진정한 목적은 무엇일까? 그는 「서의」(序意)에서 그 목적을 이렇게 밝히고 있다.

무릇 「십이기」(十二紀)라는 것은 다스림과 어지러움, 살아남음과 멸망함을 다스리는 방도이자 장수와 요절, 길함과 흉함을 알아내는 방도이다. 위로는 하늘을 헤아리고 아래로는 땅을 살피며, 가운데로 사람을 이해한다. 이렇게 하면 옳고 그름, 가함과 불가함이 숨을 곳이 없게 된다.94)

92) 牟鍾鑒, 『≪呂氏春秋≫與≪淮南子≫思想硏究』, 8쪽.
93) 『史記』「呂不韋列傳」: "呂不韋乃使其客人人著所聞, 集論以爲「八覽」·「六論」· 「十二紀」, 二十餘萬言, 以爲備天地萬物古今之事, 號曰『呂氏春秋』."
94) 『呂氏春秋』「序意」: "凡十二紀者, 所以紀治亂存亡也, 所以知壽夭吉凶也. 上

이어서 하늘, 땅, 사람에 대해 아래와 같이 설명하고 있다.

　하늘의 의미는 따르는 것인데 따르는 것은 삶을 유지한다. 땅의 의미는
굳은 것인데 굳은 것은 평안을 유지한다. 사람의 의미는 미쁨인데 미쁨은
듣는 것을 유지한다. 이 세 가지가 모두 마땅한 바의 제자리를 지키면 작
위하지 않아도 운행이 된다. 하늘, 땅, 사람의 운행이라는 것은 그들의 예
정된 이치를 행하는 것이다. 예정된 이치를 행한다는 것은 도리에 따르고
사사로운 욕심을 바로잡는 것이다. 무릇 사사롭게 보는 것은 눈을 멀게 만
들고, 사사롭게 듣는 것은 귀를 먹게 만들며, 사사롭게 생각하는 것은 마음
을 무절제하게 만든다. 이 세 가지가 모두 사사로운 행위로서 심하여지면
지혜가 공정함으로부터 말미암게 되지 않는다. 지혜가 공정하지 못하면 복
의 해는 쇠하여지고 재앙의 해는 성하여지는 것이니, 해가 기울어질 때에
서쪽 하늘을 바로 보면 이를 알게 된다.95)

「서의」는 「십이기」에 대한 서문에 해당한다. 그러나 「서의」는 잔편
(殘編)에 불과하다. 따라서 여불위와 그 식객들이 『여씨춘추』를 편찬한
의도를 완전히 이해할 수 없다.

2) 구성

揆之天, 下驗之地, 中審之人, 若此則是非可不可無所遁矣." [한글 번역은 김근
역주, 『여씨춘추』(1/2/3), 민음사, 1993/1994/1995 참조. 아래도 같다.]
95) 위와 같음: "天曰順, 順維生; 地曰固, 固有寧' 人曰信, 信維聽. 三者咸當, 無
爲而行. 行也者, 行其理也. 行數, 順其理, 平其私. 夫私視使目盲, 使聽使耳聾,
私慮使心狂. 三者皆私設精則智無由公. 智不公, 則福日衰, 災日隆, 以日倪而西
望知之."

『여씨춘추』는 크게 「십이기」(十二紀), 「팔람」(八覽), 「육론」(六論)으로 나누어진다.

「십이기」는 먼저 춘하추동 사계절로 분류하고 있다. 그리고 각 계절을 맹(孟), 중(仲), 계(季)로 다시 구분하였다. 또 이 세부분을 각각 네 가지 내용으로 나누었다. 이렇게 하여 24절기에 맞추었다.

「팔람」은 「유시람」(有始覽), 「효행람」(孝行覽), 「신대람」(愼大覽), 「선식람」(先識覽), 「심분람」(審分覽), 「심응람」(審應覽), 「이속람」(離俗覽), 「시군람」(恃君覽)으로 구성되었다. 또 각각 8편의 부분으로 구성되었다. 그러나 「유시람」은 7편으로 구성되었다. 아마도 1편이 없어진 것으로 보인다.

「육론」은 「개춘론」(開春論), 「신행론」(愼行論), 「귀직론」(貴直論), 「불구론」(不苟論), 「사순론」(似順論), 「사용론」(士容論)으로 구성되었다. 다시 각각 6편으로 나누어졌다.

(3) 철학사상

『여씨춘추』는 진한시대 도가 사조를 이끌어 직접 한대 철학의 발전을 추동하였다.[96] 『한서』「예문지」에서는 『여씨춘추』를 잡가(雜家)로 분류하였다. 그 이유는 아마도 『여씨춘추』에 보이는 다양한 사상들의 흡수에 있을 것이다. 그러나 오늘날 대부분의 학자들은 『여씨춘추』를 잡가로 분류하지 않고 진한시대 도가 황로학파의 문헌으로 평가한다.

---

96) 牟鍾鑒, 『≪呂氏春秋≫與≪淮南子≫思想硏究』, 1쪽.

사실 잡가라는 것은 어떤 학파 분류라고 말할 수가 없다.

김근은 『여씨춘추』에 영향을 준 사상으로 『대대례』(大戴禮) 「하소정」
(夏小正), 『주서』(周書)의 「주월」(周月), 「시훈」(時訓), 그리고 추연(鄒衍)
의 『음양종시』(陰陽終始)를 말하였다.97) 그런데 『여씨춘추』에 영향을
준 학파/학자로 노장, 묵가, 유가, 음양오행, 법가, 병가, 농가 등 매
우 다양하다. 그러나 무엇보다도 선진시대 노장철학의 영향이 가장 크
다고 할 것이다.98) 모종감은 이렇게 말하였다.

　사상 내용으로 말하면 먼저 그 책은 적극적·객관적 태도로 선진시대 문
화유산을 대하는데 자각적/공개적으로 제자백가의 장점을 밝혀 학파문호(學
派門戶)의 편견을 초월하면서 각 학파의 학설을 흡수하고 포용하면서 가치
가 있다고 생각된 요소를 하나로 귀결시켰다.99)

「불이」(不二)편에서 제자백가에 대해 이렇게 평가하였다.

　노자는 부드러움(柔)을 귀하게 여기고, 공자는 어짊(仁)을 귀하게 여기며,
묵자는 검소함(廉)을 귀하게 여기고, 관윤(關尹)은 맑음(淸)을 귀하게 여기
며, 자열자(子列子)는 텅 비움(虛)을 귀하게 여기고, 진변(陳騈)은 가지런함
(齊)을 귀하게 여기며, 양생(陽生)은 자기(己)를 귀하게 여기고, ……100)

따라서 『여씨춘추』는 여러 학파의 철학사상을 취사선택하여 모두

---

97) 김근 역주, 『여씨춘추』 제1권(十二紀), 民音社, 1993. 「해제」 부분 참조.
98) 같은 책, 14-16쪽.
99) 牟鍾鑒, 『≪呂氏春秋≫與≪淮南子≫思想硏究』, 12쪽.
100) 『呂氏春秋』 「八覽」 「審分覽」 「不二」: "老耽貴柔, 孔子貴仁, 墨翟貴廉, 關尹
　　貴淸, 子列子貴虛, 陳騈貴齊, 陽生貴己, ……"

받아들인다. 이것은 황로학의 특징이기도 하다. 그러나 여러 학파의
사상을 잡다하게 받아들인 것이 아니라 어디까지나 도가철학을 중심
으로 하여 흡수/통일한 것이다.

1) 천도론

『여씨춘추』는 기본적으로 천도와 인사가 동일한 구조라는 관점에서
출발한다. 이러한 관점은 「십이기」에 나타난 오행 사상에서 잘 그려지
고 있다. 이 「십이기」에서는 12개월의 자연계의 변화와 인간의 활동
을 분석하여 서술하면서 천도와 인사의 통일 구조를 묘사하였다.
　『여씨춘추』는 천지 만물의 존재 근거로 태일(太一)이라는 개념을 제
시하였다.

　　만물이 생겨나는 바는 태일(太一)에서 만들어지고, 음양(陰陽)에서 변화한
다.[101]
　　태일이 양의(兩儀)를 낳고, 양의가 음양(陰陽)을 낳고, 음양이 변화하여
하나는 위로 올라가고 하나는 아래로 내려가 합하여 형체를 이룬다. 한데
어우러져서 구별이 확실하지 않으면서도 흩어지면 다시 모이고 모이면 다
시 흩어진다. 이것을 일러 하늘의 법칙[天常]이라 한다.[102]

　여기에서 태일은 신(神)을 의미하는 것이 아니라 도(道), 일(一)이다.
이렇게 설명한다.

---

101) 같은 책, 「十二紀」 「仲夏紀」 「大樂」: "萬物所出, 造于太一, 化于陰陽."
102) 위와 같음: "太一生兩儀, 兩儀出陰陽, 陰陽變化, 一上一下, 合而成章. 混混
　　沌沌, 離則復合, 合則復離, 是謂天常"

도란 보아도 보이지 않고 들어도 들리지 않아 형상을 만들 수 없다. 보이지 않는 것을 보고 들어도 들리지 않는 것을 듣고 형상이 없는 것을 형상으로 만드는 것이 무엇인지 아는 사람이 있다면 그는 도를 아는 것에 가까울 것이다. 도란 지극히 정미한 것[至精]으로 형상으로 만들 수 없고 이름을 지을 수 없지만 억지로 이름을 붙이면 태일(太一)이라 부른다.103)

또 이렇게 말하였다.

하나[一]는 임금과 같이 지극히 귀한 것이다.104)
무릇 저 만물은 하나를 얻은 뒤에 이루어진다.105)

2) 기론

먼저 음양에 대해 아래와 같이 설명한다.

음양이 변화하여 하나는 위로 올라가고 하나는 아래로 내려가 합하여 형체를 이룬다.106)
음양의 정기가 사시를 운행하고 하나는 위로 오르고 하나는 아래로 내려가 각자 짝을 함께 만나는 것이 순환하는 도리이다.107)

---

103) 위와 같음: "道也者, 視之不見, 聽之不聞, 不可爲狀. 有知不見之見, 不聞之聞, 無狀之狀者, 則幾於知之矣. 道也者, 至精也. 不可爲形, 不可爲名, 疆爲之謂之太一."
104) 같은 책, 「十二紀」「季春紀」「圜道」: "一也齊, 至貴."
105) 같은 책, 「十二紀」「季春紀」「論人」: "凡彼萬形, 得一後成."
106) 같은 책, 「十二紀」「仲夏紀」「大樂」: "陰陽變化, 一上一下, 合而成章."

음양은 두 유형의 기(氣)이다. 또 정기(精氣)에 대해 이렇게 기록하
였다.

　정기(精氣)가 하나는 위로 솟아오르고 하나는 밑으로 내려와 합쳐져서 만
물이 이루어지고, 한 바퀴를 순환하여 다시 두 개의 정기로 나누어짐에 있
어서 머무름이 없이 변화를 계속한다.108)
　정기가 한데 모이면 반드시 물질의 가운데로 들어간다.109)

　정기설은 『관자』로부터 나온 것이다. 『여씨춘추』에서 정기는 만물의
본원일 뿐만 아니라 만물의 생성도 정기 자체가 함유하고 있는 두 가
지 대립되는 세력의 상호작용이다.110) 『여씨춘추』는 직하 황로학파의
“하늘이 그 정기(精)를 낳고 땅이 그 형체(形)를 낳는다”(天出其精, 地
出其形)는 사상을 계승하고 더 나가 형기(形氣)라는 개념을 제시하였
다.111) 천지 만물의 생성을 이렇게 설명한다.

　천지에는 그 형성의 시초가 있었으니 하늘은 미세한 사물로 이루어졌고
땅은 무겁고 탁한 것이 한데 엉겨 충만함으로써 형체를 이루었다. 그러므로
천지 음양의 기운이 화합하는 것은 만물을 살게 하는 큰 도리이다.112)

107) 같은 책, 「十二紀」「季春紀」「圜道」: “精行四時, 一上一下, 各與遇, 圜道
也.”
108) 위와 같음: “精氣一上一下, 圜周復雜, 無所稽留.”
109) 같은 책, 「十二紀」「季春紀」「盡數」: “精氣之集也, 必有入也.”
110) 孫以楷 主編, 『道家與中國哲學』(先秦卷), 人民出版社, 2005, 457쪽.
111) 같은 책, 458쪽.
112) 『呂氏春秋』「八覽」「有始覽」「有始」: “天地有始, 天微以成, 地塞以形, 天地
合和, 生之大經也.”

(4) 정치관

『여씨춘추』는 정기를 천지 만물의 본원으로 삼고서 사람을 포함한 천지 만물은 모두 정기가 변화한 것으로 생각하였다. 이로부터 천·지·인 일체라는 관념을 형성하게 되었다.113) 따라서 천·지·인 사이에는 감응할 수 있다. 그러므로 "하늘의 도리를 어그러지지 않게 하고, 땅의 이치를 끊어지지 않게 하며, 사람의 윤리 기강을 어지럽히지 않게 한다"(無變天之道, 無絶地之理, 無亂人之紀)114)고 말한다.

『여씨춘추』는 당시의 가혹한 정치에 대해 이렇게 비판하였다.

지금 천하가 더욱 쇠퇴함에 따라 옛날 훌륭한 임금들의 도리도 행해지지 않고 끊어졌다. 요즘 군주들은 기이하고 장엄한 음악을 많게 하고 종과 북을 크게 만들며, 높은 누대와 정자, 그리고 짐승을 기르는 동산 등을 사치스럽게 만든다. 이렇게 함으로써 사람들의 재물을 빼앗는다. 그리고 권력을 가벼이 휘둘러 백성들을 죽게 함으로써 자신의 분노대로 법을 집행한다. 늙은이와 허약한 자들은 추위에 떨고 주리며, 어린아이들과 젊은이들은 한 명도 남김없이 다 없어지고, 여기에 덧붙여 죽고 포로로 잡히는 자를 더해 간다. 또 죄없는 나라를 쳐서 땅을 빼앗고 무고한 백성들을 닦달하여 이득을 구한다. 이렇게 하고도 종묘가 편안해지기를 바라고, 사직이 위태롭지 않기를 바란다는 것은 또한 어렵지 않겠는가?115)

---

113) 孫以楷 主編, 『道家與中國哲學』(先秦卷), 458-459쪽.
114) 『呂氏春秋』「十二紀」「孟春紀」.
115) 같은 책, 「八覽」「有始覽」「聽言」: "今天下彌衰, 聖王之道廢絶. 世主多盛其歡樂, 大其鍾鼓, 侈其臺樹苑囿, 以奪人財; 輕用民死, 以行其忿; 老弱凍餒, 夭脐壯狡, 汎盡窮屈, 加以死虜; 攻無辜之國以索地, 誅不辜之民以求利; 而欲宗廟

1) 귀생

그렇다면 바르게 통치하기 위해서는 무엇을 먼저 해야만 하는가?
자기 생명의 소중함에 대한 인식이다.

나의 생명은 나의 소유이면서 또한 내 자신을 이롭게 하는 일도 역시 크
다고 하겠다. 귀한 바와 천한 바를 논하면 천자가 될 만큼 높은 지위라 하
더라도 이것을 자신의 생명의 존귀함과 견주기에는 부족하다.116)
　무릇 일의 근본이란 반드시 먼저 몸을 다스리고 정기(精氣)를 아껴야 하
는 것이다. 새것을 받아들이고 옛것을 버리면 살결이 마침내 두루 잘 통하
게 된다. 정기가 날로 새로워지고 사악한 기운이 모두 나가버리면 마땅히
누려야 할 나이에까지 이르게 된다.117)

그렇지만 욕망으로 인하여 사람은 삶의 도리를 저버리게 된다.

세상의 임금과 공·경·대부들 가운데 잘난 사람이고 못난 사람이고를 막
론하고 아무도 장생구시(長生久視)를 바라지 않는 사람은 없는데도 날마다
자신의 삶을 거스르고 있으니 오랫 살고 싶어하다고 해도 무슨 소용이 있
겠는가? 무릇 장수하는 것은 삶의 도리에 순응하는 것인데, 삶으로 하여금
그 도리에 따르지 못하게 하는 것은 정욕이다. 그러므로 성인은 반드시 정

　之安也, 社稷之不危也, 不亦難乎?"
116) 같은 책, 「十二紀」「孟春紀」「重己」: "今吾生之爲我有, 而利我亦大矣. 論其
　　貴賤, 爵爲天子, 不足以比焉."
117) 같은 책, 「十二紀」「季春紀」「先己」: "凡事之本, 必先治身. 嗇其大寶, 用其
　　新, 棄其陳, 膝理遂通, 精氣日新, 邪氣盡去, 及其天年."

욕을 그 분수에 맞도록 조절하는 일을 먼저 한다.118)

따라서 장생구시(長生久視)를 하기 위해서는 해로움을 멀리해야 한다. 먼저 몸과 관련된 것이다.

천수를 다 누리는 일은 해로운 것을 멀리함에 있다. 해로움을 멀리한다는 것은 무슨 뜻인가? 지나치게 단맛·지나치게 신맛·지나치게 쓴맛·지나치게 매운맛·지나치게 짠맛 등 이 다섯 가지가 몸에 충만하면 삶이 해를 입는다.119)

지나치게 추운 것·지나치게 더운 것·지나치게 건조한 것·지나치게 추운 것·지나치게 더운 것·지나치게 건조한 것·지나치게 습한 것·지나치게 바람이 많이 부는 것·지나치게 비가 오래 내리는 것·지나치게 안개가 많이 끼는 것 등 일곱 가지가 정기를 동요시키면 생명이 해를 입는다.120)

다음으로 희로애락의 감정을 조절해야 한다.

지나치게 기뻐하는 것·지나치게 성내는 것·지나치게 근심하는 것·지나치게 두려워하는 것·지나치게 슬퍼하는 것 등 이 다섯 가지가 정신에 이르게 되면 생명이 해를 입는다.121)

---

118) 같은 책,「十二紀」「孟春紀」「重己」: "世之人主貴人, 無賢不肖, 莫不欲長生久視, 而日逆其生, 欲之何益? 凡生之長也, 順之也; 使生不順者, 欲也; 故聖人必先適欲."
119) 같은 책,「十二紀」「季春紀」「盡數」: "畢數之務, 在乎去害. 何謂去害? 大甘·大酸·大苦·大辛·大鹹, 五者充形則生害矣."
120) 위와 같음: "大寒·大熱·大燥·大濕·大風·大霖·大霧, 七者動靜則生害矣."
121) 위와 같음: "大喜·大怒·大憂·大恐·大哀, 五者接神則生害矣."

2) 귀인

『여씨춘추』는 천·지·인 이 셋을 사상 체계의 구조로 삼고서 군주는 마땅히 사시의 변화에 순응하여 정령을 반포하고 제사를 거행해야 한다고 주장하였다.

하·은·주 3대에서 보배로 여긴 것 중에서 인(因)보다 귀한 것은 없다. 인을 따르면 아무도 맞설 자가 없다.[122]

사시의 변화에 맞는 정령을 시행하지 않으면 하늘이 재앙을 내린다.

맹춘의 달에 여름의 정령(政令)을 시행하면 바람과 비가 제 때 오지 않아 초목이 일찍 말라 낙엽지고 나라에는 두려운 재앙이 있게 된다. 또 이때 가을의 정령을 시행하면 백성들이 무서운 돌림병을 앓게 되고, 질풍과 폭우가 자주 몰려와 명아주·가라지·쑥 등의 잡초가 무성하게 자라게 된다. 겨울의 정령을 시행하면 큰물이 범람하여 재난이 되고, 큰 눈과 서리가 내려 일찍 파종한 보리가 수확되지 않는다.[123]

중춘에 가을의 정령을 시행하면 나라 안에 큰 홍수 피해가 날 것이고, 추위가 여러 차례 올 것이며, 외적들이 변방을 쳐들어올 것이다. 겨울의 정령을 행하면 양기가 음기를 이겨내지 못하여 보리가 익지 않고, 따라서 백성들이 서로 약탈하는 일이 많아진다. 여름의 정령을 행하면 나라 안에 큰 가뭄이 들고, 더위가 일찍 찾아오며, 곡식에 병충과 벼멸구의 해가 발생한다.[124]

---

122) 같은 책, 「八覽」「慎大覽」「貴因」: "三代所寶莫如因, 因則無敵."
123) 같은 책, 「十二紀」「孟春紀」」: "孟春行夏令, 則風雨不時, 草木早槁, 國乃有恐. 行秋令, 則民大疫, 疾風暴雨數至, 藜莠蓬蒿竝興. 行冬令, 則水潦爲敗, 霜雪大摯, 首種不入."

계춘의 달에 겨울의 정령을 시행하면 한기가 때때로 발작하여 초목이 모
두 오그라들고, 나라에는 큰 공황이 있게 된다. 여름의 정령을 행하면 백성
들에게 질병이 많아지고, 시기적으로 내려야 할 피가 내리지 않아 산과 구
릉지에서 수확할 것이 없어진다. 가을의 정령을 시행하면 하늘에 우중충한
날씨가 많아져 장맛비가 일찍 내리고, 전쟁과 난리가 여기저기 일어난
다.125)

3) 귀공

『여씨춘추』에서 보이는 중요한 사상 가운데 하나는 '공'(公)의 사상
이다. 그 근거는 천도에 있다.

하늘은 사사로이 편애하여 덮어주는 일이 없고, 땅은 사사로이 편애하여
실어주는 일이 없으며, 해와 달은 사사로이 편애하여 밝혀주는 일이 없고,
네 계절은 사사로이 편애하여 운행하는 일이 없다. 이들은 각자의 덕을 행
하고 만물은 이에 의해서 이루어지고 자라나게 되는 것이다.126)

천도(天道)는 공평무사(公平無私)하다. 그러므로 천하 역시 사사로운
개인의 것일 수는 없다. 이것을 천하위공(天下爲公)이라고 말한다. 그

---

124) 같은 책, 「十二紀」「仲春紀」: "仲春行秋令, 則其國大水, 寒氣總至, 寇戎來
征. 行冬令, 則陽氣不勝, 麥乃不熟, 民多相掠. 行夏令, 則國乃大旱, 煖氣早來,
蟲蝗爲害."
125) 같은 책, 「十二紀」「季春紀」: "季春行冬令, 則寒氣時發, 草木皆肅, 國有大
恐. 行夏令, 則民多疾疫, 時雨不降, 山陵不收. 行秋令, 則天多沈陰, 淫雨早降,
兵革竝起."
126) 같은 책, 「十二紀」「孟春紀」「去私」: "天無私覆也, 地無私載也, 日月無私燭
也, 四時無私行也. 行其德而萬物得遂長焉."

러므로 군주 역시 이렇게 해야 한다.

옛날의 훌륭한 임금들이 천하를 다스릴 때에는 전체가 함께 하는 것을 반드시 맨 앞에 내세웠으니 전체가 함께하여야 천하가 화합한다. 화합은 전체가 함께하는 것으로부터 얻어지는 것이다.127)

이 관점은 왕위 계승의 문제에서도 그대로 나타난다.

요임금은 아들 열 명이 있었으나 천하를 자신의 자식에게 물려주지 않고 순임금에게 주었고, 순임금은 아들 아홉 명이 있었으나 자신의 아들에게 천하를 물려주지 않고 우임금에게 주었으니, 이들은 전체와 함께 하는 마음이 지극하였다.128)

천하는 어느 한 사람의 독점물이 아니다. 그러므로 천하를 다스리는 제왕의 지위 역시 그의 아들에게 전해줄 수는 없는 것이다. 제왕의 지위를 자신의 자식에게 물려주는 것은 반대로 천하를 사사로운 것으로 여기는 것이다. 이것은 이전의 주대의 적자상속(嫡子相續)의 제도를 부정하는 것이기도 하다. 이것은 군주세습제에 대한 비판이다.

여기에서 '공'은 누구나 지켜야 할 사회적 규범이 된다. 이것을 잘 보여주는 내용이 묵가학파의 거자(鉅子)였던 복돈(腹䵎)의 이야기이다.

묵가의 문인 중에 거자(鉅子) 복돈(腹䵎)이라는 사람이 있었는데, 그가 진

---

127) 같은 책, 「十二紀」「孟春紀」「貴公」: "昔先聖王之治天下也, 必先公, 公則天下平矣. 平得於公."
128) 같은 책, 「十二紀」「孟春紀」「去私」: "堯有子十人, 不與其子而授舜; 舜有子九人, 不與其子而授禹; 至公也."

(秦)나라에 살 때 그의 아들이 사람을 죽였다. 진나라 혜왕(秦惠王)이 말하였다. "선생의 나이가 연로하시고 다른 아들이 없으니 과인이 이미 옥리에게 처형하지 말라고 명하여 놓았습니다. 그러니 선생께서는 이 일을 제 말을 따라 처리하도록 하시지요." 그러자 복돈이 대답하여 말하였다. "우리 묵가 문인들의 법은 '사람을 죽인 자는 죽어야 하고, 사람을 다치게 한 자는 형벌을 받아야 한다'고 규정하고 있습니다. 이는 사람을 죽이거나 다치지 않게 하기 위한 것입니다. 무릇 사람을 죽이거나 다치지 않도록 금지하는 것은 천하가 다 함께 지켜야 하는 공법입니다. 임금께서 비록 제 아들에게 은덕을 베풀어 옥리로 하여금 그를 처형하지 않게 하신다고 하더라도 저는 묵가 문인들의 법을 시행하지 않을 수 없습니다." 복돈은 이와 같은 혜왕의 제의를 받아들이지 않고 마침내 자신의 아들을 처형하였다.129)

이 복돈이 자기 아들을 죽인 사건에 대하여 『여씨춘추』는 이렇게 평가하였다.

아들이란 누구나가 아끼는 바이지만 이 아끼는 바를 죽임으로써 누구나 지켜야 하는 공법(公法)을 시행하였으니, 거자는 가히 전체와 함께 한다고 말할 수 있다.130)

이 글에 의하면 복돈은 살인이라는 범죄를 저지른 자신의 아들을 죽임으로써 공법을 지킨 인물이다. 왜 이렇게 해야 하는가? 천하는 모두의 것이기 때문이다. 만약 천하를 사적인 소유물로 보게 되면 그들

---

129) 위와 같음: "墨者有鉅子腹䵍, 居秦, 其子殺人. 秦惠王曰: '先生之年長矣, 費有它子也, 寡人以令吏弗誅矣. 先生之以此聽寡人也.' 腹䵍對曰: '墨者之法曰, 殺人者死, 傷人者刑. 此所以禁殺傷人也. 夫禁殺傷人者, 天下之大義也. 王雖爲之賜, 而令吏弗誅, 腹䵍不可不行墨者之法.' 不許惠王, 而遂殺之."
130) 위와 같음: "子, 人之所私也, 忍所私以行大義, 鉅子可謂公矣."

은 공적 질서를 파괴하고, 자신의 이익을 이해 천하의 이로움을 해치
기 때문이다.

천하는 임금 한 사람의 천하가 아니고 천하 모든 사람의 천하이다.131)

2. 회남왕 유안과 「회남자」

(1) 회남왕 유안과 그 식객들

회남왕 유안(劉安, 기원전 179?-기원전 122)의 아버지는 유장(劉長)
이다. 다음은 먼저 회남왕 유장에 관한 기록이다.

회남의 여왕(厲王) 유장은 한나라 고조(高祖)의 막내아들이다. 그의 모친
은 원래 조왕(趙王) 장오(張敖)의 미인(美人)이었다. 한나라 8년 고조가 동원
(東垣)에서 돌아오며 조나라를 지날 때 조왕이 그 미인을 바친 것이다. 여
왕의 모친은 고조의 총애를 받아 아기를 가졌다. 조왕 오는 감히 그녀를
궁중에 둘 수 없었으므로 따로 밖에 궁을 지어 그곳에 기거하게 하였다.
관고(貫高) 등이 모반하려고 한 박인(柏人)의 일이 발각되자 조왕도 체포되
어 함께 처벌을 받게 되었고, 왕의 모친과 형제들 그리고 첩들도 체포되어
하내(河內)에 구금되었다. 여왕의 모친 역시 구금되었는데 옥리(獄吏)에게
이렇게 말하였다. "황제의 총애를 받아 아기를 가졌다." 옥리가 이 사실을
황제에게 알렸다. 황제는 조왕으로 인해 화가 나 있었기에 여왕의 모친을
거두지 않았다. 여왕 모친의 동생인 조겸(趙兼)이 벽양후(辟陽侯)를 통해 여

---

131) 같은 책, 「十二紀」「孟春紀」「貴公」: "天下非一人之天下也, 天下之天下也."

후(呂后)에게 이 사실을 알렸다. 여후는 질투하여 알리려 하지 않았고 벽양
후도 애써 변론하지 않았다. 여왕의 모친이 이미 여왕을 낳고 원통하여 곧
자살하고 말았다. 옥리가 손으로 여왕을 받들고 황제를 배알하였다. 황제는
후회하며 여후로 하여금 그를 양육하게 하고 여왕의 모친을 진정(眞定)에
매장하였다. 진정은 여왕의 모친 생가가 있고 조상대대로 살던 현이다.132)

그런데 "고조 11년 7월 회남왕 경포(黥布)가 반란을 일으키자 한나
라 고조는 자기 아들 유장을 회남왕으로 삼아 경포의 옛 땅을 다스리
게 하였는데 네 개의 군(郡)이었다."133) 그런데 한나라 고조가 죽고
효문제(孝文帝)가 즉위하자 회남왕 유장은 "자신이 가장 가까운 지친
(至親)이라고 여기고 교만해져서 여러 차례 한나라의 법을 따르지 않
았다. 황제는 지친이라는 이유로 항상 그를 너그러이 용서해주었다
."134) 그 결과 효문제 3년 어느 날 자신의 어머니를 변호해주지 않았
던 벽양후를 살해하고서는 황제 앞에 나가 자신이 왜 벽양후를 죽였
는지 그 까닭을 말하였다. 효문제는 그를 가엽게 여기고 지친인 까닭
에 처벌하지 않고 용서하였다.

그 후 더욱 방자해진 여왕 유장은 그 자신이 마치 황제인 것처럼
행동하였다. 효문제 6년 모반이 발각되었다. 그 내용은 이렇다.

---

132)『史記』「淮南衡山列傳」:"淮南厲王長者, 高祖少子也. 其母故趙王張敖美人.
高祖八年, 從東垣過趙, 趙王獻之美人. 厲王母得幸焉, 有身. 趙王敖弗敢內宮,
爲築外宮而舍之. 及貫高等謀反柏人事發覺, 并逮治王, 盡收捕王母兄弟美人, 繫
之河內. 厲王母亦繫, 告吏曰:'得幸上, 有身.'吏以聞上, 上方怒趙王, 未理厲
王母. 厲王母弟趙兼因辟陽侯言呂后, 呂后妒, 不肯白, 辟陽侯不彊爭. 及厲王母
已生厲王, 恚, 卽自殺. 吏奉厲王詣上, 上悔, 令呂后母之, 而葬厲王母眞定. 眞
定, 厲王母之家在焉, 父世縣也."
133) 위와 같음:"淮南王鯨布反, 立子長爲淮南王, 王鯨布故地, 凡四郡."
134) 위와 같음:"及孝文帝初卽位, 淮南王自以爲最親, 驕蹇, 數不奉法. 上以親
故, 常寬赦之."

(효문제) 6년 남자(男子) 단(但) 등 70명과 극포후(棘蒲侯) 시무(柴武)의
태자 기(奇)와 모의하여 큰 수레 40승(乘)을 가지고 곡구(谷口)에서 반란을
일으키게 하고 사람을 시켜 민월(閩越), 흉노(匈奴)에 사자로 보냈다. 일이
발각되자 황제는 그 일을 처리하기 위해 사자를 보내 회남왕을 소환하였
다.135)

이에 연루되어 여왕을 취조하게 되었다. 그런데, 황제는 그를 차마
죽일 수 없어 촉군(蜀郡) 엄도(嚴道) 공우(邛郵)에 머물도록 하였다. 황
제는 여왕을 곧 다시 부를 계획이었다. 그러나 여왕은 길을 가던 도중
에 굶어 죽고 말았다.

2년 뒤 효문제는 유장의 네 아들을 다시 왕으로 봉하였다. 효문제
는 회남왕을 불쌍히 여겼다. 효문제 8년 "회남왕에게 아들이 4명 있
었는데 모두 7, 8세로 황제는 안(安)을 부릉후(阜陵侯), 발(勃)을 안양
후(安陽侯), 사(賜)를 양주후(陽周侯), 양(良)을 동성후(東城侯)에 각각
봉하였고"136), 효문제 16년 "부릉후 안을 회남왕으로, 안양후 발을 형
산왕으로, 양주후 사를 여강왕으로 봉하였다. 이로써 모두 다시 여왕
때의 옛 땅을 얻어 셋으로 나누어 가지게 되었다. 동성후 양은 그 전
에 죽어 후사가 없었다.137)

회남왕 유안이라는 인물에 대해 이렇게 기록하였다.

---

135) 위와 같음: "六年, 令男子但等七十人與棘蒲侯柴武·太子奇謀, 以輂車四十乘
反谷口, 令人使閩越·匈奴. 事覺, 治之, 使使召淮南王."
136) 위와 같음: "孝文八年, 上憐淮南王, 淮南王有子四人, 皆七八歲, 乃封子安爲
阜陵侯, 子勃爲安陽侯, 子賜爲陽周侯, 子良爲東成侯."
137) 위와 같음: "阜陵侯安爲淮南王, 安陽侯勃爲衡山王, 陽周侯賜爲廬江王, 皆復
得屬王時地, 參分之. 東城侯良前薨, 無後也."

회남왕 안(安)은 사람됨이 독서와 거문고 타기를 좋아하였으며, 활을 쏘며 사냥하고 말 타는 것을 좋아하지 않았다. 또 음덕(陰德)을 행함으로써 백성들을 어루만지고 위로하여 자신의 이름을 천하에 널리 퍼뜨리려고 하였다. 그는 때때로 여왕이 죽은 것을 원망하여 반란을 일으키려고 하였지만 이유가 없었다.[138)

위의 기록에서 이미 회남왕 유안이 반란을 일으키려는 인물로 그려지고 있다. 그러나 우리가 먼저 주의할 점은 『사기』의 기록이 철저하게 한 왕조를 중심으로 한 것이라는 점이다.

(2) 『회남자』라는 책

회남왕(淮南王) 유안(劉安)은 수천 명의 학자와 방사(方士)를 조직하여 『회남자』 및 신선황백지술(神仙黃白之術)이라고 말하는 『침중홍보원비서』(枕中鴻寶苑祕書) 등을 저술하였다. 이것이 도가 황로학을 중심으로 한 제4차 학술상의 종합이다. 『회남자』라는 책은 천지를 살피고 고금에 널리 미치는데, 한대 음양오행 등의 술수학 성과를 종합하고 신선양생의 도를 뒤섞어 도가 황로지학을 발전시켜 새로운 단계에 도달하게 하였다. 회남왕의 저술 활동은 남북 도가의 종합이고, 또 황로학파와 신선방사(神仙方士)의 융합이다.[139)

유향과 그 식객들에 의해 편찬된 『회남자』는 『홍렬』(鴻烈), 『회남홍

---

138) 위와 같음: "淮南王安爲人好讀書鼓琴, 不喜戈獵狗馬馳騁, 亦欲以行陰德拊循百姓, 流譽天下. 時時怨望厲王死, 時欲畔逆, 未有因也."
139) 胡孚琛·呂錫琛,『道學通論-道家·道敎·仙學』, 社會科學文獻出版社, 1999, 40쪽.

렬』(淮南鴻烈)이라 부르기도 한다. 이 책은 내서(內書) 21편과 몇 편인지 알 수 없는 외서(外書), 중편(中篇) 8권으로 구성되었다. 현재 내서 21편만이 전한다. 따라서 외서, 중편의 내용과 내서·외서·중편의 관계를 살펴볼 수 없다.

모종감(牟鍾鑒)에 의하면 유안과 빈객이 『회남자』를 편찬한 동기는 개인적 동기와 사회적 동기가 있다. 개인적 동기는 화를 피하고 복을 후하며(避禍求福), 양생보신(養生保身)하여 안신입명(安身立命)이라는 정신적 지주를 얻는 것이다. 사회적 동기는 선진시대와 진한시대 이래 치란흥쇠(治亂興衰)의 경험을 총결하여 자연과 사회 발전의 법칙성을 탐구함으로써 자연관, 역사관, 인생관과 사회정치이론 체제를 세워 봉건통일대제국의 장기적 통치에 비교적 완비된 학설을 제공하는 것이다.140) 그런 까닭에 유안은 이 책을 한 무제 건원(建元) 2년(기원전 139년) 황제에게 바친 것이다. 만약 유안과 그 빈객들이 반역을 꾀하였고, 그 이론적 근거가 『회남자』라는 책이라면 그것을 한 무제에게 바쳤다는 것은 매우 기이한 일이 될 것이다.141)

모종감은 이렇게 설명한다.

봉건시대의 황실귀족 중에서 부패하고 향락에 빠진 자(腐化享樂者)는 환란이 없었고 몸을 깨끗이 하고 민심을 얻은 자(洁身得民者)는 재앙을 불러들였다. 왜냐하면 후자는 조정에서 정치상의 이기역량(異己力量)으로 권력을

---

140) 牟鍾鑒, 『〈呂氏春秋〉與〈淮南子〉思想研究』, 156쪽.
141) 모종감은 이렇게 말한다. "이 책(『회남자』)을 바친 것과 "모반"은 무관하다. 이 책을 바친 것은 전에 있었고 "모반"의 발생은 10년 후이다. 중간에는 한동안 평안무사(平安無事)한 시기가 있었다. 이 둘을 한 가지로 볼 수는 없다. 하물며 유안을 처단한 것은 매우 억울한 사건이다."(牟鍾鑒, 『〈呂氏春秋〉與〈淮南子〉思想研究』, 158쪽)

다툴 잠재적인 위험이 있었으므로 반드시 제거된 후에 편안할 수 있다고 보았기 때문이다. 유안의 아버지 유장은 억울하게 일찍 죽었는데, 유안은 위로는 억울하게 죽은 아버지가 있고, 또 널리 많은 빈객들을 모우고 민심을 얻어 문명이 널리 알려져 조정의 질투를 피하기 어려웠다. 그는 오초칠국의 난에 참여하지 않았는데 그는 본래 반란을 품지 않았음을 설명해준다. 그러나 이것은 비극의 발생을 막지 못하였다. 근본적으로 말해 유안이 처단된 일이 발생한 것은 한나라 초기에 삭번정책(削藩政策)을 실행한 필연적 결과이다. 유방이 재위하고 있을 때 이성왕(異姓王)을 제거하여고, 문제 때부터 점차 동성왕(同姓王)을 소멸시켰다.142)

『한서』에 이렇게 기록하였다.

　문제(文帝)는 가생(賈生)의 건의를 받아들여 제(齊)와 조(趙)를 분할하였다. 경제(景帝)는 조착(晁錯)의 계책을 써서 오(吳)와 초(楚)를 삭번하였다.143)

한나라 조정의 이와 같은 삭번정책은 제후왕(諸侯王)들을 두렵게 만들었을 것이다.

이렇게 이미 정해진 국가정책 아래에서 제후국들은 당초에 반란을 일으킬 마음이 없었지만 결국 어쩔 수 없이 다른 뜻을 품게 되었다. 유안은 자신을 보호하기 위해 중앙정부에서 점차 긴박하게 압박하는 정치적 공세 상황에서 처음에는 두려움에 휩싸였고, 방위적 조치를 취하는 데로 발전하게 되었으며, 마지막에는 대항할 계획을 세웠지만 언제나 동요를 일으켜 머뭇

---

142) 같은 책, 158쪽.
143) 『漢書』「諸侯王表」: "文帝采賈生之議, 分齊趙; 景帝用晁錯之計, 削吳楚."

거리고 행동에 옮기지 못하였는데 피동적으로 한 걸음 한 걸음 중앙 조정
에서 쳐놓은 그물망에 걸려들게 되면서 "반란을 계획했다"는 모함에 빠져
죄가 두려워 자진하였다(畏罪自盡)는 오명을 얻게 되었다.144)

(3) 철학사상

이석명은 유안과 그 식객이 『회남자』를 쓴 목적은 "한제국의 통치
자를 위한 통치술의 확립"에 있다고 말한다.145)
『회남자』에서는 제자백가에 대해 이렇게 비판을 하였다.

> 제자백가(諸子百家)의 여러 사상[異說]은 각각 서로 다른 주장을 펼치고
> 있다. 그러나 '통치의 도'라는 측면에서 보자면, 묵적(墨翟)·양주(楊朱)·신불
> 해(申不害)·상앙(商鞅)의 사상은 각각 지붕의 서까래 하나 또는 바퀴의 바퀴
> 살 하나와 같다. 즉 있으면 숫자를 채울 수 있지만 없다고 해도 사용에 아
> 무런 장애가 없다. 따라서 자기 사상만 써야 한다고 주장하는 것은 천지의
> 실정에 꽉 막힌 생각이다. ……(그러므로 제자백가의 사상은) 그만큼 도와
> 멀리 떨어져 있는 것이다.146)

『회남자』의 철학사상을 한마디로 말하면 도사일통론(道事一通論)이라
할 수 있다.147) 천도와 인사에 대해 이렇게 말하였다.

---

144) 牟鍾鑒, 『〈呂氏春秋〉與〈淮南子〉思想研究』, 158-159쪽.
145) 이석명, 「『淮南子』의 道事調和論」, 고려대학교 철학연구소, 『철학연구』
   제22권, 1999, 160쪽.
146) 『淮南子』「俶眞訓」: "百家異說, 各有所出, 若夫墨·楊·申·商之於治道, 猶蓋之
   〈無〉一橑, 而輪之〈無〉一輻, 有之可以備數, 無之未有害於用也. 己自以爲獨擅
   之, 不通之于天地之情也. ……其與道相去亦遠矣."

성인이 근거로 삼는 것을 천도[道]라 하고, 도를 근거로 삼아 행하는 것을 인사[事]라 한다.148)

'도'(道)만 말하고 '사'(事)를 말하지 않으면 세상과 어울리지 못하고, '사'만을 말하고, '도'를 말하지 않으면 조화자와 노닐 수 없다.149)

또 이렇게 말하였다.

도(道)를 말하고 사(事)를 말하지 않으면 세상과 함께 부침할 수 없고, 사를 말하고 도를 말하지 않으면 조화(化)와 노닐 수 없다.150)

이것은 천도와 인사를 일관된 이치로 파악한 것이다. 그런데 천도와 인사에서 "道는 주변 상황이나 조건에 상관없이 항상 일관된 위치 혹은 원리를 유지하는 本源 혹은 根本이라는 성격을 지니고 있으나 事는 상황에 따라 또는 조건에 따라 수시로 변화하는 가변적인 사태"이다.151)

선왕의 제도라 할지라도 마땅하지 않으면 폐지하고, 말세의 일이라 할지라도 좋은 것이면 밖으로 드러낸다. 그러므로 예악은 공정 불변하는 게 아니다. 따라서 성인은 예악을 제정하지만, 예악에 의해 제약되지는 않는다.

147) 남상호, 「淮南子의 道事一通의 방법」, 한국공자학회, 『공자학』 10권, 2003, 113쪽.
148) 『淮南子』 「氾論訓」: "聖人所由曰道, 所爲曰事."
149) 같은 책, 「要略」: "言道而不言事, 則無以與世浮沈; 言事而不言道, 則無以與化遊息."
150) 같은 책, 「要略」: "言道而不言事, 則無以與世浮沈; 言事而不言道, 則無以與化遊息."
151) 이석명, 「『淮南子』의 道事調和論」, 158쪽 주8 참조.

나라를 다스리는 데는 일정한 도리가 있으니 백성을 이롭게 함을 근본으로 삼으며, 백성에게 명령하고 가르치는 데는 일정한 도리가 있으니 명령이 잘 수행되는 것을 최상으로 삼는다. 진실로 백성들에게 이롭다면 굳이 옛것만 본받을 필요가 없고, 진실로 일의 수행에 적합하다면 굳이 옛것만 따를 필요가 없다. ……그러므로 성인의 법은 시대와 더불어 변하고, 예는 세상의 풍속과 더불어 바뀐다.152)

이처럼 『회남자』에 나타난 천도와 인사의 관계는 노장철학에 비하여 더 현실적이고 적극적이며 구체적이다. 당연히 천도와 인사를 파악하는 것은 통치자의 기본조건이 된다. 그러나 노장철학은 비교적 천도에 치우친 면이 있다. 이에 대한 보완으로 황로학이 출현한 것이다.

1) 수양론

『회남자』는 사람의 자연 본성을 회복하기를 주장하였다.

성인의 학문은 그 본성을 원초(初)의 상태에 되돌려 마음이 허(虛)에 노닐기를 바란다.153)

이것은 허정(虛靜)한 마음이다. 허정한 마음의 상태에 있어야만 인생

---

152) 『淮南子』「氾論訓」: "先王之制, 不宜則廢之; 末世之事, 善則著之; 是故禮樂未始有常也. 故聖人制禮樂, 而不制於禮樂. 治國有常, 而利民爲本. 政敎有經, 而令行爲上. 苟利於民, 不必法古; 苟周於事, 不必循舊. ……故聖人法與時變, 禮與俗化."
153) 같은 책,「俶眞訓」: "聖人之學也, 欲以返性于初, 而遊心于虛也."

과 정치 문제를 해결할 수 있다고 생각하였다. 물론 이것은 도가철학의 기본 관점이다. 이렇게 해야만 진정으로 무위의 정치(無爲之治)를 실현할 수 있기 때문이다.

무위는 도의 종지이다. 그러므로 도의 종지를 얻게 되면 만물에 응하여 무궁하게 된다. 사람의 재주(人之才)에 내맡기면 천하를 다스리기 어렵다.[154]

박승현은 "그들이 원시도가의 '무위의 치'를 적극적으로 주장하는 배경에는 바로 淸靜無爲라는 '술수'를 바탕으로 하는 黃老學에 대한 비판"이라고 평가한다.[155] 그렇지만 이러한 관점은 논쟁의 여지가 있다. 과연 황로학이 "허정무위라는 '술수'"라는 것이 무엇을 의미하는지 살펴볼 필요가 있다.

2) 형이상학

① 도

그렇다면 도란 무엇인가? 모종감(牟鍾鑒)은 도의 법칙성을 다음과 같이 설명하였다.[156] 첫째, 도는 무소부재(無所不在)하다. 둘째, 도는

---

154) 같은 책, 「主術訓」: "無爲者, 道之宗, 故得道之宗, 應物無窮. 任人之才, 難以至治."
155) 朴勝顯, 「『회남자』에 나타난 道家思想의 傾向」, 한국중국학회, 『중국학보』 제45집, 2002, 485쪽.
156) 牟鍾鑒, 『〈呂氏春秋〉與〈淮南子〉思想硏究』, 173-177쪽 참조 요약.

무소불능(無所不能)이다. 셋째, 도는 만물을 자연스럽게 변화시켜 낳는
(自然化生萬物) 것이다. 넷째, 도는 무형무상(無形無象)한 것이지만 또
실유(實有)한 것이다. 다섯째, 도는 여러 가지 자연과 사회 사물의 구
체적인 법칙이다.

먼저 「원도훈」(原道訓)편에서 이렇게 설명하였다.

도(道)는 하늘을 가리고 땅을 이어 사방에 펼쳐져 있고 팔극(八極)에 열
려 있어 높이가 끝이 없고 깊이를 헤아릴 수 없으며 천지를 감싸고 있으면
서 무형(無形)에 주어져 있다.157)

도는 천지 만물의 본체, 근원으로 감각적 인식의 대상이 아니다.

도는 들어도 들을 수 없는 것으로 들을 수 있다면 참된 그것은 도가 아
니다. 도는 보려고 해도 볼 수 없는 것으로 볼 수 있다면 그것은 참된 도
가 아니다. 도는 말할 수 없는 것으로 말할 수 있다면 그것은 참된 도가
아니다. 누가 형상의 [근본이] 형상이 없음을 알겠는가?158)

도는 인간의 감각을 초월한 것이다. 따라서 귀로 듣고, 눈으로 보
고, 말로 표현할 수 없는 것이다. 이러한 관점은 노장철학에 나타난
천도론을 이어받은 것이다.

시작이 있는 것이 있다. 처음부터 시작이 없는 것이 있다. 아직 처음부

---

157)『淮南子』「原道訓」: "夫道者, 覆天載地, 廓四方, 柝八極, 高不可際, 深不可
測, 包裹天地, 稟授無形."
158) 같은 책, 「道應訓」: "道不可聞, 聞而非也; 道不可見, 見而非也; 道不可言,
言而非也. 孰知形之不形者乎?"

터 시작이 없는 것이 없는 것이 있다. 있는 것이 있다. 없는 것이 있다. 처음부터 유무(有無)가 없는 것이 있다. 아직 처음부터 그 처음의 유무(有無)가 없는 것이 있지 않은 것이 있다.159)

위의 내용은 원래 『장자』의 「제물론」(齊物論)편에 보인다. 이것은 우주발생론에 대한 부정이다.

또 우주의 구조에 대해 이렇게 설명한다.

하늘에는 구야(九野)와 9,999개의 귀퉁이가 있다. 땅으로부터 떨어진 거리가 오억 만 리이고, 오성(五星)·팔풍(八風)·이십팔수(二十八宿)·오관(五官)·육부(六府)와 자궁(紫宮)·태미(太微)·헌원(軒轅)·함지(咸池)·사수(四守)·천아(天阿)가 있다.160)

이것은 하늘과 땅의 구조를 설명한 것이다. 고대 중국인의 천문과 지리에 관한 이론이다. 그 구체적인 내용은 「천문훈」(天文訓)편과 지형(墜形訓)편에 보인다.

② 기

『회남자』는 기(氣)에 대해 이렇게 설명한다.

---

159) 같은 책, 「俶眞訓」: "有始者, 有未始有有始者, 有未始有夫未始有有始者. 有有者, 有無者, 有未始有有無者, 有未始有夫未始有有無者."
160) 같은 책, 「天文訓」: "天有九野, 九千九百九十九隅, 去地五億萬里. 五星, 八風, 二十八宿, 五官, 六府, 紫宮·太微·軒轅·咸池·四守·天阿."

천지가 형성되지 않았을 때는 형체도 없고 투명했다. 그래서 태소(太昭)라 했다. 도는 텅 빈 것에서 시작되었다. 텅 빈 것이 우주를 만들어내고 우주는 기(氣)를 만들어냈다. 기는 한계가 있다. 맑고 가벼운 것(淸陽)은 뿌옇게 올라가 하늘이 되고 무겁고 탁한 것(重濁)은 엉겨 땅이 되었다.161)

따라서 이 우주는 맑고 가벼운 기와 무겁고 탁한 기에 의하여 만물이 생겨난 것이다.

하늘이 그 음(陰)을 발하지 않으면 만물은 생겨나지 않는다. 땅이 그 양(陽)을 발하지 않으면 만물은 이루어지지 않는다.162)
하늘의 도(天道)는 둥글고(圓) 땅의 도(地道)는 사방(方)이 있는 것이다. 사방은 어둠을 주관하고 둥근 것은 밝음을 주관한다. 밝음은 기(氣)를 토하는 것이다. ……어둠은 기를 머금은 것이다. ……기를 토하는 것은 만물을 이루고 기를 머금은 것은 변화시킨다. 그러므로 양(陽)은 만물을 이루고 음(陰)은 변화시킨다.163)

또 이렇게 말한다.

여러 수컷(雄)이 있지만, 암컷(雌)이 없으면 또 어떻게 능히 변화가 (만물을) 만들어 낼 수 있겠는가?164)

---

161) 위와 같음: "天地未形, 馮馮翼翼, 洞洞濁濁, 故曰太昭. 道始于虛廓, 虛廓生宇宙, 宇宙生氣, 氣有涯垠, 淸陽者薄靡而爲天, 重濁者凝滯而爲地."
162) 위와 같음: "天不發其陰, 則萬物不生; 地不發其陽, 則萬物不成."
163) 위와 같음: "天道曰圓, 地道曰方. 方者主幽, 圓者主明. 明者吐氣也, ……幽者含氣者也. ……吐氣者施, 含氣者化."
164) 같은 책, 「覽冥訓」: "衆雄而無雌, 又何化之所能造乎?"

여기에서 알 수 있는 것처럼 음기와 양기는 동격이고 차별이 없다.

3) 치국

『회남자』 철학에는 두 가지 특징이 있다.165) 첫째, 백성들의 현실생활의 중요성을 매우 강조하다. 둘째, 시대적 상황에 부합하는 정치의 시행이다.

> 인사(事)는 천도(道)에 근본을 두지 않으면 법식[儀]이 될 수 없다.166)

또 이렇게 말하였다.

> 도의 근본을 얻으면 만물에 응대함에 막힘이 없고, 사람의 재능에 의지하면 나라를 온전히 다스리기 어렵다.167)

이것을 원칙으로 무위와 유위를 모두 긍정하였다.

① 무위

---

165) 김용섭, 「회남자의 구성과 문제의식」, 경북대학교 퇴계학연구소, 『퇴계학과 유교문화』(제19집), 1991, 118쪽.
166) 『淮南子』「泰族訓」: "事不本於道德者, 不可以爲儀."
167) 같은 책, 「主術訓」: "故得道之宗, 應物無窮; 任人之才, 難以至治."

황로학의 무위는 원시 도가와 다르다. "황로학의 '무위'는 기본적으로 원시 도가의 '무위' 개념을 근본 바탕으로 삼고 있으면서도 인간의 주체적이고 능동적인 '유위'의 요소를 내포하고 있."168) '무위'는 주로 "나아가고 물러남에 때에 맞게 응하고, 움직이고 멈춤에 이치를 따른다"(進退應時, 動靜循理)는 것으로 자연스러움에 따라서 임하는 것이지 아무것도 하지 않는 것은 아니다.

임금의 치술은 무위(無爲)의 일을 처리하면서 불언(不言)의 교령(敎令)을 행하고 청정(淸靜)해서 움직이지 않으며, 법도를 한 가지로 하여 자주 바꾸지 않고, 일의 자연스러운 진행에 따라 신하에게 맡겨 성공을 따지되 스스로 수고하지 않는다.169)

『회남자』 중의 '무위'의 함의는 주로 두 가지가 있다. 첫째, 자연스러움을 따르는(因循自然) 것으로 "사물에 앞서서 하지 않는"(不先物爲), 즉 객관적 조건을 벗어나 억지로 하지 않는 것이다.170) 그것은 "자신의 주관을 사용하여 자연을 거스른다"(用己而背自然)는 '유위'(有爲)와는 서로 대립하는 것이다. 둘째, 사사로운 뜻(私志) 혹은 사사로운 욕심(私欲)으로 '공정한 도'(公道), '바른 통치술'(正術)을 어지럽히지 않는 것으로, 군주 개인의 의지는 반드시 객관적 법칙에 복종해야 한다고 하였는데 봉건 전제에 반대하는 뜻이 감추어져 있다.

노자가 말한 "무위하지만 이루어지지 않는 것이 없다"(無爲而無不

---

168) 이석명, 「통일 시대를 위한 철학적 구상과 그 전환」, 중국철학회, 『역사 속의 중국철학』, 예문서원, 1999, 122쪽.
169) 『淮南子』「主術訓」: "人主之術, 處無爲之事, 而行不言之敎; 淸靜而不動, 一度而不搖; 因循而任下, 責成而不勞."
170) 같은 책, 「原道訓」.

爲), "다스려지지 않는 것이 없다"(無不治)에 대해 이렇게 설명하였다.

　이른바 '무위한다'[無爲]는 것은 사물에 앞서 행하지 않는다는 뜻이다. '이루어지지 않는 것이 없다'[無不爲]고 말한 것은 (성인이) 사물의 (자연스러운) 운행 이치에 따라 행하기 때문이다. 이른바 '다스리지 않는다'[無治]는 것은 저절로 그러한 자연적인 본성을 바꾸지 않는다는 것이다. '다스려지지 않는 것이 없다'[無不治]고 말한 것은 (성인이) 사물들 사이에 저절로 그러한 이치에 말미암아 다스리기 때문이다.171)

이것은 노자가 말한 무위의 정치를 긍정하고 강조한 것이다.

　그러므로 천하의 일이란 억지로 할 수 없으니, 자연의 형세에 말미암아 추진해야 하며, 만물의 변화는 일일이 다 살필 수 없으니, 만물의 핵심을 잡아 그 근본으로 돌아가야 한다.172)

그러나 여기에 머물지 않고 유위의 정치 역시 필요하다고 말하였다. 이러한 점이 선진시대 노장철학과 황로학의 차이이다.

② 유위

고대 중국 사회에서 정치는 황제라는 한 사람에 의한 통치가 진행

---

171) 위와 같음: "所謂無爲者, 不先物爲也; 所謂無不爲者, 因物之所爲. 所謂無治者, 不易自然也; 所謂無不治者, 因物之相然也."
172) 위와 같음: "是故天下之事, 不可爲也, 因其自然而推之; 萬物之變, 不可究也, 秉其要趣而歸之."

되었다. 그러나 군주 역시 한 사람의 인간이었기 때문에 당연히 그의 능력에는 한계가 있었다. 그러므로 천하의 일을 모두 군주 한 사람이 이해하고 통치할 수는 없었다.

「주술훈」(主術訓)편의 내용이다.

중지(衆智)를 모으면 천하도 소유하기에 부족하지 않고, 오로지 자기 한 사람의 마음만을 다하면 자기 자신의 한 몸만을 지키기에도 어려운 것이다.173)

이것을 구체화한 것이 사람을 쓰는 방법이다. 즉 용인(用人) 사상에 나타난다.

통치자가 조정의 자리에서 내려오지도 않고, 세상 밖의 일까지 알 수 있는 것은 사물에 의해 사물들을 파악하고 사람에 의해 사람들을 알기 때문이다. 그러므로 여러 사람의 힘을 모으면 감당해내지 못할 일이 없고, 여러 사람의 지혜를 모아 행하면 이루지 못할 일이 없다. ……그러므로 천 명의 사람들이 있으면 다리가 끊어지는 경우가 없고, 만 명의 사람들이 모이면 공(功)이 단절되는 일이 없다.174)

저자는 여러 사람의 힘을 이용하기"(用衆人之力) 위해서는 "만물은 각기 마땅함이 있으므로"(物各有宜), "본성에 따라서 이용하는"(因性而用) 것이라는 사람을 임용하는 원칙을 제시하였다.175) 이것은 군주 한

---

173) 같은 책, 「主術訓」: "乘衆人之智, 則天下之不足有也; 專用其心, 則獨身不能 保也."
174) 위와 같음: "君人者不下廟堂之上, 而知四海之外者, 因物以識物, 因人以知人 也. 故積力之所擧, 則無不勝也; 衆智之所爲, 則無不成也. ……故千人之羣無絶 梁, 萬人之聚無廢功"

사람이 정치를 독단하고 전횡하는 것에 반대한 것이다. 왜 그렇게 해야 하는가? 그것은 만사 만물에는 각기 그 특성이 있고, 각기 그 쓰임이 있다고 생각하였기 때문이다.

천지 만물은 각기 그 성질에 맞는 쓰임새가 있다. 그러므로 각각의 쓰임에는 차이가 있다. 이와 마찬가지로 서로 다른 사람은 더욱더 서로 다른 성격, 본질과 일을 처리하는 방식 등에서 서로 다른 특징을 가지고 있다. 군주는 마땅히 그것들이 가지고 있는 특성에 근거하여 장점을 드러내고 단점을 피하여 합리적으로 사용해야 한다.

따라서 군주를 천하를 다스릴 때는 '일의 자연스러운 진행에 따라 신하에게 맡겨야 한다'고 한 것이다. 이것을 '군주는 무위하고, 신하는 유위한다'(君無爲, 臣有爲)는 것으로 표현하였다.

③ 무위와 유위의 통합

선진시대 노장철학은 무위를 강조하였다.

도는 억지로 하는 것이 없지만 하지 못하는 것이 없다.[176]
천하를 있는 그대로 자유롭게 놓아둔다는 말은 들어봤어도 천하를 다스린다는 말은 들어보지 못했다.[177]

따라서 그러한 관점의 당연한 귀결은 유위에 대한 부정이었다.

---

175) 위와 같음.
176) 『老子』 제37장: "道常無爲而無不爲."
177) 『莊子』 「在宥」: "聞在宥天下, 不聞治天下也."

대도(大道)가 없어지니 인의(仁義)가 있게 되었고, 지혜가 나타나자 큰 거짓이 있게 되었다. 육친(六親)이 화목하지 못하자 효와 자애로움이 있게 되었고, 국가가 혼란하게 되자 충신이 있게 되었다.[178]

올바른 도리란 바로 자신이 타고난 그대로의 상태를 잃어버리지 않는 것이다. ……내가 볼 때, 인의(仁義)라는 도덕은 결코 인간의 자연스러운 모습이라고 할 수 없다.[179]

그렇지만 이러한 관점은 현실적으로 문제점을 드러냈다. 춘추전국시대는 천하가 다투는 시대였기 때문이다. 그러므로 무위만으로 국가를 다스린다는 것은 불가능하였다.

『회남자』는 무위와 유위을 함께 쓸 것을 주장하였다. 물론 여기에서 무위는 통치의 기본 원칙이다.

무위는 도의 근본[宗]이다. 그러므로 도의 근본을 얻으면 사물에 대응함에 막히는 것이 없다.[180]

이 무위를 원칙으로 유위를 실천해야 한다.

기술자[工]는 두 가지 기술을 겸하지 않고, 선비[士]는 관직을 겸하지 않으니, 각자 자기 직분을 지키면서 서로 간섭하지 않아야 한다. ……무릇 채

---

178) 『老子』 제18장: "大道廢, 有仁義; 慧智出, 有大僞; 六親不和, 有孝慈; 國家昏亂, 有忠臣."
179) 『莊子』 「騈拇」: "彼至正者, 不失其性命之情. ……意仁義其非人情乎!"
180) 『淮南子』 「主術訓」: "無爲者, 道之宗, 故得道之宗, 應物無窮."

무가 적으면 갚기 쉽고, 직무가 작으면 수행하기 쉬우며, 책임이 가벼우면 처리하기 쉽다. 윗사람이 최소한의 일만 요구하면 아랫사람은 일을 쉽게 수행하여 제출하게 된다. 이렇게 하면 통치자와 신하가 아무리 오래 함께 일하여도 서로에게 싫증 내지 않게 된다.181)

이것을 정치적으로 표현한 것이 앞에서 말한 군주는 무위하고 신하는 유위한다는 것이다. 『회남자』는 '군주는 무위하고, 신하는 유위한다'는 통치 철학의 원칙을 말함으로써 군주 한 사람의 독단/전횡을 막고자 하였다.

한 사람의 지혜로는 (다양한) 일[物]에 대응할 수 없다. 그런데 나라 안을 두루 살피고 온 천하를 보존하고자 하면서도 도에 의존하지 않고 자신의 재능에만 전적으로 의지한다면 결국에는 곤경에 빠져 뜻을 이루지 못할 것이다. 그러므로 개인의 지혜만으로는 세상을 다스리기에 충분하지 않다. …… 이처럼 세상을 다스리는 데 지혜로도 부족하고 힘으로도 부족하다면, 사람의 개인적인 재능에만 의존할 수 없다는 것은 분명하다.182)

이것은 또 중앙집권과 지방분권이라는 정치적 문제와 직접적으로 관련이 있다.

4) 중앙집권과 지방분권

---

181) 위와 같음: "工無二伎, 士不兼官, 各守其職, 不得相姦. ……夫責少者易償, 職寡者易守, 任輕者易權. 上操約省之分, 下效易爲之功, 是以君臣彌久而不相厭."
182) 위와 같음: "人知之於物也, 淺矣. 而欲以徧照海內, 存萬方, 不因道理之數, 而專己之能, 則其窮不達矣. 故智不足以治天下也. ……則人材之不足任, 明也."

회남왕 유안이 살았던 한대 초기는 정치적으로 중앙집권화와 지방 분권화를 주장하는 두 세력 사이에 정치 권력투쟁이 발생하였던 시대이다.

한대 초 당시의 지방 행정조직은 진(秦) 왕조 시절의 중앙 집권제와 주(周) 왕조 시절의 지방 분권제가 합쳐진 이른바 군국제(郡國制)를 채택하였다. 그리하여 한 제국은 중앙에는 황제 중심 체제를 수립하였고, 지방에는 황제의 직할지인 군(郡)과 현(縣)을 설치하는 한편, 지방 제후의 자치국인 왕국(王國)과 후국(侯國)을 동시에 설치하였다. 그 결과, 한대 초기에 전국적으로 군(郡)과 국(國)이 모두 103개 수립되었다. 이렇게 하여 한 제국은 중앙 집권주의와 지방 분권주의가 공존하는, 조금은 불안한 동거 체제로 출발하였다.183)

한나라 초기에는 중앙정권과 지방정권이 공존하던 정치 체제였다. 다시 말해, "한나라는 또 건국 초기에 여러 제후국을 책봉하였다. 이들 제후국은 동성 제후국과 이성 제후국으로 나누어진다. 그런데 한나라 초기에 이렇게 제후국을 책봉한 것은 결코 한나라 황실이 원했던 정책은 아니었다. 그것은 어디까지나 임시방편에 불과하였다."184)

우리가 『회남자』 철학 체제를 연구할 때 이러한 정치적 상황도 고려해야 한다. 회남왕 유안은 지방정권을 담당하던 한 사람의 제후였으므로 당연히 지방분권화를 지지하였다. 그러나 그의 이러한 정치적 주장은 받아들여지지 않았다. 그 결과는 너무도 당연하게 그의 죽음이라

183) 이석명, 『회남자-한대 지식의 집대성』, 사계절, 2004, 36쪽.
184) 이경환, 『하늘의 도, 인간을 말하다-『회남자』 철학 연구(상)』, BOOKK, 2021, 47쪽.

는 비극으로 끝났다.

5) 법치

국가 통치에는 객관적이고 명확한 기준이 필요하다. 그런데 이 '객관적이고 명확한 기준' 가운데 가장 보편적으로 타당한 것은 무엇보다도 '법'이다. 그런 까닭에 『회남자』 역시 법치를 강조하였다.

　법은 세상의 규범이자 통치자가 나라를 다스리는 기준이다. 법을 세우는 것은 법을 어기는 자들을 다스리기 위한 것이고, 상을 만든 것은 마땅히 상 줄 자들을 상 주기 위한 것이다. 법이 정해진 이후에 그 규정에 합당한 자는 상을 주고, 규정을 어긴 자는 벌을 준다. 이때 존귀한 자라고 해서 벌을 가볍게 해서는 안 되고, 비천한 자라고 해서 형벌을 무겁게 해서도 안 된다. 그리고 법도를 어기지 않은 사람은 비록 마음에 맞지 않는 자라고 해도 벌을 주어서는 안 된다. 이렇게 하면 공도(公道)가 열리고 사도(私道)가 막히게 될 것이다.[185]

이 단락의 내용을 요약하면 다음과 같다. 첫째, 법은 나라를 통치하는 기준이다. 둘째, 신분에 상관없이 형벌과 상이 합당해야 한다. 여기에서 중요한 점은 군주와 같은 통치자, 권력자가 법을 마음대로 실행하지 않는 것이다.

그러므로 또 이렇게 말하였다.

---

185) 『淮南子』「主術訓」: "法者, 天下之度量, 而人主之準繩也. 縣法者, 法不法也; 設賞者, 賞當賞也. 法定之後, 中程者賞, 缺繩者誅. 尊貴者不輕其罰, 而卑賤者不重其刑, 犯法者雖賢必誅, 中度者雖不肖必無罪. 是故公道通, 而私道塞矣."

통치자는 법을 운용함에 개인적으로 좋아하고 싫어하는 것이 없어야만 법으로 백성에게 명령을 할 수 있다. ……이것은 정치를 통치자 개인의 마음에 의존하는 방식을 벗어나 통치술에 맡기는 태도이다. 그러므로 국가를 다스리는 자는 통치 행위에 개인의 마음을 개입시키지 않는다.186)

어느 시대나 마찬가지이지만, 법이 바르게 운용되려면 권력자가 먼저 그 법을 지켜야 한다. 이것이 법치를 실행함에 성공 여부를 결정하는 가장 중요한 조건이다.

6) 인재의 등용

국가 통치에서 가장 중요한 일 가운데 하나가 바로 인재의 등용 문제이다. 이처럼 인재 등용은 그 핵심문제가 바로 '재능에 맞게 쓰는 것'이다.

그러므로 특정한 신체를 가진 사람은 그에 맞는 자리를 맡게 하고, 특정한 재능을 가진 사람은 거기에 맞는 일에 종사하게 해야 한다. 힘이 맡은 일을 감당할 수 있으면 일이 힘들지 않고, 능력이 일에 합당하면 일이 어렵지 않다. 갖고 있는 재능이 크든 작든 뛰어나든 부족하든 간에 각자 자신에게 맞는 일을 얻으면 세상이 고르게 되어 서로 비난할 일이 없다. 성인은 사람들을 적절히 두루 활용하기 때문에 버리는 인재가 없다.187)

---

186) 위와 같음: "人主之於法, 無私好憎, 故可以爲命. ……故爲治者不與焉."
187) 위와 같음: "是故有一形者, 處一位; 有一能者, 服一事. 力勝其任, 則擧之者
不重也; 能稱其事, 則爲之者不難也. 毋小大脩短, 各得其宜, 則天下一齊, 無以

   이러한 관점에 의하면, 천지 만물은 모두 각각 그 능력에 맞는 쓰임이 있다. 그러므로 그들의 능력을 고려하여 쓴다면 이 세상에 쓸모가 없는 존재는 없다는 의미이다. 군주가 해야 할 일은 이처럼 인재를 등용할 때 그들의 능력에 맞게 쓴다면 인재 부족은 문제가 되지 않는다. 이것은 앞에서 말한 '군주는 무위하고, 신하는 유위한다'는 사상과 일맥상통하는 것이다.

相過也. 聖人兼而用之, 故無棄才."

제8장 중국철학 7

법가

제8장 중국철학 7
법가

제1절 정치철학의 두 가지 사상적 배경

인간의 현실이란 언제나 누추하고 부족한, 즉 무엇인가 결핍된 어떤 사회이다. 우리는 그 속에서 끊임없이 어떤 이상을 추구하면서 살아간다. 그런 까닭에 우리는 언제나 좀 더 '좋은 사회는 어떤 모습일까?' 하고 상상하기도 한다. 결론적으로 인간 사회에서 정치란 그런 '이상사회'(Utopia)를 이루고자 하는 노력이고 행위이다.

우리 인간의 정치를 바라보는 시각에는 기본적으로 두 가지 관점이 존재한다. 그것은 '이상주의'와 '현실주의'이다. 그런데 만약 '이상주의' 또는 '현실주의' 어느 하나만을 고수하는 정치는 문제가 나타날 수밖에 없다.

만약 '이상주의'가 '현실'이라는 뿌리를 망각하면, 그러한 원대한 이상은 현실에서 발을 붙일 수 없기 때문이다. 또 만약 '현실주의'에 '이상'이라는 궁극적 목표가 없다면, '현실주의'는 정치적 행위는 방향을 상실하여 그저 당대에 발생한 정치적 문제를 처리하는 데 급급해 할 것이다.

강정인·정승현은 동양의 한비자와 서양의 마키아벨리를 비교하는 논문「동서양의 정치적 현실주의: 한비자와 마키아벨리」에서 이 두 가지 작동 원리를 다음과 같이 비교/정리하였다.[1] 그 내용을 요약하여 도표로 정리하면 다음과 같다,

[표6-1] 정치의 '이상주의'와 '현실주의'

이상주의	현실주의
① 일정한 형이상학적 원리로 상황을 불변적으로 고정한다. ② 당위 명제를 전제하고, 추상적 원리·형이상학적 원리로 인간 현실을 변화시켜 '근본적으로 다른 원리에 입각한' 세계를 단들 수 있다고 한다. ③ 선험적 정치 이론은 정치적 실천이 순응해야 하는 규범이다. ④ 일정한 형이상학적 원리나 도덕적 원칙에 따라 현실을 변화시키는 것이 가능하다.	① 정치의 근본 요인을 현실 속에서 살아가는 인간의 모습에서 찾고, 인간의 행동 원리를 기반으로 정치적 삶의 근본 원칙을 규명하며, 정치적 결단·행동을 통해 상황을 규제·통제한다. ② 인간·정치에 대한 실증적·객관적 분석을 통해 정치 상황, 인간의 관계, 삶의 실제 모습, 정치·시대의 상황을 규제·통제할 수 있는 원리를 현실에서 찾으려는 사유방식이다. ③ 상황의 가변성을 인정하고, 법·제도로 인간 행위의 역동성을 유지·통

---

1) 강정인·정승현,「동서양의 정치적 현실주의: 한비자와 마키아벨리」, 서강대학교 사회과학연구소, 『사회과학연구』 제22집 1호, 2014, 35-36, 39쪽. 참조 요약.

	제한다.
	④ 인간 행위의 주체성과 역동을 강조한다.
	⑤ 현실적으로 '가능한 것'을 목표로 한다.
	⑥ 인간의 이기심·폭력성을 인정하고 잘못된 속성을 최소화, 좋은 결과를 반들 방법에 초점을 둔다.
	⑦ 인간의 한계·능력을 알고, 최선의 방안을 실현하려고 한다.
	⑧ 인간의 본성은 상대방을 불신하고 두려워한다.
	⑨ 인간은 자신의 안전을 위해하기에 권력에 대한 일반적 투쟁이 일어난다.
	⑩ 행위자 간에는 정치적 권위·공동체적 유대 없고 희박하여 정치적 집합체 간의 투쟁, 국가 간의 전쟁이 선명하게 드러난다.

　　그러나 가장 중요한 점은 "현실주의와 이상주의는 모두 인간의 삶에 대한 올바른 해답을 구하려는 시도"라는 사실이다.[2] 그러므로 어느 하나는 옳고 다른 하나는 틀렸다고 말할 수 없다. 너무도 이론적이기는 하지만, 인간의 정치 행위는 언제나 '현실'과 '이상'의 균형을 찾아야만 한다. 인간의 정치 행위가 이러한 균형을 잃었을 때 그 결과는 당연히 비극적일 수밖에 없다.

　　또 우리가 인간의 정치 행위를 말할 때는 정치적 행위의 '동기'와

---

2) 같은 논문, 39쪽.

'결과'라는 서로 다른 기준을 고민해야 한다. 이것은 어떤 정치적 행위의 정당성과 관련한 매우 중요한 문제이다. 이 문제 역시 앞에서 말한 정치 행위의 '이상주의'와 '현실주의'라는 문제와 밀접한 관계가 있다.

막스 베버(Max Weber, 1864-1920)는 또 '동기주의'와 '결과주의'를 말하였다. 우리가 이 문제를 논의하기 전에 '국가'에 대해 정의해야 할 것이다.

그렇다면 '국가'란 무엇인가? 베버는 먼저 국가를 정의하면서 "특수한 수단인 물리적 강제력", "'합법성'에 의거한 지배, 즉 합리적으로 창설된 법규 위에 선 합법적 기구와 기능적 권한의 타당성에 대한 신뢰에 의거한 지배"력을 가진 집단으로, "물리적 강제력의 정당한 사용을 독점"한다고 말하였다.3)

국가는 강제력을 사용할 '권리'의 유일한 원천입니다. ……국가는 ……인간에 대한 인간의 지배라는 관계, 정당한(즉, 정당하다고 간주되는) 강제력에 의해 뒷받침되는 관계입니다.4)

막스 베버의 이러한 '국가' 정의에는 이미 '국가'에는 '폭력의 정당성', '폭력의 독점'이라는 의미가 들어있다는 것이다.

그렇다면 '정치'란 무엇이나?

따라서 '정치'란 국가들 사이에서 혹은 국가 내의 집단들 사이에서 권력

3) 막스 베버, 「직업으로서의 정치」『막스 베버 선집』, 임영일·차명수·이상률 편역, 까치, 1991, 208-209쪽.
4) 위와 같음.

에 참여하고자 하거나 권력의 배분에 영향력을 행사하고자 하는 노력을 뜻한다고 할 수 있습니다.[5]

국가의 지배가 갖는 정당성은 무엇인가? 베버는 이것은 '내부적 정당화', '지배의 정당화'를 세 가지로 설명한다.[6] 첫째, "옛날부터 계속된 관습적인 복종을 통해 신성화된 풍습의 권위"이다. 둘째, "비범한 개인적인 천부적 자질(카리스마)에 의한 권위"이다. 셋째, "'합법성'에 의거한 지배, 즉 합리적으로 창설된 법규 위에 선 합법적 기구와 기능적 '권한'의 타당성에 대한 신뢰에 의거한 지배"이다. 이것은 '전통적', '카리스마적', '합법적'인 세 가지의 순수형이다.[7]

베버는 '정치적 이상주의'를 이렇게 말하였다.

무모하고 거리낌 없는 정치적 이상주의는 기존 사회의 경제적 질서의 유지에 관심을 두고 있는 계층들과는 전혀 동떨어진 무산자층에서—전적으로는 아니더라도 적어도 압도적으로—발견됩니다. 특히 비상한 혁명적 시기에 더욱 그렇습니다.[8]

그에 의하면 '정치적 이상주의'는 '무산자층', '혁명적 시기'와 밀접한 관계가 있다.

베버는 또 '정치적 현실주의'에 관해 다음과 같이 말하였다.

---

5) 같은 책, 208쪽.
6) 같은 책, 209쪽.
7) 위와 같음.
8) 같은 책, 217쪽.

정치의 분야에서 치명적인 죄악이란 단 두 가지가 있을 뿐이기 때문입니다. 그 두 가지는 **객관성의 상실**과—때로는 이와 동일한 것이기도 합니다만—**무책임**입니다.9) (강조는 인용자)

베버에 의하면 가난한 무산자층이 혁명적 상황에 부닥치면 당연히 그들의 '이상주의'를 위해 정치적 행위를 하지만, 그와 마찬가지로 정치가는 '효과'를 생각해야 하는데, 그것은 "자기의 행위가 가져온 결과에 대한 책임"이다.10)

오늘날 국제정치를 지배하는 근본 원리는 '현실주의'이다. 이 "현실주의는 국가의 생존과 번영을 유지하는 가장 근본적인 수단으로서 힘(power)의 본질을 직시한 이론이다."11) 이 '현실주의(자)'의 특징은 이렇다.

　일반적으로 현실주의자들은 국제사회의 원초적 특성을 국가간의 힘의 관계로 설명하고 있으며 "모두가 합의하는 공통의 지배자가 없이" 자의적 판단력을 가진 국가들로 구성되어 있는 무정부상태라고 본다. 국가관계를 설명하는 현실주의의 핵심은 "힘(power)으로 정의된 이익(interest)"의 개념이다.12)

그러므로 이 '현실주의(자)'의 관점에서 보면 "국가는 그 자신의 이익을 추구할 따름이며 자국의 이익방어에서부터 타국의 이익을 침해

<hr />

9) 같은 책, 248쪽.
10) 위와 같음.
11) 우철구,「제1차 세계대전 이전 유럽 현실주의의 역사와 인식」, 우암평화연구원 편,『정치적 현실주의의 역사와 이론』, 화평사, 2003, 47쪽.
12) 위와 같음.

하는데 이르기까지 자국의 힘을 증가시키고자 하는 원초적 욕구에서 벗어날 수 없다"는 것이다.13) 그런 까닭에 국민 국가(nation-state)를 분석 단위의 중심으로 하는 E. H. 카아(Edward Hallett Ted Carr, 1892-1982)는 "국가들 사이에 본질적인 이익의 조화(Harmony of interests)란 불가능한 것"이라고 본다.14)

카아는 '정치적 힘'(political power)을 말하였는데, 그가 말하는 '정치적 힘'의 내용은 ①군사력(military power), ②경제력(economic power), ③여론을 지배하는 힘(power over opinion)이다.15)

인간의 '정치'의 행위에는 그것을 실행할 때 '동기'와 '결과'라는 두 가지 서로 다른 '전제' 또는 '목표'가 존재한다.

[동기(주의)] 정치적 행위의 최종적인 결과가 그 원래의 의미와는 완전히 동떨어진, 때로는 모순적이기도 한 관계에 서는 일도 자주, 아니 오히려 일반적으로 있습니다. ……그러나 바로 이러한 사실 때문에 한 행위가 내적 힘을 가지기 위해서는 **대의에의 헌신**이 반드시 필요한 것입니다. 정치가가 정확하게 어떤 대의를 위하여 권력을 추구하고 행사하느냐 하는 것은 개인적인 신념의 문제입니다. 그가 헌신하는 목표는 민족적인 것일 수도 있고, 인도주의적인 것일 수도 있으며, 기타 사회적, 윤리적, 문화적, 세속적, 종교적인 것일 수도 있습니다. ……그러나 여하튼 어떤 종류의 것이건간에 하나의 신념은 반드시 가지고 있어야 합니다.16) (강조는 인용자)

[결과(주의)] 정치 지도자의 명예는 자기 행위에 대한 배타적인 **개인적** 책임에 있으며, 그는 이 책임을 거부하거나 남에게 돌리지 못합니다.17)

---

13) 같은 책, 47-48쪽.
14) 같은 책, 48쪽.
15) 우철구, 「제1차 세계대전 이전 유럽 현실주의의 역사와 인식」, 48쪽.
16) 막스 베버, 「직업으로서의 정치」, 249쪽.

이처럼 정치가는 자신의 정치 행위에서 '대의에의 헌신'과 '책임'이라는 것이 모두 필요하다. 정치적 행위에서 '동기'를 강조하는 것은 '도덕적', '당위적' 판단을 중시한다. 그런데 '결과'를 강조하는 것은 어떤 정치적 행위에서 나타난 결과에 대한 평가적 책임을 묻는 것이다. 사실 어떤 정치가라고 하더라도 이 두 가지 기준에서 벗어날 수 없다. 베버는 이것을 '진실성의 의무'라고 말하면서 '궁극적 목적의 윤리'와 '책임 윤리'의 원칙으로 나누었다.

진실성의 의무……절대윤리에 의하면 그것은 무조건적으로 요구됩니다. ……그러나 절대윤리는 '결과'를 문제시하지 않습니다. 이것이 그 결정적인 점입니다.
윤리적으로 지향된 모든 행위는 근본적으로 서로 다르며 화합할 수 없는 두 원칙 중 어느 하나에 의해서 인도될 수 있다는 사실은 분명히 해두어야 합니다. 그 하나는 '궁극적 목적의 윤리'이며, 다른 하나는 '책임윤리'입니다. ……그러나 이 두 윤리에 입각한 각각의 행위는 서로 더없이 깊은 대조를 이루고 있습니다. ……종교적 입장이 '궁극적 목적의 윤리'를 나타낸다면 자기 행위의 예견 가능한 결과에 대해 책임을 저야만 한다는 것이 '책임윤리의 원칙'이라 할 수 있습니다.18)

'궁극적 목적의 윤리'와 '책임 윤리의 원칙'이라는 이 두 가지 윤리 규범/원칙은 앞에서 말한 '동기(주의)'와 '결과(주의)'에 해당한다. 그런데 문제는 '동기'란 그 정치가의 '내면적'인 것으로, 우리는 그것을 확

---

17) 같은 책, 226쪽.
18) 같은 책, 253쪽.

인할 방법이 없다. 오직 그 정치가의 '양심'에 달린 것이기 때문이다. 그렇다면 남은 것은 '결과'뿐이다. 그러므로 앞에서 베버가 말한 것처럼, 정치인은 자신의 정치 행위에 대해 '개인적 책임'을 져야 하는데, 그것은 그가 행한 정치적 행위의 '결과'에 대한 책임을 의미한다.

베버는 정치가에게는 '정열', '책임감', '균형감각'이라는 세 가지 자질이 결정적으로 중요하다고 지적하였다.19)

정열이란 **즉사물성**(即事物性, matter-of-factness)이란 의미에서의 정열을 뜻하는 것으로 '대의'(大義), 사물의 주재자인 신이나 수호신에 대한 정열적인 헌신을 말합니다. ……그러나 아무리 순수하다 하더라도 단순한 정열만으로는 충분치 못합니다. 그것만으로 정치가가 될 수는 없습니다. '대의'에 대한 헌신으로서의 정열은 동시에 그에 대한 책임을 행동의 안내자로 삼지 않으면 안 됩니다. 이를 위해서 필요한 것이 균형감각입니다. 이것은 정치가에게 요구되는 가장 중요한 심리적 자질입니다. 내적인 집중력과 평정의 힘을 가지고 현실의 움직임을 있는 그대로 바라보는 능력, 이것이 곧 균형감각입니다. ……내적으로 뜨거운 정열과 냉철한 균형감각을 어떻게 조화할 수 있는가 하는 점이 결정적인 문제…… 정치적 '개성'의 '힘'이란 무엇보다도 정열과 책임감과 균형감각이라는 자질을 갖추고 있음을 말합니다.20)

이상의 논의를 종합하여 **'궁극적 목적의 윤리'**와 **'책임 윤리'**의 원칙이 갖는 특징을 비교하면 다음과 같다.

[표8-2] **'궁극적 목적의 윤리'와 '책임 윤리의 원칙'**

---

19) 같은 책 247쪽.
20) 같은 책, 247-248쪽.

궁극적 목적의 윤리	책임 윤리
① 동기주의 (종교가)	① 결과주의 (정치가)
② 결과를 무시함	② 결과를 중시함
③ '좋은' 목적의 달성: 폭력 수단의 정당화 (목적에 의한 수단의 정당화)	③ 정치적 행위에 대한 책임을 강조
④ 세상의 윤리적 비합리성을 부정: 우주적-윤리적인 '합리주의자'	④ 세상의 윤리적 비합리성을 인정

베버 역시 어느 한 가지만을 주장하지 않는다.

　……궁극적 목적의 윤리나 책임의 윤리는 서로 대립적인 것이 아니라 보완적입니다. 양자가 함께 어우러질 때, 순수한 인간이, '정치라는 천직'을 **감당할 수 있는** 인간이 나타날 수 있습니다.21)

그런데 앞에서 이미 살펴본 것처럼, 오늘날 국제정치에는 오직 '현실주의'만이 존재한다. 이것이 오늘날 인류사회를 고통스럽게 만들고 있다.

중국철학 전통에 의하면 '이상주의'가 대세였다. 이것은 중국의 법가를 제외한 여러 학파 모두 기본적으로 일치한다.

　[공자] 덕으로 정치를 하는 것은 마치 북극성은 제자리에 있고 여러 별이 떠받들면서 그 주위를 도는 것과 같다.22)
　[노자] 도는 항상 무위하지만, 이루지 못하는 것이 없다. 후왕(侯王)이 만약 그러한 도를 잘 간직할 수 있다면 만물은 장차 저절로 바르게 될 것이다.23)

---

21) 같은 책, 261쪽.
22) 『論語』「爲政」: "爲政以德, 譬如北辰居其所, 而衆星共之."

[묵자] 성인은 천하를 다스리는 일을 하는 사람이니 혼란이 일어나는 까락을 잘 살피지 않으면 안 된다. 혼란을 살펴보건대 그것은 어떻게 일어나는 것인가? 서로 사랑하지 않음에서 일어난다.24)

중국철학에서 이것은 약간 각도를 달리하지만, 법고(法古)와 법금(法今)의 논쟁으로 나타났다.

[法古] 옛것을 배워 전하기만 할 뿐 새로 창작하지 않으며, 옛것을 믿고 좋아한다.25)
옛날의 도(古之道)를 붙잡아 지금의 세상[今之有]을 다스리면 옛날의 시원[古始]을 알 수 있는데 이것을 도기(道紀, 도의 벼리)라 부른다.26)
[法今] 무릇 선왕의 법도란 때[時]에 그 요체가 있는 것인데 바로 그때는 그 법도와 함께 지금에 이르지 않았다. 그러므로 법도가 아무리 지금까지 이미 내려와 있다고 하더라도 여전히 본받을 수 없는 것이다.27)
(商鞅의 말) 성인이 나라를 강하게 할 수 있으려면 구습(舊習)을 모범으로 삼지 않으며, 백성을 이롭게 할 수 있다면 구례(舊禮)를 좇지 않는 것입니다. ……세상을 다스리는 방법은 한 가지만 있는 것이 아닙니다. 그 나라에 이로우면 고법[古]을 본받을 필요는 없습니다.28)
상고(上古) 시대는 사람이 적고 날짐승과 들짐승이 많았다. ……중고(中

---

23) 『老子』 제37장: "道常無爲, 而無不爲. 侯王若能守之, 萬物將自化."
24) 『墨子』 「兼愛 上」: "聖人以治天下爲事者也, 不可不察亂之所自起, 當察何自起, 起不相愛."
25) 『論語』 「述而」: "述而不作, 信而好古."
26) 『老子』 제14장: "執古之道, 以御今之有, 能知古始, 是謂道紀."
27) 『呂氏春秋』 「八覽」 「愼大覽」 「察今」: "凡先王之法, 有要於時也, 時不與法俱至, 法雖今而至, 猶若不可法."
28) 『史記』 「商君列傳」: "是以聖人苟可以彊國, 不法其故; 苟可以利民, 不循其禮. ……治世不一道, 便國不法古."

古) 시대는 천하에 큰물이 나 곤(鯀)과 우(禹)가 물길을 터주었다. 근고(近
古) 시대는 걸(桀)과 주(紂)가 난폭하여 탕(湯)과 무왕(武王)이 정벌하였다.
……지금 시대에 요·순·우·탕·문·무의 도를 찬미하는 자가 있다면 반드시 새로
운 성인[新聖]에게 비웃음을 당할 것이다. 그런 까닭에 성인은 옛것을 닦는
것을 기약하지 않고 옛날의 법도[常]를 본받지 않으며, 세상의 일을 그시대
에 맞춰 알맞은 대비책을 세운다.29)

단순하게 말해서, '법고(주의)'는 '이상주의에' 가깝고, '법금(주의)'
는 '현실주의'에 가깝다. "유가들은 개혁과 쇄신의 방법으로 요·순(堯
舜)시대를 이상적 시대로 설정하고, 요·순시대로의 회귀를 목표로 하는
'복고(復古)와 법고(法古)'를 주장하였으며, 도가와 묵가들도 사회를 퇴
보하는 것으로 인식하였다."30) 그러나 "한비자는 사실 후대인들이 '옛
날로 돌아갈(復古) 수도 없고' 또 '옛날을 본받을 대상(法古)'도 없는
것으로 인식하고 있다."31)

그러므로 일은 시대에 따라서 하며, 대비는 일에 알맞게 한다. ……그러
므로 "시대가 다르면 일도 다르다"(世異則事異)고 말한다. ……그러므로 "일
이 다르면 대비책도 다르다"(事異則備變)고 말한다. ……대저 옛날과 지금은
풍속이 다르고, 새시대와 구시대는 대비책이 다르다.32)

---

29) 『韓非子』「上古之世, 人民少而禽獸衆. ……中古之世, 天下大水, 而鯀·禹決瀆.
近古之世, 桀·紂暴亂. ……然則今有美堯·舜·禹·湯·文·武之道於當今之世者, 必爲新
聖笑矣. 是以聖人不期修古, 不法常可, 論世之事, 因爲之備."
30) 이춘식, 『춘추전국시대의 법가사상과 세勢·술術』, 아카넷, 2002, 206쪽.
31) 같은 책, 207쪽.
32) 『韓非子』「五蠹」: "故事因於世, 而備適於事. ……故曰: '世異則事異.' ……故
曰: '事異則備變.' ……夫古今異俗, 新故異備."

이것은 인간의 역사관과 관련한 문제이다. 동양과 서양에서 인류의 역사관은 본래 모두 고대를 '아름다운 시절'로 그리고 있다.

[성경] 한처음에 하느님께서 하늘과 땅을 창조하셨다. 땅은 아직 꼴을 갖추지 못하고 비어 있었는데, 어둠이 심연을 덮고 하느님의 영이 그 물 위를 감돌고 있었다.

하느님께서 말씀하시기를 "빛이 생겨라." 하시자 빛이 생겼다. 하느님께서 보시니 그 빛이 좋았다. ……33)

[고대 그리스] 그리스와 로마를 포함한 대부분 사회에서 인간의 삶의 조건은 더 나쁜 쪽으로 진행해 왔다고 믿었던 것이 일반적이고, '황금시대(Golden Age)'를 미래가 아닌 과거에 두는 것이 특징적이기……34)

[유가] 선대(先代)의 분들은 예악에 야인(野人)과 같았지만, 후대(後代)의 사람들은 예악에 군자(君子)와 같다. 만약 내가 그것 가운데 선택하여 사용한다면 나는 선대의 분들을 좇을 것이다.35)

[도가] 대저 지덕지세(至德之世)에는 사람과 짐승이 함께 살았고, 만물과 더불어 하나가 되었으니, 어찌 군자니, 소인이니 하고 구별하였겠는가? 한결같이 무지(無知)하여 덕(德)에서 떠나지 않아 욕심이 없으므로 소박(素朴)하였다. 그렇기에 백성들은 그 참된 본성을 지킬 수 있었다.36)

이처럼 고대 중국인의 역사관 역시 기본적으로 고대를 '이상적 사

---

33) 한국천주교주교회의, 『성경』「창세기」1·2-4, 한국천주교중앙협의회, 2005, 1쪽.

34) 김시천, 「동양학과 진보론-진본 관념의 검토와 동양 사회 정체론 비판」, 한국철학사상연구회, 『시대와 철학』제7집 1호, 1996, 78쪽.

35) 『論語』「先進」: 先進於禮樂, 野人也; 後進於禮樂, 君子也. 如用之, 則吾從先進.

36) 『莊子』「馬蹄」: "夫至德之世, 同與禽獸居, 族與萬物幷. 惡乎知君子小人哉! 同乎無知, 其德不離; 同乎無欲, 是謂素朴. 素朴而民性得矣."

회'로 그렸다.

고대 중국에서는 이 '이상적 사회'를 '요순'(堯舜) 시대라는 말로 표현한다. 그렇지만 이것은 어디까지나 '이상적 사회'가 아니라 '이상화된 사회'일 뿐이다. 선진시대 사람들의 이상이 만들어낸 사회이다. 그런 까닭에 어떤 면에서 이 '이상화된 사회'는 그렇게 '되어야 한다'라거나 또는 '되었으면 하는' 당위적인 사회였다. 그러므로 그것은 우리가 어디까지 꿈꾸는, 즉 현실에는 존재하지 않는 사회를 의미하였다. 그렇다고 해서 무조건 잘못된 생각이라고 비난할 수는 없다. 오히려 우리가 마땅히 이뤄야 할 어떤 궁극적인 목표라고 생각할 수도 있기 때문이다. 그런데 인간 역사의 아이러니라고 해야 할 것은 이상주의(자)는 언제나 당대에 실패했다는 사실이다. 이것은 인간의 어리석음을 나타낼 뿐이다.

중국의 법가 철학은 현실주의(자)의 철학이다. 그런데 이 법가 철학은 두 계열로 나누어진다. 하나는 삼진 법가이고, 다른 하나는 진한 법가이다.

제2절 중국의 전쟁과 형벌 문화

고대 중국의 정치체제에서 '예'(禮)·'법'(法)·'형'(刑)·'정'(政)은 정치적 실체를 구성하는 네 가지 요소로 어느 것 하나도 없어서는 안 되었다. 예는 이 네 가지는 상호보완적이었다. 여기에서 "'예'는 전통과 습속으로부터 형성된 행위규범이며, '법'은 사람이 확정한 강제성을 갖춘 규정이다. '형'은 강제수단을 가리키고, '정'은 정치 권력을 지칭한다."[37)]

그런데 이 네 가지를 어떻게 운용하는가에 따라 정치 형태를 달리하게 된다.

인간의 역사에서 빼놓을 수 없는 한 가지 중요한 문화가 바로 인간의 '형벌'문화이다. 이 '형벌'문화는 통치권을 장악한 권력 집단이 피지배민에게 행하는 폭력성을 나타내는 것으로 인류 역사에서 언제나 빼놓을 수 없는 통치 방식 가운데 가장 중요한 한 가지였다. 인간은 이 폭력성에서 발생하는 두려움/공포를 간직하고 삶을 영위해 왔다. 이러한 현상은 지금도 마찬가지이다.

1. 인류 역사와 전쟁 그리고 형벌 문화

인간의 역사에서 고대로부터 현대에 이르기까지 인류사회는 잔혹한 '전쟁'과 '형벌'이 난무했던 '전쟁과 형벌의 역사'라고 말할 수 있다.

순자는 전쟁의 원인을 세 가지로 말하였다.

남의 나라를 공격하는 자는 '명성'[名]을 위해서가 아니라면 '이익'[利]을 위해 하는 것이며, 그것도 아니라면 '분노'[忿] 때문이다.[38]

순자는 전쟁의 원인으로 ①명예, ②이익, ③분노 세 가지를 제시하였다. 그렇지만 전쟁의 핵심 원인은 '이익'이라고 생각한다.

제레미 블랙은 전쟁의 원인과 관련하여 다음과 같이 말하였다.

---

37) 劉澤華 주편, 『중국정치사상사 선진편(上)』, 장현근 옮김, 동과서, 2002, 166쪽.
38) 『荀子』「富國」: "凡攻人者, 非以爲名, 則案以爲利也. 不然則忿之也."

전쟁의 원인이 인류학적·심리적·사회적 전망과 관련하여 논의될 수 있지만, 인간과 동물에 대한 일반적인 설명, 즉 폭력적 경향에 개별적인 갈등이나 여러 전쟁이 일어나는 이유와 전쟁의 다양한 속성에 대한 이해를 부가하면 더 쉽게 설명될 수 있다.39)

블랙은 이처럼 전쟁의 원인을 이해하려면 두 가지 측면, 즉 ①폭력적 경향과 ②전쟁의 속성을 고려하라고 말한다. 그런데 "전쟁을 일반적인 폭력 성향으로 설명하는 것 또한 매우 중요하다."40) 그리고 전쟁은 "계획된 투쟁"으로 "인력과 자원, 인력의 현존과 자원의 사용이 없으면 가능하지 않"다.41) 너무도 상식적인 말이지만, 전쟁은 인명의 대량학살과 재물의 낭비, 수많은 사람에게 고통을 남긴다. 그러나 인류 역사에서 전쟁은 끊임없이 발생하였다.

2. 중국의 전쟁과 형벌 문화

고대 중국 역시 다른 나라와 마찬가지로 전쟁과 형벌의 역사가 있다. 특히 중국의 법가 학파의 인물 상앙과 한비자가 살았던 전국시대가 바로 전쟁의 시대였다.

고대 중국에서 형벌의 형성 과정은 어떤 것일까? 전대군(錢大群)·조이청(曹伊淸)은 『중국법제사통해』(中國法制史通解)에서 중국 법률 제도

---

39) 제레미 블랙, 『전쟁은 왜 일어나는가』, 한정석 옮김, 이가서, 2003, 15쪽.
40) 위와 같음.
41) 같은 책, 16쪽.

의 발전을 네 단계로 구분하였다.[42] ①노예제 법률 제도, ②봉건제 법률 제도, ③반식민지·반봉건 법률 제도, ④신민주주의 혁명 시기 법률 제도 및 사회주의 법률 제도이다.

이 문제와 관련한 기록이 『춘추좌전』(春秋左傳)에 보인다.

하(夏)나라 때 정치가 어지러워지자 우형(禹刑)을 제정하였고, 은(殷)나라 때 정치가 어지러워지자 탕형(湯刑)을 제정하였으며, 주(周)나라 때 정치가 문란해지자 구형(九刑)을 만들었다.[43]

고전적 의미에서 볼 때, 형벌에는 두 가지 유형이 있었다.[44] 첫째, 상형(象刑)이다. '상형'의 의미는 신체적 형벌을 가하지 않고, '수치', '모멸', '소외' 등을 통해 처벌하는 것이다. 둘째, '육형'(肉刑)이다. 이것은 우리가 일반적으로 잘 알고 있는 형벌로, 신체에 직접 형벌을 가하는 체형이다.

'상형'에 관한 것이다.

상형(象刑)은 상형(上刑)·중형(中刑)·하형(下刑)으로 되어있다. 이 중에서 상형에 해당되는 자는 가장자리를 시치지 않은 붉은 옷을 입히고, 중형은 얼룩무늬의 신을 신게 하였으며, 하형은 검은 두건을 쓰게 하여 주변 사람들로부터 창피와 부끄러움을 당하게 하였다고 한다.[45]

42) 錢大群·曹伊淸 편, 『中國法制史通解』, 南京大學出版社, 1993, 2쪽.
43) 『春秋左傳』 昭公 14년: "夏有亂政, 而作禹刑, 商有亂政, 而作湯刑, 周有亂政, 而作九刑."
44) 이춘식, 『춘추전국시대의 법가사상과 세勢·술術』, 46-47쪽.
45) 李晟遠, 「古代中國의 刑罰觀念과 肉刑」, 『東洋史學硏究』 제67집, 1999, 7쪽. (이춘식, 『춘추전국시대의 법가사상과 세勢·술術』, 46쪽 각주 4. 재인용.)

물론 '상형'이라는 것이 역사적 사실인지는 알 수 없다. 그러나 원시시대 고대 사회에서 형벌은 비교적 단순했을 것이라고 추론할 수 있다. 그렇지만 『예기』의 다음과 같은 기록도 참고할 가치가 있다고 생각한다.

> 예(禮)는 서인(庶人)에게까지 내려가지 않고, 형(刑)은 대부에게까지 미치지 않는다.[46]

주대는 이처럼 '예'와 '형'이라는 두 가지 규범에 따라 운영되었다. 우리가 잘 알고 있는 것처럼, 주대는 혈연적 유대관계를 기초로 한 종법 제도를 통해 정치적 지배 질서가 유지되었다. 이것은 '친친존존'(親親尊尊)이라고 부른다. 여기에서 '친친'이 혈연적 관계 안의 질서, 즉 가족관계를 지배하는 가정윤리라면, '존존'은 계급적 질서를 강조하는 사회윤리이다. 그런데 우리는 흔히 주대 사회를 예악(禮樂) 문화라고 말하지만, 그 안에는 당연히 '법'이 포함되었다. 그러므로 주대 예악 문화에서 가정과 국가(천하)를 다스릴 때 그 규범 질서는 달랐다. 왜냐하면 "주대의 지배 귀족은 넓은 의미에서 볼 때 모두 친(親)·인척(姻戚)으로 구성된 대혈연집단"이었는데, "친인척으로 구성된 대가족의 구성원에게 타율적이고 강제적인 형벌을 사용할 수 없었으므로 주대에는 '법'보다는 '예'를 더 중시하고 활용하였"기 때문이다. 그런데 주대의 '예'는 "가정에서는 개인의 행위까지 규제하는 실천적 규범"이었다.[47] 이 말은 달리하면, 가정을 벗어난 사회적 관계는 '법'에 의한

---

46) 『禮記』「曲禮 上」: "禮不下庶人, 刑不上大夫."

지배였다는 것을 내포한다. 너무도 당연한 말이지만, 국가조직이 점차 커지고 국가 행정이 세밀해지면서 형벌 역시 상징적인 것에서 현실적인 것으로 변했을 것이다. 그러므로 주대에는 마치 '예'만 존재했고, '법'은 존재하지 않았던 것처럼 생각하는 것은 매우 단순한, 그리고 유학의 이상을 마치 현실인 것처럼 상상한 허상일 뿐이다.

앞에서 이미 지적한 것처럼, 하나라의 우형, 은나라의 탕형, 주나라의 구형은 모두 당시에 천하를 통치하면서 실제로 실행한 법률 체계였다고 말해야 할 것이다.

중국의 형벌 제도에서 '육형'에 관한 기록은 '오형'(五刑)이 대표적이다.

묵형(墨刑)에는 천 가지, 의형(劓刑)은 천 가지, 비형(剕刑)은 오백 가지, 궁형(宮刑)은 삼백 가지, 대벽(大辟)은 이백 가지로, 오형은 삼천 가지이다.[48]

이 '오형'은 '묵형'·'의형'·'비형'·'궁형'·'대벽'이다.[49] 여기에서 '묵형'은 몸에 먹물을 글자를 새기는 것이고, '의형'은 코를 베는 것이며, '비형'은 발을 베는 것이고, '궁형'은 거세하는 것이며, '대벽'은 사형

---

47) 이춘식, 『춘추전국시대의 법가사상과 세勢·술術』, 51쪽.
48) 『尙書』「呂刑」: "墨罰之屬千, 劓罰之屬千, 剕罰之屬五百, 宮刑之屬三百, 大辟之罰, 其屬二百, 五刑之屬三千."
49) 韓國磐, 『中國古代法制史硏究』, 人民出版社, 1997, 1쪽. '오형'에 관해 몇 가지 서로 다른 학설이 있다. ①대형(大刑)에 갑병(甲兵)을 사용하고, 그다음은 부월(斧鉞)을 사용한다. 중형(中刑)은 도거(刀鋸)를 사용하고, 그다음은 찬착(鑽鑿)을 사용한다. 박형(薄刑)에는 편박(鞭撲)을 사용한다. ②묵(墨)·의(劓)·비(剕)·궁(宮)·대벽(大辟)의 육형(肉刑)을 위주로 한 오형이다. ③오형은 상징성의 다섯 가지 형벌이다.

이다.50) 이 다섯 가지 형벌을 모두 합하여 삼천 가지이다. 이것은 물론 대략 형벌이 많았음을 나타낼 뿐이다. 당시에 정확히 삼천 가지의 형벌 조목이 있었다는 의미는 아니다.

『예기』에는 사구(司寇)에 관한 기록이 있다.

> 무릇 오형(五刑)을 제정할 때는 반드시 천론(天論)에 의한다.51)

그 실제 운영 방법은 다음과 같다.

> 사구(司寇)는 형벌을 바르게 하고, 죄를 밝게 하여 옥송(獄訟)을 듣는다. (옥송이 있을 때는) 반드시 삼자(三刺, 세 번의 심문)를 한다. (범죄를 저지를) 의도(뜻)만 있고 증거가 없으면 옥송을 하지 않는다. 법에 따라 처벌을 할 때는 가벼운 것을 따르고, 석방할 때는 무거운 벌을 따른다.52)

이것을 정리하면 다음과 같다. ①법률에 따라 처리한다. ②증거주의이다. ③처벌은 가벼운 죄를, 석방할 때는 무거운 죄를 기준으로 한다. 이상의 내용은 오늘날에도 통용할 수 있는 매우 합리적인 법률 제도이다. 그렇지만 이것은 어디까지나 원칙에 해당한다. 실제로 운영된 상황은 다르다.

주대에는 경전(經典)·중전(中典)·중전(重典)이라는 삼전(三典), 즉 세 가지 법전이 있었다. 여기에서 '경전'은 새로 건립된 방국(邦國)을 다

---

50) 李民樹 譯解, 『禮記』, 惠園出版社, 1993, 169쪽.
51) 『禮記』 「王制」: "凡制五刑, 必證天論."
52) 위와 같음: "司寇正刑明辟, 以聽獄訟. 必三刺, 有旨無簡不聽. 附從輕, 赦從重."

스리는 것이고, '중전'(中典)은 평화롭고 안정된 방국을 다스리는 것이 며, '중정'(重典)은 찬탈과 반역, 정치가 어지러운 방국을 다스리는 법 전이다. 또 제후의 옥송(獄訟)에는 방전(邦典), 경대부(卿大夫)의 옥송에 는 방법(邦法), 서민(庶民)의 옥송에는 방성(邦成, 決事比)에 의거하여 판결하였다.53)

무수신(武樹臣) 등은 고대 중국의 법률 제도의 변화를 네 단계로 나 누었다.54) ①②③④

제3절 법가의 두 계열

우리는 고대 중국 사회를 말할 때 흔히 '예'와 '법'을 대립하는 것 으로 이해한다. 그러나 고대 중국 사회에서 '예'와 '법'은 모두 중요하 였다. 다만 그 치중하는 점이 달랐을 뿐이다.

학계의 적잖은 사람들은 예와 법을 대립하는 두 가지의 것으로 취급한다. 법은 예에 대한 부정이며, 예는 낙후되고 법은 진보적인 것으로 생각한다. 예와 법은 대립 관계인가 아닌가? 춘추시대 자료를 보면 양자는 구분되기도 하고 통일성이 있기도 하다. 그러나 양자는 절대로 대립 관계가 아니다.55)

고대 중국의 역사를 고찰하면, 여러 상황 속에서 "법과 예는 한 가

53) 朴健柱, 『中國古代의 法律과 判例文』, 백산자료원, 1999, 2쪽.
54) 武樹臣 外, 『中國傳統法律文化』, 北京大學出版社, 1994, 72-83쪽. (朴健柱, 『中國古代의 法律과 判例文』, 10쪽. 재인용.)
55) 劉澤華 주편, 『중국정치사상사 선진편(上)』, 173쪽.

지 의미였다. 법은 즉 예였다."56) 그렇지만 '예'가 곧 '법'인 것은 아
니다. 이 둘 사이에는 차이가 있다.

그렇다면 예와 법은 구분이 없단 말인가? 있다. 예가 주로 관습과 전통
으로 표현되는 데 비해 법은 실제 상황에 맞는 정치적 규정이었다. 이런 규
정이 예와 일치할 수 있었으므로 예와 법이 병존·병행되어 괴리가 없었던
것이다.57)

또 '예'와 '법'에는 각각 독특한 특성이 있다.

'예'가 관습과 전통이 된 데는 깊은 사회적 기초가 있다. 그러나 '**법**'은
대부분 그때그때의 사건에 따라 만들어진 것으로 비교적 풍부한 '**시대성**'을
함유하고 있다. 그러므로 '**예**'는 역사적 진행 과정에서 '**타성**'을 더 현저히
드러내는 것이다. 사회경제적 기반에 거대한 변동이 없는 한 예가 크게 변
화하기는 대단히 어렵다.58)

이처럼 '예'와 '법'은 각각 '타성'과 '시대성'이라는 특징을 갖고 있
다. 그러므로 '예'가 그 '타성'으로 인해 변화에 적응하기 어렵다면,
'법'은 그 '시대성'으로 인해 지속하기 어렵다.

이춘식은 "법가사상의 발생은 유가·도가·묵가에 비하여 제일 늦었다.
그러나 법의 기원과 발생은 제일 오래되었다"라고 말하였다.59) 그리고
그는 "중국에서 법의 기원과 재판은 신수(神獸) 재판에서 기원"했다고

---

56) 같은 책, 174쪽.
57) 같은 책, 175쪽.
58) 같은 책, 176쪽.
59) 이춘식, 『춘추전국시대의 법가사상과 세勢·술術』, 45쪽.

한다.60)

법가의 기원에 관해 반고(班固 32?-92)는 『한서』(漢書) 「藝文志)에서 왕관설(王官說을 제시하였다.

법가(法家)의 부류는 대개 이관(理官)에서 나왔기 때문에 신상필벌(信賞必罰)을 통해 예제(禮制)를 보완한다. 『주역』(周易)에 이르기를 "선왕(先王)은 벌을 분명히 밝힘으로써 법을 경계하였다"(先王以明罰飭法)고 하였다. 이것은 법가의 장점이다. (그렇지만) 법조문에 밝은 각자(刻者)가 이것을 행하게 되면 교화는 없어지고, '어짊과 사랑'[仁愛]을 버리게 되며, 모든 것을 오직 형법에만 맡겨 그것으로 다스리려 하기 때문에 지극히 친애하는 사람[至親]에게까지 잔혹한 형벌이 이르게 되어 은혜를 해치고 '두터움과 엷음'[厚薄]이 뒤바뀌게 된다.61)

반고의 설명 역시 법가 학파의 엄혹한 법의 집행에 따른 형벌의 잔혹성을 제기하였다. 그는 또 이 책에서 법가 학파의 문헌과 인물을 소개하였다.

『이자』(李子) 32편. 이름은 회(悝)이다. 위(魏)나라 문후(文侯)의 재상으로 부국강병에 힘썼다.

『상군』(商君) 29편. 이름은 앙(鞅)이고, 희성(姬姓)이다. 위(衛)나라 왕실의 후예이다. 진(秦)나라 효공(孝公)의 재상이었다.

『신자』(申子) 6편. 이름은 불해(不害)이다. (河南의) 경현(京縣) 사람이다.

---

60) 같은 책, 46쪽.
61) 『漢書』 「藝文志」: "法家者流, 蓋出於理官, 信賞必罰, 以輔禮制. 『易』曰: '先王以明罰飭法', 此其所長也. 及刻者爲之, 則無敎化, 去仁愛, 專任刑法而欲以致治, 至於殘害至親, 傷恩薄厚."

한(韓)나라 소후(昭侯)의 재상이 되었다.

『처자』(處子) 9편.

『신자』(愼子) 42편. 이름은 도(到)이다. 신불해·한비자보다 앞 시대의 사람이다. 신불해와 한비자가 그를 칭송하였다.

『한비』(韓非) 55편. 이름은 비(非)이다. 한(韓)나라의 여러 공자(公子) 가운데 한 명이다. 진(秦)나라에 사신으로 갔으나 이사가 그를 해쳐 죽었다.

『유체자』(游棣子) 1편.

『조착』(鼂錯) 31편.

『연십사』(燕十事) 10편.

『법가언』(法家言) 2편.

이상은 법(法) 10가(家)이고, 모두 217편이다.[62]

그러나 오늘날 학자들이 모두 이 관점에 동의하는 것은 아니다. 이 가운데 일부는 묵가, 도가 등 다른 학파의 문헌으로 구분한다.

사마담(司馬談)은 『논육가요지』(論六家要指)에서 법가 학파의 특징에 관해 이렇게 말하였다.

법가는 친소(親疏)를 구별하지 않고, 귀천(貴賤)을 나누지 않으며, 일률적으로 법(法)에 따라 단죄하기 때문에 (유학에서 말하는) 친친존존(親親尊尊)의 은혜[恩]를 끊었다. 그렇지만 이런 방법은 일시적인 계책으로는 실행할 수 있어도 결코 장기적인 계책으로는 실행할 수 없다. 그런 까닭에 "엄하기만 할 뿐 (인간적인) 은혜는 적었다"(嚴而少恩)라고 말한 것이다. 그러나 군주를 높이고 신하를 낮추며, 직분을 분명히 구분하여 서로 그 원한을 넘을 수 없도록 한 것은 비록 다른 학파[百家]라고 할지라도 고칠 수 없다.[63]

---

62) 위와 같음.
63) 『論六家要指』: "法家不別親疏, 不殊貴賤, 一斷於法, 則親親尊尊之恩絶矣. 可

사마담의 말에 의하면 법가의 특징은 다음과 같이 정리할 수 있다. 첫째, 친소·귀천에 상관없이 죄가 있으면 모두 법으로 처벌하였다. 둘째, 인간의 정감을 무시하였다. 셋째, 일시적 실행은 가능하지만, 장기적인 실행은 불가능하다. 넷째, 직분을 분명히 하였다. 여기에서 첫 번째와 네 번째는 사실판단에 해당한다면, 두 번째와 세 번째는 가치판단에 해당한다.

그런데 위에서 사마담이 말한 법가는 진한 법가에 해당한다. 이 진한 법가는 모든 문제를 법으로 처리하려고 하였다. 그런 까닭에 어떤 면에서 인정이 없게 보였을 것이다. 그런데 다른 한편으로 보면, 당시의 시대적 상황이 준엄한 형벌로 처리할 수밖에 없는 현실이었다고 긍정할 수도 있다. 다만 사마담의 평가처럼, 그런 준엄한 또는 엄혹한 형벌은 장기적인 대책/방법이라고 할 수는 없다. 인간은 본능적으로 그런 준엄하고 엄혹한 형벌을 장기적으로는 견딜 수 없기 때문이다. 우리는 그 한 가지 사례를 한나라를 세운 고조(高祖) 유방(劉邦)과 육가(陸賈, 陸生)의 대화에서 확인할 수 있다.

육생(陸生, 陸賈)은 항상 황제 앞에서 진언할 때 『시경』(詩經)과 『상서』(尙書)를 인용하였다.
고조는 육가를 꾸짖으며 이렇게 말하였다.
"나는 말 안장 위에서 천하를 얻었소. 어찌 『시경』과 『상서』 따위에 얽매이겠소?"
그러나 육가가 말하였다.

以行一時之計, 而不可長用也, 故曰: '嚴而少恩.' 若存主卑臣, 明分職不得相踰越, 雖百家不能改也."

"말 안장 위에서 천하를 얻으셨지만 어찌 말 안장 위에서 천하를 다스릴 수 있겠습니까? 옛날 은(殷)나라 탕왕(湯王)과 주(周)나라 무왕(武王)은 거스름[逆]으로 천하를 얻었지만, (민심에) 순응함[順]으로 천하를 지키셨습니다. 이와 같이 문(文)과 무(武) 함께 사용하는 것이 국가를 오래 보존하는 방법입니다. ……"[64]

여기에서 육가가 말한 '문'과 '무'는 '예'와 '법' 또는 '덕치'와 '법치'에 해당하는 것으로 볼 수 있다.

고대 중국의 법가 학파는 기본적으로 삼진 법가와 진한 법가로 나눈다. 위에서 살펴본 사마담의 법가에 대한 평가는 주로 진한 법가에 해당한다. 삼진 법가는 이와 다르다.

유택화(劉澤華)는 법가 학파의 공통된 사상적 특징을 다음과 같이 정리하였다.[65] 첫째, 법의 작용을 강조하는데, 가장 좋은 치국의 방법이다. 둘째, '일하면서 싸우는'(耕戰) 것을 창도하였다. 셋째, 군주 전제와 독재를 강화하였다. 넷째, 사회에 관한 기본 이론은 역사진화설(歷史進化說)과 인성호리설(人性好利說)이다. 다섯째, 가장 기본적인 정치적 개념과 범주는 법(法)·세(勢)·술(術)·형(刑)·벌(罰)·상(賞)·이(利)·공(公)·사(私)·경(耕)·전(戰) 등이다.

그는 또 이렇게 말하였다.

전국시대에 가장 뚜렷한 사회모순은 제후국 사이의 전쟁과 투쟁이었는데,

---

64) 『史記』「陸賈列傳」: "陸生時時前說稱『詩』·『書』. 高帝罵之曰: '迺公居馬上而得之, 安事『詩』·『書』!' 陸生曰: '居馬上得之, 寧可以馬上治之乎? 且湯武逆而取而以順守之, 文武並用, 長久之術也. ……'"
65) 劉澤華 주편, 『중국정치사상사 선진편(上)』, 485-490쪽. 참조 요약.

이 투쟁은 각 나라의 생사존망과 관련이 있었다. 사람들의 전쟁과 겸병에 대한 견해는 지극히 달랐으며, 이 여러 가지 견해 가운데 법가가 가장 실제 적이었다.[66]

우리는 간단히 법가 학파라고 말하지만, 그렇다고 하더라도 그들 사이에는 이론적 특징이 각각 달랐다.

법가들은 정치적 기본 경향은 일치하지만. 법가 인물마다 제각각 개성과 특성이 있다. 이 상황에 대해서는 선진 법가들 스스로도 파악하고 있었다. ……선진의 법가들은 모두 법·세·술을 말하지만. 각자의 사상 속에서 이 3자 의 지위는 다 같지가 않았다.[67]

그러므로 법가 학파의 인물들은 각각 '법', '세', '술' 가운데 어느 하나를 강조하거나, 이 셋을 모두 강조하기도 하였다.
아래에서는 법가 학파 계열의 대표적인 두 사람의 인물—상앙과 한 비자의 법가 철학을 살펴보기로 한다.

제4절 상앙의 법가 철학

상앙(商鞅)은 진(秦)나라에서 변법을 통해 변방의 낙후된 그래서 후진적이고 야만적이라 비난을 받았던 진나라를 일시에 강대국으로 만든 인물이다. 그런데 상앙은 사람들이 '이익'을 바라고 '죽음'을 두려

---

66) 같은 책, 490쪽.
67) 같은 책, 491쪽.

워하는 본성을 극단적으로 이용하여 정치적 효과를 거둔 인물이다.68)

1. 상앙의 생애

상앙(商鞅, 기원전 ?-기원전 338)은 출생 연도는 알 수 없고 기원
전 338년에 죽었다.69)
먼저 『사기』「상군열전」(商君列傳)의 기록이다.

상군(商君)은 위(衛)나라 왕의 여러 첩이 낳은 공자(公子) 가운데 한 사람
이다. 이름은 앙(鞅)이고, 성은 공손(公孫)이다. 그의 조상은 본래 성이 희
(姬)였다. 그는 젊어서 형명지학(刑名之學)을 좋아하였다.70)

공손앙은 위나라에서 크게 쓰이지 못하였다. 그래서 진(秦)나라 효
공(孝公)이 전국에 포고령을 내려 어진 사람을 구한다는 소식을 듣고
그곳으로 갔다. 그는 이회(李悝)의 책 『법경』(法經)의 이론을 바탕으로
진나라 효공에게 유세를 하여 중용되었다.
상앙은 진나라에서 변법(變法)을 단행하였다. 이 변법은 이전의 사회
질서를 완전히 개혁하는 조치였다. 그리고 이 "상앙의 변법은 진나라

---

68) 장현근, 『상군서-난세의 부국강병론』, 살림, 2005, 18-19쪽.
69) 劉澤華 주편, 『중국정치사상사 선진편(上)』, 534쪽; 김영식은 상앙이 대략
   기원전 390년 무렵 태어났다고 하였다. (김영식 옮김, 『상군서』, 홍익출판
   사, 2000, 16쪽. 해제 부분「법치를 통한 천하통일의 시작, 『상군서』」부
   분 참조.)
70) 『史記』「商君列傳」: "商君者, 衛之諸庶孽公子也, 名鞅, 姓公孫氏, 其祖本姬
   姓也. 鞅少好刑名之事."

의 실용주의적 문화 정책을 집약적으로 구현하였다."71)

상앙은 기원전 359년 효공 3년에 제1차 변법을 실행하였다.

열 집을 십(什)으로 하고, 다섯 집을 오(伍)로 g여 서로 감시하고 적발하도록 하는 연좌제를 시행하였다. 고발하지 않는 자는 허리를 자르는 형벌을 가하였고, 나쁜 짓을 한 자를 고발하는 사람은 적의 머리를 벤 자와 같은 상을 주고, 나쁜 짓을 한 자는 적에게 항복한 자와 같이 벌을 받았다. 백성들 가운데 (한 집안에) 성인 남자가 두 사람인데 분가하지 않으면 부세(賦稅)를 두 배로 하였다. 군공(軍功)이 있는 사람은 각각 그 공의 크기에 따라 윗자리의 벼슬을 받았고, 사사로이 다툰 자는 각각 그 경중(輕重)에 따라 형벌을 받았다. 밭갈이와 베를 짜는 것을 본업으로 삼고, 곡식이나 비단을 많이 수확한 사람은 본인의 부역(賦役)과 부세(賦稅)를 면제받았다. 상공업에 종사하며 게을러 가난한 자는 모두 체포하여 관청의 노비로 삼았다. 군주의 친척이라도 군공이 없으면 심사하여 족보에 올릴 수 없었다. 존비(尊卑)를 분명히 하여 작위의 등급을 세웠으며, 각각 지위[名]와 전택(田宅)에 차별을 두었고, 신첩(臣妾)과 의복(衣服)으로 각 집안[家]의 차례를 정하였다. 그리하여 군공이 있는 자는 영예를 누리지만, 군공이 없는 자는 비록 부유하여도 명예는 없게 하였다.72)

이상의 내용을 정리하면 다음과 같다. ①연좌제, ②성인의 분가 제도, ③군공에 따른 상벌, ④농업 중시, ⑤상공업 억제, ⑥군공에 따른

---

71) 바이시[白奚], 『직하학 연구』, 이임찬 옮김, 소나무, 2013, 83쪽.
72) 위와 같음: "令民爲什伍, 而相牧司連坐. 不告姦者腰斬, 告姦者與斬敵首同賞, 匿姦者與降敵同罰. 民有二男以上不分異者, 倍其賦. 有軍功者, 各以率受上爵; 爲私鬪者, 各以輕重被刑大小. 僇力本業, 耕織致粟帛多者復其身. 事末利及怠而貧者, 擧以爲收孥. 宗室非有軍功論, 不得爲屬籍. 明尊卑爵秩等級, 各以差次名田宅, 臣妾衣服以家次. 有功者顯榮, 無功者雖富無所芬華."

존비의 차등 등이다. 그 결과는 다음과 같다.

법령을 실행한 지 10년이 되자 진나라 백성은 매우 만족하였다. 길에 떨어진 물건을 줍지 않았고, 산에 도적이 없었다. 집마다 풍족하고, 사람마다 넉넉하였다. 백성은 국가를 위해 용감하게 전쟁을 하였고, 사적인 싸움을 두려워하였다. 그래서 도시와 농촌 모두 잘 다스렸다.[73]

상앙의 변법 실행으로 백성이 만족하고 넉넉해졌으며, 잘 다스렸다고 평가하였다. 그런데 과연 이러한 평가가 정직한 것인지 알 수 없다. 아마도 그 원인은 '공포에 의한 통치'라고 말해야 할 것이다. 그러므로 앞에서 말한 평가는 정당하지 않다. 물론 어떤 측면에서 일정한 긍정적인 측면도 있었을 것이다.

상앙은 기원전 350년 효공 12년에 제2차 변법을 실행하였다.

(3년 뒤) 명령을 내려 백성들 가운데 부자(父子), 형제(兄弟)가 한집안에 사는 것을 금지하였다. 작은 향(鄕), 읍(邑), 촌락을 모아 현(縣)으로 삼고, 현령(縣令), 현승(縣丞)을 두었다. 모두 31개 현이 있었다. 농지를 정리하여 경지 사이 종횡의 둑길과 경계를 트고 경작하게 하여 부세를 공평하게 하였다. 또 도량형을 통일하였다.[74]

그렇지만 상앙의 변법은 기득권 집단의 이익을 침해하는 것으로 m 자신의 지위를 매우 위태롭게 만들었다.

---

73) 위와 같음: "行之十年, 秦民大說, 道不拾遺, 山無盜賊, 家給人足. 民勇於公戰, 怯於私鬪. 鄕邑大治."
74) 위와 같음: "而令民父子兄弟同室內息者爲禁. 而集小(都)鄕邑聚爲縣, 置令·丞, 凡三十一縣. 爲田開阡陌封疆, 而賦稅平. 平斗桶, 權衡丈尺."

상군이 진나라의 재상이 된 지 10년이 되자 군주의 일족이나 외척 중에서 상앙을 원망하는 자가 많아졌다.[75]

진나라 은사(隱士) 조량(趙良)이 이렇게 말하였다.

진왕이 하루아침에 빈객(賓客)을 버려 조정에 서지 못한다면 진나라에서 당신을 해치려는 자들이 어찌 적다고 하겠습니까? 당신의 파멸은 발끝을 세우고 기다리는 것처럼 한순간의 일이 될 것입니다.[76]

그러나 상앙은 조량의 말을 듣지 않았다.

진나라 효공이 죽고, 혜문왕(惠文王)이 즉위하자 상앙은 위험에 처하게 되었다.

이로부터 5개월 뒤 진나라 효공이 죽고 태자(太子, 惠文王)가 즉위하였다. 그러자 공자 건(公子虔)의 무리는 상군이 모반하려고 한다고 밀고하였다. 그래서 관리를 보내 상군을 잡으려고 하였다.

상군은 도망하여 변방의 함곡관(函谷關)에 이르러 객사에 묵으려고 하였다. 그렇지만 객사의 주인은 그가 상앙이라는 것을 알지 못하고 이렇게 말하였다.

"상군의 법에 따라 여권이 없는 사람을 머물게 하면 손님과 연좌하여 벌을 받게 됩니다."

상군은 한숨을 쉬며 말하였다.

---

75) 위와 같음: "商君相秦十年, 宗室貴戚多怨望者."
76) 위와 같음: "秦王一日捐賓客而不立朝, 秦國之所以收君者, 豈其微哉? 亡可翹足而待."

"아! (내가) 법을 만든 폐해가 여기까지 이르렀구나."

상군을 그곳을 떠나 위(魏)나라로 갔다.

위나라 사람은 상앙이 공자 앙(卬)을 속여 위나라 군대를 물리친 것을 원망하여 받아주지 않았다. 상군은 다른 나라로 가려고 하였다.

위나라 사람이 말하였다.

"상군은 진(秦)나라의 적이다. 진나라는 강력한데 그 나라의 적이 위나라로 들어왔으니 돌려보내지 않으면 안 된다."

그래서 진나라로 돌려보냈다.

상군은 다시 진나라로 들어와 상읍(商邑)으로 갔다. 그는 따르는 무리와 함께 상읍의 병사를 가지고 북쪽으로 정(鄭)나라를 쳤다.

진나라는 군사를 이끌고 상군을 쳐 정나라의 면지(黽池)에서 그를 죽였다.[77]

상앙이 이처럼 비참한 최후를 맞이하게 된 것은 그의 개혁 정책이 지나치게 가혹하였기 때문이다. 물론 이 과정에는 기득권 세력의 저항이 가장 중요한 원인 가운데 하나였을 것이다.

사실 이와 같은 상앙의 급진적인 변법, 개혁은 당시 문화가 발달하였던 중원 열국에서는 감히 생각조차 할 수 없는 대담한 개혁으로 초기에는 미개하였던 진나라에서도 맹렬한 반대와 저항이 있었다. 특히 상앙의 변법·개혁은 왕족 귀족 등의 특권과 특혜를 누리는 기득권 계층 그리고 구질서와 구

---

77) 위와 같음: "後五月而秦孝公卒, 太子立. 公子虔之徒告商君欲反, 發吏捕商君. 商君亡至關下, 欲舍客舍. 客人不知其是商君也, 曰: '商君之法, 舍人無驗者坐之.' 商君喟然歎曰: '嗟乎, 爲法之敝一至此哉!' 去之魏. 魏人怨其欺公子卬而破魏師, 弗受. 商君欲之他國. 魏人曰: '商君, 秦之敵. 秦彊而賊入魏, 弗歸, 不可.' 遂內秦. 商君旣復入秦, 走商邑, 與其徒屬發邑兵北出擊鄭. 秦發兵攻商君, 殺之於鄭黽池."

체제에 안주하려는 보수파들을 크게 자극하고 격분시켰다.78)

이처럼 급진적 개혁은 기득권 세력의 저항을 만날 수밖에 없다. 그 결과는 당연히 어느 한쪽의 비참한 죽음이다. 여기에서의 결과는 당연히 소수파였을 상앙의 비참한 죽음이었다.

진(秦)나라 혜왕(惠王)은 상군(商君)을 거열형(車裂刑)에 처하였다. 그리고 이렇게 말하였다.
"상앙처럼 모반하지 말라!"
그리고 상군의 일족을 멸하였다.79)

참으로 비참한 최후이다. 정치란 그런 것이다. 우리가 생각하기에 상앙은 모반을 하지 않았을 것이다. 그가 이처럼 비참하게 죽게 된 것은 그가 실행한 개혁이 기득권 세력의 이익을 침범하였기 때문이다. 다시 말해, 상앙의 비참한 죽음은 그가 기득권 세력과의 권력투쟁에서 패배했기 때문이다. 이것이 비정한 정치의 세계이다.

그러나 중요한 점은 상앙이 죽은 뒤에도 그의 개혁은 이어졌다는 사실이다. 그리고 넓게 보면 상앙의 변법으로 진시황의 천하통일이 가능했다고 할 수 있다.

중국 역사상 여러 차례 변법이 있었다. 그러나 확실히 성공을 거두어 그 결과를 역사적으로 공유하게 한 사람은 상앙 한 사람뿐이었다. 『상군서』는

---

78) 이춘식, 『춘추전국시대의 법가사상과 세勢·술術』, 111쪽.
79) 『史記』 「商君列傳」: "秦惠王車裂商君以徇, 曰: '莫如商鞅反者1' 遂滅商君之家."

정치개혁에 대한 아이디어 창고이다.80)

　이러한 평가에 대해 우리가 동의하는지와는 상관없이 중국 역사에
서 여러 학파 가운데 당대에 현실적으로 성공한 학파는 법가가 유일
하다. 이것은 어쩌면 역사의 아이러니이다. 그는 "철저한 법치주의자
와 현실주의자"였다.81)

2. 『상군서』라는 문헌

　상앙의 저작으로 『상군서』가 있다. 『한서』「예문지」의 기록에 의하
면 이 문헌은 29편이다. 그러나 이 문헌이 모두 상앙의 저작은 아니
다.82) 또 5편이 없어져 현존하는 『상군서』는 24편이다.
　『상군서』에 관한 기록이다.

　지금 나라[境] 안의 백성이 모두 정치를 말하고, 상앙(商鞅)과 관중(管仲)

---

80) 장현근, 『상군서-난세의 부국강병론』, 22쪽.
81) 같은 책, 29쪽.
82) 이춘식, 『춘추전국시대의 법가사상과 세勢·술術』, 154쪽. "예를 들면 『상
　　군서』 중에 진(秦)과 조(趙) 사이에 전개되었던 장평전(長平戰, 기원전 260)
　　에 관한 기술이 있는데 이 장평전은 상앙 사후 80여 년이 지난 후에 일어
　　난 전쟁이었다. 또 『상군서』 경법편(更法篇)을 보면 '진 효공의 시호(諡號)'
　　가 보이고 있고 내민편(徠民篇)에는 '삼진(三晋)이 진(秦)을 이기지 못한 지
　　가 4세가 되었다. 위 양왕 이래 야전(野戰)에서 이긴 적이 없다' 등의 기록
　　이 있는데 이와 같은 사실은 모두 진 소양왕 때의 사실로 상앙의 생전에
　　있었던 사건들이 아니었다. 이와 같은 사실에서 볼 때 『상군서』 중의 상당
　　부분은 상앙의 사후 아마 상앙의 후학들 또는 관계 있는 사람들이 가필한
　　것으로 생각된다."

의 법을 기록한 책을 집마다 가지고 있지만, ……83)

내가 일찍이 상앙의 「개색」(開塞)편과 「경전」(耕戰)편의 글을 읽어보았는데, 그가 했던 일과 비슷하였다.84)

이러한 기록은 당시에 이미 상앙의 책이 널리 퍼졌다는 것을 알 수 있다.

『상군서』의 목록은 다음과 같다.

	편명	비고
제1권	「경법」(更法), 「간령」(墾令), 「농전」(農戰), 「거강」(去彊) 4편	「경법」편에 진(秦)나라 효공(孝公)의 시호(諡號)가 보인다.85) 「간령」은 상앙의 쩌작이다.(劉咸炘, 『子疏』)
제2권	「설민」(說民), 「산지」(算地), 「개색」(開塞) 3편	「설민」편은 제1권의 「거강」편과 중복된 글이 많은데 「거강」편의 주(注)이다.86)
제3권	「일언」(壹言), 「착법」(錯法), 「전법」(戰法), 「입본」(立本), 「병수」(兵守), 「근령」(靳令), 「수권」(修權) 7편	
제4권	「내민」(徠民), 「형약」(刑約)[篇亡], 「상형」(賞刑), 「획책」(畵策) 4편	「내민」편에 진(秦)나라 소양왕(昭襄王, 기원전 325년-기원전 251년, 재위 기원전 306년-기원전 251년) 때의 기록이 있다.87)
제5권	「경내」(境內), 「약민」(弱民), 「□□」[篇亡], 「외내」(外內), 「군신」(君臣), 「금사」(禁使), 「신법」(愼法), 「정분」(定分), 「육법」(六法) 9편	「약민」편은 제1권의 「거강」편과 중복된 글이 많은데 「거강」편의 주(注)이다.88)

---

83) 『韓非子』「五蠹」: "今境內之民皆言治, 藏商·管之法者家有之, ……"
84) 『史記』「商君列傳」: "余嘗讀商君「開塞」·「耕戰」書, 與其人行事相類."
85) 이춘식, 『춘추전국시대의 법가사상과 세勢·술術』, 154쪽.
86) 蒙季甫,「商君書說民弱民篇爲解說去彊篇刊正記」. (蔣禮鴻 撰, 『商君書錐指』,

전한(前漢) 성제(成帝) 때 유향(劉向)이 편집하고 교정한 것이 『한서』「예문지」에 있는 『상군서이십구편』(商君書二十九篇)이다. 유향의 「칠략일문」(七略佚文)에 "병권가 공손앙 2편"으로 되었다. 왕시윤(王時潤)은 『상군서각전』(商君書斠詮)에서 이 두 책은 같은 것으로 내용에 약간 차이가 있다고 말하였다. 그러나 고실(顧實)은 『한서예문지강소』(漢書藝文志講疏)에서 서로 다른 책이라고 하였다.89)

『군가독서지』(郡嘉讀書志)에서 "3편이 상실되었다"고 하였고, "『서록해제』(書錄解題)에서 "현재 26편으로 1편이 망실되었다"고 하였다. 송대(宋代) 때 25, 26편이 되었다. 현존하는 『상군서』는 5권 26편이지만, 제16편 「형약」(刑約)편이 없어졌으며, 제21편은 편명과 내용이 모두 없어졌다. 그러므로 사실상 지금은 24편에 불과하다.90)

『상군서』에 관한 연구 문헌으로 유함은(劉咸炘)의 『자소』(子疏), 나근택(羅根澤)의 『상군서탐원』(商君書探源)·『만주제자반고고』(晩周諸子反古考), 전목(錢穆)의 『선진제자계년고변』(先秦諸子系年攷辨), 곽말약(郭沫若)의 『전기법가적비판』(前期法家的批判), 섬수혜(詹秀惠)의 『석상군서병논기지위』(釋商君書幷論其眞僞) 등이 있다.91) 청대 학자 엄만리(嚴萬里)가 문자 교정을 하여 『상군서』를 회복하였다.92)

中華書局, 1986, 152쪽.)
87) 이춘식, 『춘추전국시대의 법가사상과 세勢·술術』, 154쪽.
88) 蒙季甫, 「商君書說民弱民篇爲解說去彊篇刊正記」. (蔣禮鴻 撰, 『商君書錐指』, 152쪽.)
89) 이상의 내용은 이춘식, 『춘추전국시대의 법가사상과 세勢·술術』, 155쪽. 참조 요약.
90) 위와 같음.
91) 김영식 옮김, 『상군서』, 21쪽.
92) 장현근, 『상군서-난세의 부국강병론』, 26쪽.

『상군서』는 "군주전제주의를 옹호하는 정치학 교과서"이다.[93]

3. 상앙의 철학사상

상앙의 법가 철학에는 인사(人事)의 문제를 해결할 근거―천도(天道), 즉 형이상학적 이론이 없다.

(1) 역사관

상앙은 고대사회를 상고(上古)·중고(中古)·근고(近古) 시대로 나누었다. 그리고 그 특징을 각각 다음 같이 설명하였다.

> 상고 시대[上世]는 친한 사람을 가까이하고, 사적인 이익을 좋아하였다. 중고 시대[中世]는 현인을 떠받들고 인(仁)을 좋아하였다. 근고 시대[下世]는 귀인을 숭상하고 관리를 존경하였다.[94]

그리고 각 시대의 구체적인 내용을 다음과 같이 설명하였다.

> [상고 시대] 친한 사람을 가까이하면 친소를 구별하게 되고, 사적인 이익을 좋아하면 음흉해진다. 사람들이 많아지게 되고 더군다나 친소를 구별하거나 음흉한 짓을 일삼으면 백성은 나라를 어지럽게 된다. 이 당시 사람들

---

93) 같은 책, 24쪽.
94) 같은 책, 「開塞」: "然則上世親親而愛私, 中世上賢而說仁, 下世貴貴而尊官."

은 남을 이기는 데 힘쓰고, 힘을 다해 빼앗았다. 남을 이기는 데 힘쓰면 싸우게 되고 힘을 다해 빼앗으면 다투게 된다. 다투는 데 올바른 표준이 없으면 사람들은 일상생활의 욕구를 만족시키지 못한다. ······친한 사람을 가까이하는 시대는 사적인 것을 도덕 원칙으로 삼았다.95)

[중고 시대] 현자가 정확한 표준을 확립하고 사사로움이 없는 것을 세우자 백성이 인(仁)을 좋아하였다. 이 당시에 친한 사람을 가까이하는 도가 폐기되었고, 현인을 떠받드는 도가 세워졌다.96)

[근고 시대] (상고 시대와 중고 시대는) '인자'(者)는 남을 사랑하고 이롭게 하는 것을 자기의 일로 삼고, '현자'(賢者)는 남을 추천하는 것을 원칙으로 삼는다. 그러나 사람은 많아지고 제도는 없었으며, 오랜 기간에 걸쳐 서로 추천하는 것을 원칙으로 하자 또다시 혼란스러워졌다. 그래서 성인이 이것을 이어받아 토지와 재물과 남녀의 명분을 확정하였다. 명분이 정해져도 제도가 없으면 안 되기 때문에 금지령을 세웠다. 금지령이 세워져도 이것을 관장할 수강 없으면 안 되기 때문에 관리를 세웠다. 관리가 세워져도 이것을 통일하여 다스릴 사람이 없으면 안 되기 때문에 군주를 세웠다. 이미 군주가 세워지자 현인을 떠받는 사상이 폐기되고 귀인[貴]을 숭상하는 사상이 수립되었다.97)

상앙은 이처럼 상고 시대의 '인자'(仁者), 중고 시대의 '현자'(賢者), 근고 시대의 '귀한 자'[貴]를 숭상하는 시대라고 각각의 시대를 구분하였다.

---

95) 위와 같음: "親親則別, 愛私則險民衆, 而以別險爲務,則民亂. 當此之時, 民務勝而力征. 務勝則爭, 力征則訟. 訟而無正, 則莫保其性也."
96) 위와 같음: "故賢者立中正, 設無私, 而民說仁. 當此時也, 親親廢, 上賢立矣."
97) 위와 같음: "凡仁者以愛爲務, 而賢者以相出爲道. 民衆而無制, 久而相出爲道, 則有亂. 故聖人承之, 作爲土地·貨財·男女之分. 分定而無制, 不可, 故立禁. 禁立而莫之司, 不可, 故立官. 官設而莫之一, 不可, 故立君. 旣立君, 則上賢廢而貴貴立矣."

상앙의 이러한 관점은 그의 인류 역사에 대한 해석에서 나온 것이다. 그는 인류의 역사를 '퇴보의 역사'라고 진단하였다.

옛날의 백성은 소박하고 후덕하였지만, 지금의 백성은 약삭빠르고 위선적이다.98)

그런 까닭에 상앙 역시 법고(法古)를 반대하고 법금(法今)을 주장하였다.

성인은 만일 국가를 강하게 할 수만 있다면 옛날의 법을 본받지 않으며, 백성을 이롭게 할 수만 있다면 옛날의 예를 따르지 않는다. ……하(夏)·은(殷) 주(周) 삼대에는 예제(禮制)가 같지 않았지만 각기 왕(王)이 되었으며, 춘추의 오패(五霸)는 법이 같지 않았지만 각기 천하의 패자[覇]가 되었다.99)

상앙이 비록 '국가를 강하게 함', '백성을 이롭게 함'이라는 조건을 붙였지만, 그의 말은 '옛날의 법도'를 따를 필요가 없다는 것이다. 그런 까닭에 당연히 '법'이란 것 역시 바꿀 수 있다.

'예'와 '법'은 시대의 추세에 따라 정해야 하고, 제도와 명령은 각기 사회 상황에 따라야 한다.100)

이러한 관점은 앞에서 말한 그의 역사관에서 나온다.

---

98) 같은 책, "古之民樸以厚, 今之民巧以僞."
99) 같은 책, 「更法」: "是以聖人苟可以彊國, 不法其故, 苟可以利民, 不循其禮. ……三代不同禮而王, 五霸不同法而覇."
100) 위와 같음: "禮法以時而定, 制令各順其宜."

지금 세상은 강대국은 다른 나라를 겸병(兼幷)하는 것을 일삼고, 약소국은 힘써 (자기 나라를) 지키기에 힘을 쏟는다.101)

그런 까닭에 어차피 지금 시대는 과거와 같은 방법으로 다스릴 수 있는 시대가 아니라는 것이다.

세상의 일이 변하면 실행하는 도 역시 다르다.102)

(2) 제도의 개혁

앞에서 이미 살펴본 것처럼, 상앙은 2차에 걸친 변법을 통해 진나라 체제를 완전히 바꾸었다. 당연히 그의 변법은 기존 기득권 집단의 반발을 불러왔다.

상앙은 이렇게 말하였다.

나라의 대신과 모든 대부는 널리 배우고 듣는 것, 말 잘하고 속임수를 쓰는 것, 돌아다니면서 타향에 거주하는 것 등의 일을 모두 하지 못하게 해야 한다. 특히 각 고을에 거주하면서 활동하지 못하게 해야 한다. 그러면 농민이 괴이한 말을 듣거나 유가 학설을 볼 곳이 없게 된다.103)

---

101) 같은 책, 「開塞」: "今世彊國事兼幷, 弱國務力守."
102) 위와 같음: "世事變而行道異也."
103) 같은 책, 「墾令」: "國之大臣諸大夫, 博聞·辯解·游居之事皆無得爲, 無得居游於百縣, 則農民無所聞變見方."

이것은 포괄적으로 금지한 것이다. ①귀족과 학자에 대한 통제이다. ②농민을 어리석게 만드는 것이다.

1) 예악 문화 비판

상앙은 당시 사회규범에 해당하는 예악 문화를 비판하고 부정하였다.

'말을 잘함'[辯]과 '잔꾀를 부리는 것'[慧]은 나라의 혼란을 조장한다. '예'(禮)와 '악'(樂)은 '음란함'과 '방탕함'을 불러들인다. '자애로움'[慈]과 '어짊'[仁]은 죄의 근원이다. '보증'[任]과 '변호'[譽]는 '간사함'의 보호처이다.104)

또 이렇게 말하였다.

나라에 예(禮), 악(樂), 『시』(詩), 『서』(書), 선(善), 수(修), 효(孝), 제(弟), 염(廉), 변(辯) 등이 있다. (그런데) 나라에 이 10가지가 있으면 군주는 백성에게 전쟁하도록 할 수 없고, 나라는 반드시 쇠약해져 멸망에 이르게 된다. 나라에 이 10가지가 없으면 군주는 백성을 전쟁하도록 할 수 있고, 나라는 반드시 흥성하여 천하에 왕노릇하게 된다.105)

---

104) 같은 책, 「說民」: "辯慧, 亂之贊也. 禮樂, 淫佚之徵也. 慈仁, 過之母也. 任譽, 姦之鼠也."
105) 같은 책, 「去彊」: "國有禮·有樂·有『詩』·有『書』·有善·有修·有孝·有弟·有廉·有辯, 國有十者, 上無使戰, 必削至亡; 國無十者, 上有使戰, 必興之王."

상앙이 이처럼 예악 제도를 비판한 것은 과거의 규범을 따르지 않겠다는 것을 의미한다. 그의 관점에 의하면 과거의 제도는 지금의 현실에 맞지 않다고 보았기 때문이다.

음란한 음악과 기이한 복장이 각 고을에 유행하지 못하게 해야 한다.[106]

상앙이 이처럼 '음란한 음악'과 '기이한 복장'에 반대한 이유는 매우 단순하다.

(백성의) 마음이 하나로 되고 정신이 흩어지지 않으면 황무지는 반드시 개간될 것이다.[107]

즉 황무지 개간을 통해 경제적 이익을 얻기 위함이다. 그러므로 정신적·신체적 기운을 낭비하는 것은 국가 경제에 좋지 않다는 것이다.

진나라는 본래 학문을 경시하였다. 그러므로 진나라 출신의 학자[士]가 거의 없었다. 있어도 결코 대우가 좋지 않았다.

진나라에서는 학자[士]가 육성되지 않았다.[108]

백해는 "중원의 제후국들은 진나라가 낙후되었다는 이유로 ⋯⋯제후들의 회맹(會盟)에도 진나라의 참가를 요구하지 않았다. 이렇게 문화적

---

106) 『商君書錐指』「墾令」: "聲服無通於百縣."
107) 위와 같음: "意壹而氣不淫, 則草必墾矣."
108) 『史記』「李斯列傳」: "士不産於秦."

으로 낙후되었기 때문에 진나라 사람들은 학술과 사상의 가치를 제대로 인식하지 못하였으며, 그것에 대해 흥미를 느끼지도 않았다"고 말하였다.109)

상앙의 학자, 지식인과 같은, 즉 국가의 두뇌 집단에 관한 관점 역시 이와 마찬가지이다.

나라가 위태롭고 군주가 근심할 때 유세하는 자들이 줄을 잇지만, 나라의 안위에는 아무런 이익이 없다.110)

이것은 기본적으로 법가 인물의 공통적 특징이다.

2) 기득권 집단의 제거

상앙은 제도개혁을 통해 기득권 집단을 약화할 필요가 있다고 생각하였다.

정실(正室)의 장남 이외의 귀족 자제에게도 서민과 마찬가지로 부역을 하게 하는 법령을 내려 대대로 그들에게 일을 시켜야 한다. 또 그들의 부역을 면제해 주는 조건을 강화하고, 용관(冗官)에게 양식을 타가게 하는데 더 타가면 깎아내게 해야 한다. 부역도 피할 수 없기에 큰 벼슬도 반드시 얻는다고 할 수 없다. 그러면 이러한 귀족 자제들이 나돌아다니면서 권세가 있는 사람을 섬기지 못하게 된다.111)

---

109) 바이시[白奚], 『직하학 연구』, 82쪽.
110) 『商君書錐指』 「農戰」: "國危主憂, 說者成伍, 無益於安危也."

이것은 귀족 집단의 정치·경제적 기득권을 제거하는 조치였다. 따라서 귀족 집단의 반발은 너무도 당연하였다.

3) 백성의 통제 수단

상앙에게 백성은 부국강병을 위한 통제의 대상일 뿐이다. 다시 말해, 다른 학파와 달리 상앙에게 백성이란 통치의 대상일 뿐 통치의 궁극적 목적이 아니다.

[1] 연좌제

상앙은 백성의 통제 수단으로 연좌제를 주장하였다.

> 형벌을 엄중히 하고 그 죄를 연대하여 (책임을) 물어야 한다.[112]

그렇다면 누구를 '연좌'할 것인가? 바로 '십'(什)과 '오'(伍)로 연결된 집단이다. 그런 까닭에 이들은 자신이 처벌받지 않기 위해 자연스럽게 서로를 감시할 수밖에 없다.

---

111) 같은 책, 「墾令」: "均出餘子之使令, 以世使之, 又高其解舍, 令有甬官食槩, 不可以辟役, 而大官未可必得也, 則餘子不游事人."
112) 위와 같음: "重刑而連其罪."

[2] 상과 벌

상앙은 백성의 통제 수단으로 '상'과 '벌'을 이용할 것을 주장하였다. 그런데 이 상과 벌은 모두 '부국강병'이라는 한 가지 목적을 위한 것이다.

'형'(刑)이란 간사한 짓을 금지하는 수단이고, '상'(賞)이란 간사한 짓을 금지하는 보조 수단이다.113)

또 다음과 같이 말하였다.

'형'(刑)을 엄중하게 하고, '상'을 적게 주는 것이 군주가 백성을 사랑하는 것이다. 그러면 백성은 '상'을 받으려고 죽음을 무릅쓰게 될 것이다.114)

상앙은 형벌을 사용할 때 등급을 나누지 않고 일률적으로 적용할 것을 주장하였다.

이른바 '형벌을 통일한다'[壹刑]는 것은 형벌을 시행하는 데 사람의 등급을 따지지 않는 것으로, 재상과 장군으로부터 대부와 서인에 이르기까지 군왕의 명령을 따르지 않고, 나라의 금지령을 범하며, 군주의 법제를 어지럽게 한 자는 사형에 처하고 사면하지 않는 것이다.115)

---

113) 같은 책, 「算地」: "夫刑者所以奪禁邪也, 而賞者所以助禁也."
114) 같은 책, 「靳令」: "重刑少賞, 上愛民, 民死賞."

그러므로 귀족 집단의 반발을 불러왔다.

[3] 이주 금지

백성의 생활을 통제하는 수단 가운데 하나는 이주의 금지이다.

　백성에게 제멋대로 이사하지 못하게 해야 한다. 그러면 백성은 어리석어
진다. 백성이 어리석어지면 농민을 어지럽게 미혹하는 사람은 밥벌이할 곳
이 없어져 반드시 농사를 짓게 된다. 마음이 어리석고 욕구가 급한 사람은
뜻이 쉬이 하나로 모인다. 그렇게 되면 농민은 반드시 조용히 살면서 생업
에 충실한다.116)

또 사람들이 농업에 힘을 쓰지 않고 돌아다니는 것을 금지하였다.

　나그네를 맞이할 여인숙을 없애야 한다. 그러면 간사하고 거짓되며, 본래
직업에 마음을 붙이지 못하고 개인적으로 사교나 하고, 농민을 미혹하는 이
런 사람들은 나돌아다니지 못하고, 또 여인숙을 차린 사람은 밥벌이할 곳이
없어지면 반드시 농사를 짓게 된다.117)

---

115) 같은 책, 「賞刑」: "所謂壹刑者, 刑無等級, 自卿相·將軍以至大夫·庶人, 有不
　　從王令, 犯國禁, 亂上制者, 罪死不赦."
116) 같은 책, 「墾令」: "使民不得擅徙,則誅愚亂農農民無所於食而必農.　愚心躁欲
　　之民壹意, 則農民必靜."
117) 위와 같음: "廢逆旅, 則姦僞·躁心·私交·疑農之民不行, 逆旅之民無所於食, 則
　　必農."

[4] 백성을 가난하게 함

상앙은 백성을 가난하게 해야 잘 다스려진다고 하였다.

나라가 부유하여도 백성을 가난하게 하는 방법으로 다스리는 것을 '이중의 부유함'[重富]이라고 한다. 이중으로 부유한 나라는 강해진다.118)

이것은 백성을 약하게 만들기 위한 것이다.

백성이 약하면 나라가 강해지고, 나라가 강한 것은 백성이 약하기 때문이다. ……백성이 약하면 쓰임이 있지만, 백성이 벗어나려는 뜻이 있으면 강하게 된다. ……백성을 약하게 만드는 조치를 하여 강한 백성을 제거하면 나라가 강성해진다.119)

이처럼 백성이 가난하여 약하게 되면 당연히 통치자에게 복종하게 될 것이다.

4) 법의 통치

---

118) 같은 책, 「去强」: "國富而貧治, 曰重富; 重富者彊."
119) 같은 책, 「弱民」: "民弱, 國彊; 國彊, 民弱. ……弱則有用, 越志則彊. ……
 以弱去彊者彊."

상앙은 법가의 인물이었기에 당연히 '법'을 강조하였다. 그는 '법' (法)·'전'(戰)·'상'(賞)을 국가 통치의 세 가지 원칙으로 삼았다.

옛날의 명군(明君)은 '법'(法)을 실행하면 백성에게 사악함이 없고, '전쟁 일'[事]을 하면 사람[材]들이 스스로 힘써 행하며, '상'(賞)을 시행하면 군대 가 강해진다. 이 세 가지가 나라를 다스리는 근본이다.120)

또 다음과 같이 말하였다.

법(法)으로 다스리는 자는 강해지고, 정치[政]로 다스리는 자는 약해진 다.121)

이상의 내용은 모두 농업과 전쟁이라는 두 가지 사항으로 귀결한다. 그 목적은 당연히 백성의 삶을 윤택하게 하는 것이 아니라 부국강병 이다. 상앙은 이 부국강병이라는 최종적 목적을 위해 농업을 장려하고 전쟁을 독려한 것이다.

만일 전쟁이 아직 일어나지 않으면 법치(法治)를 시행해야 한다. 법치 를 시행하면 농사에 힘쓰고 용감히 싸우는 풍속이 이루어진다. 풍속이 이루 어지면 전쟁에 쓰이는 것들이 갖추어진다. 이 세 가지 단계가 반드시 국내 에서 시행되어야만 그 뒤에 군대가 출정할 수 있다.122)

---

120) 같은 책, 「錯法」: "古之明君, 錯法而民無邪, 擧事而材自련, 賞行而兵彊, 此 三者, 治之本也."
121) 같은 책, 「去彊」: "以治法者彊, 李治政者削."
122) 같은 책, 「立本」: "若兵未起則錯法, 錯法而俗成, 而用具, 此三者行於境內, 而後兵可出也."

(3) 농사와 전쟁

상앙의 법가 이론은 철저하게 '힘의 논리'[力]이다. 그러므로 그가 추구한 것은 '왕도'가 아닌 '패도'라는 것을 알 수 있다.

힘을 숭상하는 나라는 '어려운 것'[難]인 실력으로 다른 나라를 공격한다. 실력으로 공격하는 나라는 반드시 흥성한다.123)

그가 말하는 '어려운 것'이란 국가를 다스릴 때 쓰는 두 가지가 핵심 사항이다. 그것은 '농사와 전쟁'[農戰]이다.

군주[人主]가 백성을 권면하는 것은 관직과 자위이고, 국가를 흥성하게 하는 것은 '농사를 짓는 것'과 '싸우는 것'[農戰]이다. ……나라를 잘 다스리는 사람은 백성을 다음과 같이 가르친다. 백성 모두가 한 가지의 것, 즉 농사를 지으면서 싸우는 농전만을 해서 관직과 작위를 얻도록 한다. ……백성이 군주가 내리는 작위나 녹봉의 상이 하나의 기준에서 나온다는 것을 알게 되면 농정에 힘쓰게 된다. ……나라는 농전에 의지해야만 안정되고, 군주는 농전에 의지해야만 존엄해진다.124)

상앙의 농전 이론을 보면 박정희 정권 때 '일하면서 싸우고, 싸우면

---

123) 같은 책, 「農戰」: "國好力者以難攻, 以難攻者必興."
124) 위와 같음: "凡人主之所以勸民者, 官爵也; 國之所以興者, 農戰也. ……善爲國者, 其教民也, 皆作壹而得官爵. ……民見上利之從壹孔出也, 則作壹. ……國待農戰而安, 主待農戰而尊."

서 일한다!'는 표어가 생각난다. 상앙의 농전 이론은 농업이라는 경제적 문제와 침략이라는 전쟁 문제를 제기한 것으로, 간단히 말해서 부국강병 정책이다.

1) 중농

고대 중국 사회는 농업을 중심으로 한 경제체제였다. 그러므로 당시에 거의 모든 재화는 농사를 통해 생산되었다. 따라서 당연히 농업을 중시하였다.

나라를 잘 다스리는 사람은 곡식 창고가 가득 차 있어도 농업을 소홀히 하지 않는다.125)

이것은 백성의 이익을 확대하려는 조치가 아니다. 국가의 세금을 더 많이 거두기 위한 것이다. 그런 까닭에 그는 또 공평한 세금 제도를 말하였다.

곡식의 수확량을 헤아려 토지세를 징수하면 군주의 세금 제도가 하나로 통일되어 백성의 부담이 공평해진다. 군주의 세금 제도가 하나로 통일되면 백성이 신뢰하게 된다.126)

---

125) 위와 같음: "善爲國者, 倉廩雖滿, 不偸於農."
126) 같은 책, 「墾令」: "訾粟而稅, 則上壹而民平. 上壹則信."

이것은 너무도 당연한 말이다. 문제는 이처럼 세금을 공평하게 징수해야 한다고 주장하는 이유이다. 그런데 상앙의 이 말은 우리가 일반적으로 이해하는 것과 같이 백성을 위한 것이 아니다.

나라가 1년을 농전에 힘쓰면 10년 동안 강성하게 된다. 10년을 농전에 힘쓰면 100년 동안 강성하게 된다. 100년을 농전에 힘쓰면 1,000년 동안 강성하게 된다. 1,000년 동안 강성하면 천하에 왕노릇한다.[127]

상앙이 농업을 중시한 것은 부국을 통해 전쟁하기 위한 것이다. 다시 말해 백성이 부유하게 하기 위한 것이 아니다.

그리고 농업을 중시한다는 것은 당연히 상업의 부정을 의미하였다.

술과 고기의 값을 올리고, 그에 대한 세금을 무겁게 부과하여 본래 값의 열 배가 되게 해야 한다. 그러면 상인이 줄어들고, 농민도 술을 진탕 마시며 즐기지 못하며, 대신들은 업무를 내팽개치고 배부르게 먹고 마시지 못한다. 상인이 줄어들면 국가는 양식을 낭비하지 않게 된다. 농민이 술을 진탕 마시며 즐길 수 없으면 농사짓는데 태만하지 않다. 대신들이 업무를 내팽개치지 않으면 나랏일이 지체되지 않고, 군주는 잘못된 조치를 하는 일이 없게 된다.[128]

당시에는 상업을 단순히 물품의 이동에 불과한 것으로, 실제적인 농

---

127) 같은 책, 「農戰」: "國作壹一歲者十歲彊, 作壹十歲者百歲彊, 作壹百歲者千歲彊, 千歲彊者王."
128) 같은 책, 「墾令」: "貴酒肉之價, 重其租, 令十倍其樸. 然則商賈少, 農不能喜酣奭, 大臣不爲荒飽. 商賈少, 則上不費粟. 民不能善酣奭, 則農不慢. 大臣不荒, 則國事不稽, 主無過擧."

산물의 생산이 아니라고 생각하였다. 그러므로 중농억상(重農抑商) 정책을 펼친 것이다. 그리고 농업을 중시한 그 궁극적 백성을 위해서가 아니라 전쟁을 하기 위한 것이다.

2) 전쟁

상앙은 『상군서』 여러 편에서 전쟁을 논하였다.

나라가 부유하지만, 전쟁을하지 않으면 안일만을 도모하는 기풍이 나라 안에 생겨난다.[129]

장현근의 말이다.

대체로 춘추시대 진(晉) 지역에 뿌리를 둔 새로운 사유로서 법가사상은 안으로는 국내적 통합을 추구하고, 밖으로는 군사적 발전을 희구한다. 세부적 내용에선 군주 권력을 드높이기 위해 귀족 권력을 삭감하는 방법을 고민하고, 부국강병을 달성하기 위해 중농주의(重農主義)와 군국주의(軍國主義)를 제기한다. ……법가사상은 강렬한 시대성을 대변하며, 상앙은 그 중심에 있었다.[130]

김영식은 상앙의 전쟁관을 여섯 가지로 정리하였다.[131] 첫째, 전쟁

---

129) 같은 책, 「靳令」: "國富而不戰, 偸生於內."
130) 장현근, 『상군서-난세의 부국강병론』, 36쪽.
131) 김영식 옮김, 『상군서』, 39-40쪽.

을 통해 전쟁 자체를 없애는 것이다. 둘째, 정치를 군사의 근본으로 삼고 전쟁 승부의 관건으로 보았다. 셋째, 농사에 종사하면서 전쟁을 수행하는 농전을 중시해 부국강병을 도모하였다. 넷째, 모든 백성을 군인으로 만들고, 법으로 군대를 다스려야 한다고 하였다. 다섯째, 전반적인 전략 계획과 배치를 중시하였다. 여섯째, 전투마다 신중한 대처를 강조하였다. 상앙에 의하면 "지적 탐구를 하는 사람들에게 관직을 주어 명예를 높여주어서는 안 되고, 이익을 주어 잘 먹고 살게 해서는 안 된다고 주장한다. 지식 추구가 돈도 안 되고 출세도 안 된다는 것을 알아야 백성들이 농사와 전쟁에만 매달리게 되어 국가가 부강해진다"는 말이다.132) 그런데 여기에서 상앙이 말하는 '부강'이란 과연 누구를 위한 것인가?

한비자는 "진(秦)나라는 상군(商君)의 법을 실행하였기 때문에 부강한 나라가 되었다"(秦行商君法而富强)고 평가하였다.133)

제5절 한비자의 법가 철학

한비자는 현실주의자로 그의 철학사상은 '있는 그대로의 현실'에서 출발한다. 그리고 그의 정치 이론은 인간 본성론, 즉 현실의 평균적 인간이 보여주는 성향에서 기초한다.134)

---

132) 장현근, 『상군서-난세의 부국강병론』, 96쪽.
133) 『韓非子』「和氏」.
134) 강정인·정승현, 「동서양의 정치적 현실주의: 한비자와 마키아벨리」, 39-40쪽.

1. 한비자의 생애

한비자의 생애에 관한 기록은 『사기』(史記) 「태사공자서」(太史公自序), 「노장신한열전」(老莊申韓列傳), 「한세가」(韓世家), 「진시황본기」(秦始皇本紀), 『전국책』(戰國策) 「秦策」, 『한비자』(韓非子) 「설난」(說難), 「초진견」(初秦見), 「존한」(存韓), 「난언」(難言)편 등에 보인다.135)

사마천은 『사기』에서 한비자에 관해 이렇게 설명하였다.

한비(韓非)는 한(韓)나라 공자(公子)로 형명(刑名)과 법술(法術)의 학설을 좋아하였지만, 그 학설의 근본은 황로사상(黃老思想)으로 돌아간다. 한비는 선천적으로 말더듬이여서 변론에는 서툴렀지만, 저술에는 뛰어났다. 이사(李斯)와 함께 순경(荀卿)에게 공부하였다. 이사는 자기 스스로 한비보다 못하다고 인정하였다.136)

선진시대 다른 인물들과 마찬가지로 한비자(기원전 ?-기원전 233)의 생졸 연대는 명확하지 않다. 대략 말하면, 태어난 해는 알 수 없고, 죽은 것은 기원전 233년이다.137)

---

135) 이춘식, 『춘추전국시대의 법가사상과 세勢·술術』, 201쪽.
136) 『史記』「老莊申韓列傳」: "韓非者, 韓之諸公子也. 喜刑名法術之學, 而其歸本於黃老. 非爲人口吃, 不能道說, 而善著書. 與李斯俱事荀卿, 斯自以爲不如非."
137) 이춘식, 『춘추전국시대의 법가사상과 세勢·술術』, 201쪽; 왕거상(王蘧常)은 한비자의 생졸 연대를 약 기원전 280-기원전 233이라고 하였다. (王蘧常 主編, 『中國歷代思想家』(傳記滙詮 上冊), 復旦大學出版社, 1996, 274쪽.); 정단비 역시 한비자의 생졸 연대를 약 기원전 280년-기원전 233년이라고 하였다. (「한비자에서 통치자와 피통치자 본성론의 간극과 통합-순자와 노자의 영향을 중심으로-」, 한국도교문화학회, 『도교문화연구』 제54

한비자는 한(韓)나라 공자(公子) 출신이었다. 그는 형명(刑名)과 법술(法術)의 학설을 좋아하였다. 그렇지만 사마천이 "그 학설의 근본은 황로사상으로 돌아간다"(其歸本於黃老)고 평가한 것처럼, 도가철학과 친화성이 있다. 도가의 황로학 역시 '법'을 강조하기 때문이다. 그렇지만 황로학과 차이점 역시 많다.

한비자는 원래 유학자 순자에게 이사와 함께 수학하였다. 그렇지만 그는 유가 학설을 좋아하지 않았다.

진시황은 한비자의 「고분」(孤憤), 「오두」(五蠹)편 등을 보고 이렇게 말했다.

어떤 사람이 한비의 저서를 가지고 진(秦)나라에 갔다. 진왕(秦王, 秦始皇)이 「고분」(孤憤), 「오두」(五蠹) 2편을 보고 말하였다.

"아! 과인이 이 사람을 만나 사귈 수 있다면 죽어도 여한이 없을 것이다."

이사(李斯)가 말하였다.

"이것은 한비의 지은 책입니다."

진나라는 급히 한(韓)나라를 공격하였다.

한(韓)나라 왕은 처음에 한비를 등용하지 않았지만, 상황이 급박해지자 한비를 진나라에 사신으로 파견하였다.

진왕은 한비를 좋아하였지만, 아직 그를 신용하지 않았다. 이사와 요고(姚賈)가 한비를 시기하여 그를 비방하였다.

......

진왕은 그 말이 그럴듯하여 옥리에게 한비를 넘겨 처리하도록 하였다. 이사는 사람을 시켜 한비에게 사약을 보내 자살하도록 하였다. 한비는 직접

집, 2021, 75쪽.)

진왕에게 진언하고자 하였지만, 진왕을 만날 길이 없었다.

진왕은은 이것을 후회하여 사신을 보내 한비를 사면하려고 하였지만, 한비가 이미 죽은 뒤였다.138)

이것은 한비자의 저작이 진시황의 구미에 매우 잘 맞았음을 보여준다. 사실 한비자의 저작을 보면 그럴 만도 하다. 한비자는 철저하게 군주의 관점에서 군주 권력의 강화와 안정을 도모하였기 때문이다. 그런 까닭에 한비자의 법가 철학에는 백성을 위한 논의가 전혀 보이지 않는다.

한(韓)나라는 진(秦)나라의 압박이 심해지자 한비자를 진나라로 보내 외교 문제를 해결하려고 하였다. 그러나 한비자는 동문이었던 이사(李斯)의 계략으로 결국 감옥에서 자결하였다.

한비(韓非)가 진(秦)나라에 사신으로 파견되었다. 진나라는 이사(李斯)의 계략을 써 한비를 억류하였다. 한비는 운양(雲陽)에서 죽었다.139)

한비자는 진시황 14년(기원전 233년) 약 40세의 나이에 죽었다.140)

---

138) 『史記』 「韓非列傳」: "人或傳其書至秦. 秦王見「孤憤」「五蠹」之書, 曰: '嗟乎, 寡人得見此人與之游, 死不恨矣!' 李斯曰: '此韓非之所著書也.' 秦因急攻韓. 韓王始不用非, 及急, 迺遣非使秦. 秦王悅之, 未信用. 李斯·姚賈害之. ……秦王以爲然,, 下吏治非. 李斯使人遺非藥, 使自殺. 韓非欲自陳, 不得見. 秦王後悔之, 使人赦之, 非已死矣."
139) 같은 책, 「秦始皇本紀」: "韓非使秦, 秦用李斯謀, 留非, 非死雲陽."
140) 이춘식, 『춘추전국시대의 법가사상과 세勢·술術』, 202쪽.

2. 『한비자』라는 문헌

사마천 『사기』의 기록이다.

(한비는)……그러므로 「고분」(孤憤), 「오두」(五蠹), 「내외저」(內外儲), 「세림」(說林), 「세난」(說難)편 등 10여만 글자의 책을 저술하였다.[141]

이 책 『한비자』는 55편으로 구성되었다.[142] 그런데 이 책은 한비자가 죽은 뒤에 후학들이 그가 남긴 저술을 수집하고 추가하여 『한비자』 20권 55편으로 편집하였다. 『한비자』에 관한 역대 기록을 보면 『사기』 10여만 글자, 『한서』 「예문지」의 55편, 장수절(張守節)의 『사기정의』(史記正義)에 인용한 완효서(阮孝緖)의 『칠록』(七錄)의 『한자』(韓子) 20권, 『수서』(隋書) 「경적지」(經籍志)의 20권 1편, 『구당서』(舊唐書) 「경적지」(經籍志) 20권, 『당서』(唐書) 「예문지」(藝文志) 20권, 『송사』(宋史) 「예문지」(藝文志) 20권, 현존하는 『한비자서』(韓非子書) 20권 55편 등이 있다.[143] 종합하면 현존하는 『한비자』는 한비 자신의 저작과 후학의 글 일부가 함께 편집된 것으로 생각된다.

이춘식은 일본학자와 중국학자의 관점을 정리하여 『한비자』 각 편의 문헌을 분류하였다. 그는 세 부분으로 나누었다.[144] 1) 한비자 자신이 쓴 부분, 2) 문체와 사상의 특징으로 볼 때 한비자의 작품으로

---

141) 『史記』 「老莊申韓列傳」: "……故作 「孤憤」·「五蠹」·「內外儲」·「說林」·「說難」 十餘萬言."
142) 『漢書』 「藝文志」.
143) 이춘식, 『춘추전국시대의 법가사상과 勢·術』, 203쪽.
144) 같은 책, 204쪽.

인정한 부분, 3) 후학 및 그 외의 인물이 편찬한 부분이다. 이것을 도 표로 나타내면 다음과 같다.145)

[표8-1] 『한비자』 각 편의 분류

분류	편명	비고
한비자의 작품	「오두」(五蠹), 「현학」(顯學) 2편	한비자가 직접 저술한 것
	「고분」(孤憤), 「간겁시신」(姦劫弑臣) 2편	문체 특징과 사상의 경향으로 한비자의 작품으로 간주하는 것
	「설난」(說難), 「화씨」(和氏) 2편	약간 의심되지만, 한비자의 작품으로 생각하는 것
	「난일」(難一), 「난이」(難二), 「난삼」(難三), 「난사」(難四), 「난세」(難勢), 「문변」(問辯), 「문전」(問田), 「정법」(定法) 8편	문제가 있지만 모두 「오두」, 「현학」편과 비교하면 대체로 사상이 일치함. 한비자의 사상을 전승한 것으로 평가함. 일부 학자는 여기에 「궤사」(詭使), 「육반」(六反), 「팔설」(八說), 「충효」(忠孝), 「인주」(人主), 「심도」(心度) 6편을 추가함.
	「난언」(難言), 「이병」(二柄), 「팔간」(八姦), 「화씨」(和氏), 「망징」(亡徵), 「삼수」(三守), 「비내」(備內), 「식사」(飾邪), 「해로」(解老), 「관행」(觀行), 「수도」(守道), 「공명」(功名), 「대체」(大體), 「정법」(定法), 「설의」(說疑), 「팔설」(八說), 「애신」(愛臣), 「주도」(主道), 「유도」(有度), 「양각」(揚摧)146), 「심도」(心度), 「제분」(制分), 「존한」(存韓) 23편	의심스럽지만 분명한 증거가 없는 편목.
	「초진견」(初秦見), 「십과」(十過), 「안위」(安危), 「용인」(用人), 「충효」(忠孝), 「인주」(人	의심스럽지만 쉽게 판별할 수 없는 편목.

---

145) 같은 책, 204-206쪽.

	主), 「칙령」(飭令), 「문전」(問田) 8편	
	「고분」(孤憤), 「설난」(說難), 「화씨」(和氏), 「간겁시신」(姦劫弒臣), 「오두」(五蠹), 「현학」(顯學) 6편	대체로 한비자의 작품. (일본학자 木村英一의 고증.)
한비자 후학의 작품	「난 1」,(難一) 「난 2」(難二), 「난 3」(難三), 「난 4」(難四), 「난세」(難勢), 「문변」(問辯), 「문전」(問田), 「정법」(定法) 8편	한비자 일파의 작품. (일본학자 木村英一의 관점.)
	「애신」(愛臣), 「유도」(有度), 「이병」(二柄), 「팔간」(八姦), 「십과」(十過), 「망징」(亡徵), 「삼수」(三守), 「비내」(備內), 「남면」(南面), 「식사」(飾邪), 「설의」(說疑), 「궤사」(詭使), 「육반」(六反), 「팔설」(八說), 「팔경」(八經), 「충효」(忠孝), 「인주」(人主) 17편	비교적 초기에 한비자 후학의 손에 의해 편찬된 것. (일본학자 木村英一의 관점.)
	「주도」(主道), 「양권」(揚權), 「해로」(解老), 「유로」(喩老) 4편	황로사상의 영향을 받은 한비자 후학에 의해 성립한 편목.
	「관행」(觀行), 「안위」(安危), 「주도」(主道), 「용인」(用人), 「공명」(功名), 「大體」) 6편	한비자 후학에 의해 후기에 편찬한 편목.
	「설림 상하」(說林 上·下), 「내저설 상하」(內儲說 上·下), 「외저설 좌상·좌하·우상·우하」(外儲說 左上·左下·右上·右下), 「십과」(十過) 9편	한비자 학파에 전해진 설화집(說話集).
한비자 후학 이외의 작품	「초진견」(初秦見), 「존한」(存韓), 「난언」(難言), 「칙령」(飭令) 4편	

---

146) 이운구의 한글 번역본 『한비자』(Ⅰ/Ⅱ)(한길사, 2002)에는 「양권」(揚權)

학자들 사이의 관점이 일치하지 않기 때문에 신중히 판단해야 한
다.147) 또 편명 역시 약간 차이가 있다.

3. 한비자의 법가 철학 이론

우리가 세계를 어떻게 인식하는가는 그 사람의 세계관을 나타낸다.
그리고 이 세계관은 그가 인간을 어떻게 이해하고 있는지를 규정한다.
따라서 어떤 한 사람의 철학을 이해한다는 것은 그가 바라본 이 세계
에 대한 해석의 그 단초가 될 뿐만 아니라 인간을 바라보는 시각 역
시도 이해할 수 있게 된다.

(1) 세계관

1) 도

한비자 역시 다른 학파와 마찬가지로 '도'(道)를 천지 만물의 근원이
라고 말하였다.

   '도'(道)는 만물의 근원[始]이고, 시비(是非)를 밝히는 벼리/실마리[紀]이

편으로 되어있다.
147) 이춘식, 『춘추전국시대의 법가사상과 세勢·술術』, 206쪽.

다.148)

그런데 이 '도'는 감각할 수 없다.

'도' 자체는 눈으로 볼 수 없는 곳에 있으며, 그 운용은 헤아릴 수 없는 데에서 이루어진다.149)

도의 모습은 '허정'(虛靜)하고 '무위'(無爲)하는 것이다.

허정(虛靜)하여 무위(無爲)하는 것이 도의 본성[情]이다.150)

한비자가 '도'를 설명하면서 사용한 개념인 '허정', '무위'는 모두 도가에서 사용하는 개념과 용어가 같다. 그러나 그 해석에서 이러한 개념의 의미는 완전히 서로 다르다.
한비자는 이러한 개념을 사용하여 군주가 천하를 다스릴 때 신하를 권모술수를 정당화한다.

천지자연에는 일정한 법칙[大命]이 있고, 인간 세계에는 일정한 법칙[大命]이 있다.151)

문제는 '천지자연의 법칙'[大命]과 '인간 세계의 법칙'[大命] 사이에

---

148)『韓非子』「主道」: "道者, 萬物之始, 是非之紀."
149) 위와 같음: "道在不可見, 用在不可知."
150) 같은 책,「揚權」: "虛靜無爲, 道之情也."
151) 위와 같음: "天有大命, 人有大命."

어떤 관계가 있는지 하는 것이다. 이것은 천도와 인사의 관계 문제이다.

일반적으로 중국철학에서 천도는 인사의 근거이다. 다시 말해, 형이상학(천도)은 형이하학(인사)을 설명하기 위해 설정된 것이다. 따라서 천도에 대한 이해는 인사에 대한 해석의 정당성을 부여해준다. 그런데 한비자는 그러한 문제에 관한 논리적 설명이 없다. 그는 단순히 천도를 말하고 그것을 통해 법으로 통치하는 것을 정당화할 뿐이다. 그러므로 논리적으로 전혀 설명되지 않는다.

한비자는 '도'라는 개념을 제시하면서 아무런 논리적 연결도 없이 곧바로 그것을 군주의 지위와 일치시킨다.

그 도는 함께 견줄 것이 없기 때문에 유일자(唯一者)라고 말한다. 그런 까닭에 현명한 군주는 홀로 선 도의 모습을 존귀하게 여긴다.152)

이처럼 한비자는 '도'라는 개념을 이용하여 군주의 지위/권위를 절대화한다.

2) 통치 원리

한비자는 유가와 묵가 등 다른 학파의 학설을 맹렬히 비판하였다.

'유'(儒)는 '문'(文)을 가지고 '법'(法)을 어지럽히고, '협'(俠)은 '무'(武)를

---

152) 위와 같음: "道無雙, 故曰一. 是故明君貴獨道之容."

가지고 금령을 어기지만, 군주가 아울러 그들을 예우하니 이것이 (천하가) 어지럽게 된 원인이다.153)

한비자는 군주 역시 천하를 다스릴 때 '도'에 근거해야 한다고 주장하였다.

그러므로 현명한 군주[明君]는 그 시작을 지킴으로써 천지 만물의 근원을 지켜 천지 만물의 근본[源]을 알고, 천지 만물의 벼리/실마리를 알아 성패[善敗]의 단초[端]를 안다. 그러므로 허정(虛靜)한 마음으로 기다리고, 명분[名]이 스스로 정해지고, (그에 따라) 일[事]이 저절로 정해지도록 한다. 마음을 텅 비우면[虛] 실제의 정황을 알 수 있고, 고요하면 움직임의 정체를 알 수 있다.154)

그런데 한비자가 '도'를 말한 것과 그가 주장하고자 하는 현실 정치 이론 사이에는 이론의 불일치가 존재한다. 한비자는 자신의 법치 이론을 정당화하기 위해 어떤 면에서 '도'를 자의적으로 곡해/왜곡하고 있다고 말할 수 있다. 달리 말하자면, "한비자 사상에서 법의 최종적 근거는 우주의 법칙을 가리키는 도가 아니라 군주의 명령이다. 법의 최종 근원은 군주의 말이지 도로 지칭되는 우주적, 자연적 질서가 아니다."155) 그런 까닭에 한비자가 말하는 '허정'(虛靜)이란 어디까지나 신하를 통제하기 위한 군주의 '음험함'을 나타낼 뿐이다.

---

153) 같은 책, 「五蠹」: :"儒以文亂法, 俠以武犯禁, 而人主兼禮之, 此所以亂也."
154) 같은 책, 「主道」: "是以明君守始以知萬物之源, 治紀以知善敗之端. 故虛靜以 待, 令名自命也, 令事自定也. 虛則知實之情, 靜則知動之正."
155) 양순자, 「『한비자(韓非子)』의 법철학-도(道)와 법(法)의 관계를 중심으로 -」, 중국학연구회, 『중국학연구』 제54집, 2010, 440쪽.

군주[人主]의 도는 고요히 물러남을 보배로 삼는다.156)

그런데 여기에서 군주가 고요히 물러나는 것은 흔히 도가에서 말하는 것처럼 군주가 뒤로 물러나 관리가 그 직책을 담당하는, 즉 군주의 독단을 막는 그런 의미에서의 무위가 아니다.

그는 또 아래와 같이 말하였다.

'하늘의 이치'[天理]를 어기지 않고, '사람의 본성'[情性]을 상하게 하지 않는다.157)

그렇지만 한비자가 말하는 '도'와 '법'의 관계는 전혀 논리적이지 못하다. 아무튼, 한비자는 법의 정당성, 근원을 '군주'에서 찾는다.

군주가 법을 세우면 그것을 옳는 것의 기준으로 삼는다.158)

한비자에 의하면 그가 말하는 '도'란 것은 군주가 신하를 통제하고 제어하기 위한 '권모술수'에 불과하다.

군주는 정사(政事)를 스스로 담당하지 않고, 그 일이 잘되고 못된 것만을 분간하며, 정책[計慮]을 스스로 세우지 않고, 복과 화의 조짐만을 알아낸다. 그러므로 군주가 말을 하지 않아도 신하가 잘 응하며, 약속하지 않아도 일

---

156) 『韓非子』「主道」: "人主之道, 靜退以爲寶."
157) 같은 책, 「大體」: "不逆天理, 不傷情性."
158) 같은 책, 「飾邪」: "君之立法, 以爲是也."

이 잘 진척된다. 군주가 한 말에 신하가 응해 오면 그 약조로 한쪽 계(契)를 잡아두고, 이미 그 일이 진척되면 약속한 또 한쪽의 부(符)를 손에 든다. 부와 계가 맞추어지는 곳에서 상과 벌이 생겨난다. 그러므로 여러 신하가 그 의견을 말로 진술하면 군주는 그 진술한 말에 따라 그에게 일을 맡기고, 그 일에 따라 공적의 책임을 밝힌다. 공적이 그 일에 합당하고 그 일이 그가 진술한 말과 합당하면 상을 주고, 그 공적이 그 일에 합당하지 않고, 일이 그 진수할 것과 맞지 않으면 벌을 준다.159)

한비자는 "정령과 형법과 상벌은 모두 군주 한 사람의 손에서 나와야 한다는 극단적인 전제주의적 집권제를 역설"하였다.160) 그는 이것을 '이병'(二柄, 두 가지 근본적인 통치 방법)이라고 하였다.

현명한 군주[明主]가 신하를 제어하는 방법은 '두 가지 근본'[二柄]이 있을 뿐이다. 이 '두 가지 근본'은 '형'(刑)과 '덕'(德)이다.161)

그렇지만 한비자가 말하는 '형'과 '덕'의 개념은 우리가 일반적으로 이해하고 있는 것과 다르다.

무엇을 '형'과 '덕'이라 하는가? 처벌하여 죽이는 것을 '형'이라 하고, 칭찬하여 상을 주는 것을 '덕'이라 한다.162)

---

159) 같은 책,「主道」:"不自操事而知拙與巧, 不自計慮而知福與咎. 是以不言而善應, 不約而善曾. 言已應, 則執其契; 事已曾, 則操其符; 符契之所合, 賞罰之所生也. 故群臣陳其言, 君以其言授其事, 事以責其功. 功當其事, 事當其言則賞; 功不當其事, 事不當其言則誅."
160) 중국 북경대 철학과 연구실, 『중국철학사1』(先秦편), 박원재 옮김, 자작아카데미, 1994, 330쪽.
161) 『韓非子』「二柄」:"明主之所導制其臣者, 二柄而已矣. 二柄者, 刑德也."

한비자는 정치 수단으로 '이'(利)·'위'(威)·'명'(名) 세 가지를 말하였
다.

　성인이 정치 수단으로 삼는 것은 세 가지이다. 첫째, '이'(利)이다. 둘째,
'위'(威)이다. 셋째, '명'(名)이다. 무릇 '이'란 민심[民]을 얻기 위한 것이다.
'위'는 법령을 행사하기 위한 것이다. '명'은 위아래가 함께 지켜야 할 것이
다.163)

　한비자가 이렇게 주장하게 된 원인은 바로 그가 바라본 인간관에
기초한 것이다.

(2) 인간관

　한비자는 순자의 성악론을 계승하고, 맹자의 천부적 성선론은 부정
하였다.164) 그는 모든 인간관계에서 그 핵심은 '이익'[利]이라고 말한
다. 그런 관점에 있었기에 그는 "인간과 인간의 관계를 철저한 자사자
리(自私自利)의 관계"로 이해하였다.165) 다시 말해 한비자는 이 세상에
존재하는 모든 관계, 즉 "군주와 신하, 부모와 자식, 지주와 고용인과
같은 인간관계는 역시 모두 각자의 이익을 위한 것"이라고 말하였

---

162) 위와 같음: "何謂刑德? 曰: '殺戮之謂刑, 慶賞之謂德.'"
163) 같은 책, 「詭使」: "聖人之所以爲治道者三: 一曰利, 二曰威, 三曰名. 夫利者,
　　所以得民也; 威者, 所以行令也; 名者, 上下之所同道也."
164) 중국 북경대 철학과 연구실, 『중국철학사1』(先秦편), 331쪽.
165) 위와 같음.

다.166) 그는 이렇게 말하였다.

　이익이 있는 곳에 백성이 모여들고, 명성이 드러나는 곳에 선비가 목숨을 버린다.167)
　지금 군신 사이에는 부자 사이의 은혜[澤]가 없다. 그런데 '의'(義)를 가지고 아랫사람을 금한다면 그 관계는 반드시 틈이 벌어질 것이다.168)

그러므로 한비자는 가족 역시 믿을 수 없는 관계라고 말한다.

　대저 아내만큼 가까운 사이와 자식만큼이나 친밀한 사이까지도 오히려 믿지 못하는 것이니 그 나머지는 믿을 만한 자가 있을 수 없다.169)
　부모의 자식에 대한 것도 아들을 낳으면 서로 축하하지만, 딸을 낳으면 죽여 버린다. 이들이 다 같이 부모의 품에서 나왔는데도 아들은 축하를 받고, 딸은 죽는 것은 그 뒤의 편리함을 생각하고 먼 이득을 계산하기 때문이다. 이처럼 부모의 자식에 대한 것도 오히려 계산하는 마음으로 상대한 것이다.170)

　이것은 철저하게 '인간다움'이란 것을 포기한 이론이다. 그러므로 한비자는 군주와 신하의 관계 역시 서로 자신의 이익을 위해 대결하

---

166) 위와 같음.
167) 『韓非子』「外儲說 左上」: "利之所在, 民歸之, 名之所彰, 士死之."
168) 같은 책, 「六反」: "今上下之接, 無子父之澤, 而欲以行義禁下, 則交必有郄矣."
169) 같은 책, 「備內」: "夫以妻之近與子之親而猶不可信, 則其餘無可信者矣."
170) 같은 책, 「六反」: "且父母之於子也, 産男則相賀, 産女則殺之. 此俱出父母之懷袵, 然男子受賀, 女子殺之者, 慮其後便, 計之長利也. 故父母之於子也, 猶用計算之心以相待也."

는 관계로 파악하였다.

한비자는 군주와 신라를 권력을 놓고 서로 끊임없이 갈등하는 사이로 파악했다. 군주는 언제라도 신하가 마음에 들지 않으면 사형에 처할 수 있는 변덕스러우며 때로는 어리석은 폭군이고, 신하는 호시탐탐 군주의 빈틈을 노리며 권력을 빼앗기 위해 때를 보고 있기 때문에 군주는 신하를 조심하고 신하는 군주를 조심해야만 한다는 것이다.171)

정단비는 한비자의 인간관에 관해 순자와 함께 노자의 영향을 말하였다. 그는 "한비자가 통치자와 피통치자를 서로 다른 모델로 설정하여 바라보고 있으며, 피통치자에 대해서는 이기적인 욕구를 가지고 있으므로 상벌을 통해 다스리고 이끌 수 있는 순자적인 인간, 통치자에 대해서는 자신의 욕망을 숨기므로 타인을 다스리는 힘을 가질 수 있는 노자적인 인간상을 적용하고 있음을" 말한다.172) 그렇지만 이것은 노자 철학을 '권모술수'로 이해한 결과이다. 정당한 해석이 아니다.

또 이렇게 말하였다.

그는 한편으로는 획일적인 法이라는 기준으로 모든 인간을 통제하려고 시도하는, 그 누구보다도 제도를 강조하는 사상가이기도 하지만, 다른 한편으로는 호오를 드러내지 않고 무위를 실천하는 통치자의 신비주의를 강조하기도 하기 때문이다. ……그러나 한비자는 인간을 둘로 나누어, 통치자와 피통치자가 추구해야만 하는 이상적인 모습을 서로 구분한다.173)

---

171) 정단비, 「한비자에서 통치자와 피통치자 본성론의 간극과 통합-순자와 노자의 영향을 중심으로-」, 81쪽.
172) 같은 논문, 78쪽.
173) 같은 논문, 80-81쪽.

한비자가 통치자와 피통치자에 대해 이렇게 말한 것은 인간의 본성에 차이가 있어서가 아니라 단지 그 역할이 다르기 때문이다.

노자는 통치자의 무위 또한 강조하지만, 피통치자 또한 함께 무위하고 무욕해야 한다고 주장한다는 점에서, 모든 인간을 하나의 모델로 이해하는 제자백가의 다른 학파들과 공통점을 보이고, 통치자와 피통치자를 구분하여 보는 한비자와는 차이를 보인다.174)

한비자는 모든 인간관계를 평가할 때 오직 '이익'이라는 한 가지 기준을 말하였다. 그러므로 그가 정치를 바라보는 시각 역시 이것에서 벗어날 수 없었다.

그런데 사실 한비자가 이해한 인간이란 매우 단순하다. 그는 오직 인간을 '이익'만을 추구하는 존재로 파악한다. 만약 그의 인간에 대한 이해가 정당하다면, 우리는 그야말로 홉스가 말한 것처럼, 이 인간 세상에서 인간과 인간 사이의 모든 관계란 단순히 '만인의 만인에 대한 투쟁'의 상태에 있을 것이므로, 어느 누가 되었든 자신의 이익을 위해 반란을 일으키고, 다른 사람을 죽이는 것 역시 정당화될 것이다.

(3) 법치 이론

한비자의 법치 이론은 간단히 말해서 "막강한 권력을 가진 신하를

---

174) 같은 논문, 91-92쪽.

견제하고 군권을 확립하기 위한 노력"이다.175) 그에게 "법은 군주가
일반 백성을 다스리는 기준과 신하를 규율하는 방법으로 중요한 통치
도구 중의 하나이다."176) 그러므로 한비자의 법치 이론에는 '군주'를
제어하고 통제하려는 의미는 없다.

1) 군주의 세 가지 통치 방법: '법'·'세'·'술'

한비자는 고대 중국의 법가 이론을 종합한 인물로 평가한다. 그는
"전기 법가의 학설을 총결하여 법(法)과 세(勢)와 술(術)이 서로 결합한
법치 사상을 제시하였고, 진보적인 역사관도 견지하였다."177) 그는
"상앙의 法과 신불해의 術에 신도의 勢라는 세 가지 요소를 종합해 법
가를 집대성한 인물"이라고 평가한다.178)

중국의 법가사상은 한비자가 집대성했는데, 한비자는 자기 이전에 형성되
었던 법가의 세 학파를 받아들였다. 법가의 세 학파란 세(勢)를 중시한 학파
와 술(術)을 중시한 학파, 그리고 법(法)을 중시한 학파를 말한다. 세를 중시
한 사람은 신도(愼到)로, 이 학파의 주장은 군주는 반드시 위세를 가지고 있
어야만 신하를 부릴 수가 있다는 것이다. ……술을 중시한 사람은 신불해

---

175) 양순자, 「韓非子의 尊君 사상-仁, 義, 禮의 法家的 해석을 통해서-」, 동
    양철학연구회, 『동양철학연구』 제66집, 2011, 184쪽.
176) 양순자, 「『한비자(韓非子)』의 법철학-도(道)와 법(法)의 관계를 중심으로
    -」, 437쪽.
177) 중국 북경대 철학과 연구실, 『중국철학사1』(先秦편), 330쪽.
178) 정단비, 「한비자에서 통치자와 피통치자 본성론의 간극과 통합-순자와
    노자의 영향을 중심으로-」, 75쪽.

(申不害)로, 술이란 군주가 신하를 부리는 기술이다. ……그리고 법을 중시한 사람은 상앙(商鞅)으로, 법이란 신하가 따라야 할 법령이다.179)

한비자는 이전의 법가 학파 이론을 다음과 같이 종합하여 평가하였다.

지금 신불해(申不害)는 '술'(術)을 말하고, 공손앙(公孫鞅)은 '법'(法)을 주장한다. '술'이란 담당할 힘에 맞추어 관직을 주고 명분에 따라 실적을 추궁하며, 살생하는 권력[柄]을 손에 들고 여러 신하의 능력을 시험하는 것이다. 이것은 군주가 장악하는 것이다. '법'이란 명령이 관청에 명시되고, 형벌은 반드시 백성의 마음속에 새겨지며, 상을 법을 삼가는 자에게 있고, 벌은 명령을 어긴 자에게 가해지는 것이다. 이것이 신하가 모범으로 삼을 바이다.180)

그리고 다음과 같이 말하였다.

신불해는 '법'을 관장하지 못하고, 내걸 명령을 하나로 정하지 못하여 간악한 자가 많았다. ……공손앙(公孫鞅)은 ……그러나 '술'로써 간신을 알아내지 못하였기에 그 부강함은 신하에게 도움을 줄 뿐이었다. ……신자(申子)는 아직 '술'에 미진하였고, 상군(商君)은 아직 '법'에 미진하였다.181)

---

179) 김영식 옮김, 『상군서』, 15쪽.
180) 『韓非子』「定法」: "今申不害言術而公孫鞅爲法. 術者, 因任而授官, 循名而責實, 操殺生之柄, 課群臣之能者也, 此人主之所執也. 法者, 憲令著於官府, 刑罰必於民心, 賞存乎愼法, 而罰加乎姦令者也, 此臣之所師也."
181) 위와 같음: "申不害不擅其法, 不一其憲令, 則姦多. ……公孫鞅……然而無術以知姦, 則以其富强也資人臣而已矣. ……申子未盡於術, 商君未盡於法也."

한비가 말하는 군주가 천하를 다스리는 통치 방법은 '법'·'세'·'술' 세 가지가 유기적으로 연결되었다.

군주가 신하를 다스리는 방법에는 세 가지가 있다. 첫째, '세'(勢)를 가지고 변화시킬 수 없으면 그를 제거한다. ……둘째, 군주는 이(利害)가 집중되는 표적이다. 그를 노리는 자가 많기에 군주는 모두에게 둘러싸인다. 이런 까닭에 좋아하고 싫어하는 기색이 드러나면 신하에게 (약점의) 단초를 잡혀 군주는 갈피를 잡지 못하게 된다. ……셋째, '술'(術)을 행하지 못하게 된 까닭이 있다. 그 개를 죽이지 않으면 술이 쉰다. 무릇 나라에도 개가 있으며 또한 그 측근들은 모두 군주에게는 쥐와 같은 자이다.[182]

그 구체적인 의미는 다음과 같다.

상을 주고 명예를 높여주어도 힘써 하지 않고, 벌을 주고 헐뜯어도 두려워하지 않는, 이 네 가지를 가해도 변하지 않으면 그를 제거해야 한다.[183]

[1] '법'

한비자의 '법' 이론은 은 크게 '법'과 '형' 두 부분으로 분류할 수 있다. 여기에서 '법'은 천하를 통치하는 기준이라며, '형'은 그 '법'을 실제로 실행하는 것이다. 따라서 한비자의 법치 이론에서 이 두 부분

---

182) 같은 책, 「外儲說 右上」: "君所以治臣者有三: 勢不足以化則除之. ……人主者, 利害之軺轂也, 射者衆, 故人主共矣. 是以好惡見則下有因, 而人主惑矣. ……術之不行, 有故. 不殺其狗, 則酒酸. 夫國亦有狗, 且左右皆社鼠也."
183) 위와 같음: "賞之譽之不勸, 罰之毀之不畏, 四者加焉不變則其除之."

가운데 어느 하나도 없어서는 안 된다.

> (나라가) 잘 다스려지는 것은 '법'(法)에서 생겨나고, (나라가) 약해지고 어지럽게 되는 것은 '법'이 비뚤어지는 것에서 생겨난다.184)

또 다음과 같이 말하였다.

> 법은 죄를 저지르지 못하게 억눌러 사심을 품지 못하게 하는 수단이다. 엄한 형벌[嚴刑]은 법령[令]을 철저히 시행하여 아랫사람을 응징하는 수단이다. ……법을 분명히 시행하지 못하면 군주의 행위는 위태로울 것이고, 형벌이 준엄하게 단행되지 않으면 사사로움을 이길 수 없다.185)

그런데 여기에서 중요한 점은 법가 학파의 중요한 인물 가운데 한 사람인 한비자가 이처럼 '법'과 '형'을 강조한 것은 모두 군주 한 사람의 권력을 강화하고 안정시키기 위한 것이라는 사실이다.

> 그러므로 현명한 군주[明君]는 그 신하를 길들이는 데 있어 철저하게 법을 적용하고, 방비를 미리 해 잘못을 바르게 고쳐나간다. 따라서 죽을죄를 사면하는 일이 없으며, 형벌을 경감시키는 일도 없다. '사형을 사면하는 것'[赦死], '형벌을 감면하는 것'[減刑]을 일컬어 (군주의) 권위[威]가 흔들리는 원인이라고 한다.186)

---

184) 같은 책, 「外儲說 右下」: "治强生於法, 弱亂生於阿."
185) 같은 책, 「有度」: "法所以凌過遊外私也, 嚴刑, 所以遵令懲下也. ……法不信, 則君行危矣; 刑不斷, 則私不勝矣."
186) 같은 책, 「愛臣」: "是故明君之蓄其臣也, 盡之以法, 質之以備. 故不赦死, 不宥刑; 赦死宥刑, 是謂威淫."

이것은 철저하게 '법'과 '형'으로 신하를 다스려야 한다는 것이다. 이러한 규정은 당연히 백성에게도 통용되는 것이다. 군주 한 사람을 제외하면 예외가 없다.

① '법'의 의미와 기능

한비자는 '법'(法)을 이렇게 정의하였다.

'법'(法)이란 죄를 저지르지 못하게 억눌러서 사심을 품지 못하게 하는 수단이다.187)

그는 법의 공포를 말하였다.

'법'(法)이란 문서로 기록하고 편찬하여 관청에 보관하고 백성에게 공포하는 것이다. ……그러므로 '법'이란 드러날수록 좋다.188)

또 '법'을 집행할 때 그 구체적인 방법에 관해 이렇게 말하였다.

그러므로 '법'(法)으로 나라를 다스리기는 지극히 쉽다. 법은 귀한 사람이라 하여 아첨하지 않는데 승묵(繩墨)은 나무가 휘었다고 하여 굽혀서 잴 수

---

187) 같은 책, 「有度」: "法所以凌過遊外私也. "
188) 같은 책, 「難三」: "法者, 編著之圖籍, 設之於官府, 而布之於百姓者也. ……
故法莫如顯."

없는 것이다. '법'을 적용할 때 지자(知者)라 하여 변명할 수 없고 용자(勇者)라 하여 감히 다툴 수 없다. 그 지은 죄를 말하는데 중신(重臣)이라 하여 피할 수 없고, 선행에 대해 상을 줄 때 필부(匹夫)라 하여 빠뜨릴 수 없다.189)

이것은 지위, 지식 등과 같은 것에 상관없이 모두 '법'에 의해 처리할 것을 강조한 것이다. 그러므로 한비자의 이러한 관점은 유가에서 말하는 '친친존존'이라는 혈연적·계급적 차별을 철저하게 부정한 것이다. 그러므로 그는 아래와 같이 말하였다.

군주가 '법'을 버리고 사사로이 움직인다면 상하 구별이 없게 된다.190)

군주는 '법'의 집행을 통해 군주와 신하, 군주와 백성의 상하 관계를 철저하게 구분한다.

② '형'의 의미와 기능

이 '법'을 실행하는 방법이 '형벌'이다.

엄한 형벌[刑]이란 법령을 시행하여 아랫사람을 응징하는 수단입니다.191)

---

189) 위와 같음: "故以法治國, 擧措而已矣. 法不阿貴, 繩不撓曲. 法之所加, 智者弗能辭, 勇者弗敢爭. 刑過不避大臣, 賞善不遺匹夫."
190) 위와 같음: "人主釋法用私, 則上下不別矣."

이 '형'은 '법'을 시행하는 구체적인 방법이다. 그런데 이 '형벌'의 시행에서 가장 중요한 점은 신분, 지위와 관계없이 모두 '법'을 기준으로 처리한다는 것이다.

대저 엄한 형과 무거운 벌은 백성이 싫어하는 것이지만, 나라는 그것 때문에 잘 다스려진다. 백성을 가엽게 생각하여 형벌을 가볍게 하는 것은 백성이 좋아하는 것이지만, 나라는 그것 때문에 위험해진다.192)

[2] '세'

'세'란 무엇인가?

'세'(勢)란 백성[衆]을 이기는 바탕이다.193)

「공명」(功名)편의 기록이다.

무릇 재능[材]이 있더라도 '세'(勢)가 없으면 비록 어진 사람[賢]이라 하더라도 불초한 자[不肖]를 통제할 수 없다.194)

---

191) 위와 같음: "嚴刑, 所以遵令懲下也."
192) 같은 책, 「姦劫弑臣」: "夫嚴刑重罰者, 民之所惡也, 而國之所以治也; 哀憐百姓輕刑罰者, 民之所喜, 而國之所以危也."
193) 같은 책, 「八經」: "勢者, 勝衆之資也."
194) 같은 책, 「功名」: "夫有材而無勢, 雖賢不能制不肖."

또 이렇게 말하였다.

'세'(勢)에 의지할 것이지, 신의[信]를 믿어서는 안 된다.195)

그렇지만 이 '세'를 이용하기 위해서는 군주가 현명해야 한다.

무릇 '세'(勢)란 반드시 현명한 사람[賢者]만 쓰고 불초한 사람[不肖者]은 쓰지 못하게 할 수 없다. 그런데 현명한 사람이 쓰면 천하가 잘 다스려지고, 불초한 사람이 쓰면 천하가 어지러워진다.196)

만약 군주가 '세'가 있는데도 '현명'하지 못하면 그가 가지고 있는 '세'란 무용지물이 된다.

[3] '술'

'술'의 의미는 무엇인가?

'술'(術)이란 가슴속에 숨겨두고 있으면서 여러 가지 일의 발단에 맞추어 여러 신하를 제어하는 것이다. ……그러므로 '술'은 드러나지 않아야 한다.197)

---

195) 같은 책, 「外儲說 左下」: "恃勢而不恃信."
196) 같은 책, 「難勢」: "夫勢者非能必使賢者用之, 而不肖者不用之也. 賢者用之, 則天下治, 不肖者用之, 則天下亂."
197) 같은 책, 「難三」: "術者, 藏之於胸中, 以偶衆端, 而潛御群臣者也. ……而術不欲見."

한비자는 이 '술'을 설명하면서 '칠술'(七術)과 '육미'(六微)를 말하였다.

군주[主]가 (천하를 다스릴 때) 사용할 것은 '칠술'(七術, 일곱 가지 술)이고, 살필 것은 '육미'(六微, 여섯 가지 기미)이다.[198)

다음은 '칠술'에 관한 것이다.

'칠술'은 첫째, 많은 증거를 모아 대조하는 것이다. 둘째, 죄지은 자를 반드시 벌주어 위엄을 세우는 것이다. 셋째, 공이 있는 자는 반드시 상을 주어 그 재능을 충분히 발휘하게 하는 것이다. 넷째, 신하의 말을 잘 듣고 파악하여 그 실적을 살피는 것이다. 다섯째, 의도적으로 거짓 속인수를 쓰는 것이다. 여섯째, 알지만 모르는 척하고 질문하는 것이다. 일곱째, 말을 의도적으로 반대로 하는 것이다.[199)

'칠술'은 ①'참관'(參觀), ②'필벌'(必罰), ③'상예'(賞譽), ④'일청'(一聽), ⑤'궤사'(詭使), ⑥'협지'(挾智), ⑦''도언'(倒言)이다. 이것은 "군주가 실행하여야 할 일곱 가지 방법과 대책들이다."[200)

그렇다면 이 '일곱 가지 술'의 구체적인 내용은 무엇인가?

[參觀] 보거나 듣는 데 있어 여러 증거를 대조하여 살펴보지 않으면 진실

---

198) 같은 책, 「內儲說 上」: "主之所用也七術, 所察也六微."
199) 위와 같음: "七術: 一曰衆端參觀, 二曰必罰明威, 三曰信賞盡能, 四曰一聽責下, 五曰疑詔詭使, 六曰挾知而問, 七曰倒言反事."
200) 이운구 옮김, 『한비자 I』, 한길사, 2002, 436쪽.

이 귀에 들리지 않으며, 들을 때 문호를 하나로 정하면 신하가 (군주의 이목을) 가리고 막게 될 것이다. ……그러므로 현명한 군주는 철판을 쌓아 (화살을 막는 것과 같은) 유형의 이야기를 미루어 한 시장바닥의 분분한 화근을 살펴본다는 것이다.

[必罰] 애정이 많은 경우 법이 서지 않고, 위엄이 적으면 아랫사람이 윗사람을 범하게 된다. 따라서 형벌이 확실하지 않으면 금령이 행해지지 않는다.

[賞譽] 상과 명예를 소홀히 아무렇게나 하면 아랫사람이 일하지 않고, 상과 명예를 후하게 틀림없이 하면 아랫사람이 목숨을 아끼지 않는다.

[一聽] 하나하나 의견을 들어 판단하면 어리석거나 영리한 것을 혼동하지 않고, 아래로 실적을 추궁하여 따지면 신하들이 섞이지 않게 할 것이다.

[詭使] 자주 만나보고 오랫동안 기다리게 하면서 임용을 하지 않으면 간악한 자는 바로 사슴처럼 산산이 흩어져 버리고, 사람에게 일을 시키면서 다른 일을 엉뚱하게 질문하면 사적으로 자신을 팔 수 없게 된다.

[挾智] 알지만 감추고 질문하면 모르던 것도 알게 되고, 한 가지 사물을 깊이 탐구하여 알게 되면 숨겨진 많은 것이 모두 드러난다.

[倒言] 바꿔서 말하고 반대로 행동을 하여 그것으로 의심스런 것을 시험해 간악한 일의 실정을 알게 된다.201)

아래는 '육미'에 관한 것이다.

---

201) 『韓非子』 「內儲說 上」: "參觀: 觀聽不參則誠不聞, 聽有門戶則臣壅塞. ……是以明主推積鐵之類, 而察一市之患." "必罰: 愛多者, 則法不立; 威寡者, 則下侵上. 是以刑罰不必, 則禁令不行." "賞譽: 賞譽薄而謾者下不用, 賞譽厚而信者下輕死." "一聽: 一聽則愚智不分, 責下則人臣不參." "詭使: 數見久待而不任, 姦則鹿散, 使人問他則不鬻私." "挾智: 挾智而問, 則不智者至; 深智一物, 衆隱皆變." "倒言: 倒言反事以嘗所疑則姦情得."

'육미'이다. 첫째, 권력이 신하의 손에 있는 것이다. 둘째, 이해가 달라 외국에 힘을 빌리는 것이다. 셋째, 비슷한 것을 핑계로 삼아 속이는 것이다. 넷째, 이로움과 해로움이 반대로 되어 있는 것이다. 다섯째, 아래위가 뒤섞여 내분이 생기는 것이다. 여섯째, 적국이 끼어들어 임면하는 것이다.202)

'육미'는 ①'권차'(權借), ②'이이'(利異), ③'사류'(似類), ④'유반'(有反), ⑤'참의'(參疑), ⑥'폐치'(廢置)이다.
그렇다면 이 '여섯 가지 기미'의 구체적인 내용은 무엇인가?

[權借] 권세란 남에게 빌려줄 수 없는 것이다. 군주가 그 하나를 잃으면 신하는 것을백 배로 한다. 그러므로 신하가 그것을 빌릴 수만 있다면 세력이 강해지고, 세력이 강해지면 안과 밖이 (그를 위하여) 일하게 되며, 안과 밖이 (그를 위해) 일하게 되면 군주의 이목이 닫힌다.

[利異] 군주와 신하의 이익이 다르기에 신하에게 충성스러움[忠]이란 없으며, 따라서 신하의 이익이 성립되면 군주의 이익이 없어진다.

[似類] 비슷하여 혼동하기 쉬운 일들은 자칫 군주가 처벌을 실수하게 만드는 원이며, 반대로 중신들이 사사로운 이익을 성사시키는 원인이 된다.

[有反] 어떤 사건이 일어나 이득이 되면 그 이득을 얻은 자가 주관하여 일을 일으킨 것이다. 손해가 되는 것은 그 반대편을 반드시 살펴야 한다. 그런 까닭에 현명한 군주는 사리를 밝힐 때 나라가 손해를 보면 이득을 얻은 자를 조사하고 신하가 손해를 보면 그 반대인 자를 살핀다.

[參疑] 아래위의 질서가 뒤섞여 애매해진 정황은 난이 일어나게 되는 원인이다. 그러므로 현명한 군주는 이것을 신중하게 경계한다.

[廢置] 적이 힘쓰는 바는 이쪽이 명찰[察]을 어지럽게 하여 잘못을 저지르

---

202) 같은 책, 「內儲說 下」: "六微: 一曰權借在下, 二曰利異外借, 三曰託於似類, 四曰利害有反, 五曰參疑內爭, 六曰敵國廢置."

게 하는 데 있다. 군주가 그것을 알아차리지 못하면 적은 이쪽 (신하들을) 그만두게 하거나 (자신에게 유리한 자를) 내세우게 된다.[203]

그런데 한비자는 여기에서 ⑤'참의'와 ⑥'폐치'를 함께 말하면서 또 ⑦'묘공'(廟攻)을 말하였다. 그는 이 두 가지의 의미를 다음과 같이 설명하였다.

[廟攻] 참의(參疑)와 폐치(廢置) 두 가지 일을 현명한 군주는 국내에서는 못하게 끊고 국외로 그것을 시행해야 한다. 신분이 낮은 자에게 자금을 보내 주고, 세력이 약한 자를 도와 강력하게 만든다. 이것을 묘공(廟攻)이라고 말한다.[204]

그는 또 군주가 '술'을 잘 활용하였을 때의 효과를 말하였다.

군주가 '술'(術)을 사용하면 대신(大臣)이 제멋대로 독단을 할 수 없고, 측근[近習]이 감히 군주의 권세를 팔 수도 없다.[205]

결국 한비자가 말하는 '술'이란 역시 신하를 통제하는 술수이다.

---

203) 위와 같음: "權借: 權勢不可以借人, 上失其一, 臣以爲百. 故臣得借則力多; 力多則內外爲用; 內外爲用則人主壅." "利異: 君臣之利異, 故人臣莫忠, 故臣利立而主利滅." "似類: 似類之事, 人主之所以失誅, 而大臣之所以成私也." "有反: 事起而有所利, 其尸主之; 有所害, 必反察之. 是以明主之論也, 國害則省其利者, 臣害則察其反者." "參疑: 參疑之勢, 亂之所由生也. 故明主愼之." "廢置: 敵之所務, 在淫察而就靡; 人主不察, 則敵廢置矣."
204) 위와 같음: "廟攻: 參疑·廢置之事, 明主絶之於內而施之於外. 資其輕者, 輔其弱者, 此謂廟攻."
205) 같은 책, 「和氏」: "主用術, 則大臣不得擅斷; 近習不敢賣重."

그러므로 '술'(術)을 익혀 다스리면 몸은 묘당(廟堂) 위에 앉아 처녀애와 같은 안색을 하고 있어도 정치에 해가 없을 것이지만, '술'을 익히지 못하고 다스리면 몸은 비록 고달프고 마르더라도 오히려 도움이 없을 것이다.[206)

2) 목적

그렇다면 한비자가 군주의 통치 방법 세 가지를 제시한 목적은 무엇인가? 그것은 오직 한 가지 목적, 즉 군주 권력의 강화하기 위함이다. 한비자가 생각하기에 천하가 혼란하게 되고, 나라가 어지럽게 되는 원인은 다른 것이 아니라 군주가 그 권력을 잃고 그 권력을 장악한 신하가 독단적으로 행사하기 때문이다. 이것은 한편으로 맞고, 다른 한편으로 틀린 것이다.

한비자는 군주가 권력을 잃게 되는 '다섯 가지 막힘'[五壅]에 관해 이렇게 말하였다.

군주에게는 자신의 권력을 해치는 '다섯 가지 막힘'[五壅]이 있다. 신하가 군주의 이목을 가리는 것, 신하가 제멋대로 재정을 장악하는 것, 신하가 명령을 실행하는 것, 신하가 상벌권을 행사하는 것, 신하가 사사로이 작당하는 것이다.[207)

---

206) 같은 책, 「外儲說 左上」: "故有術而어지, 身坐於廟堂之上, 有處女子之色, 無害於治; 無術而御之, 身雖悴瘦, 猶未有益."
207) 같은 책, 「主道」: "是故人主有五壅: 臣閉其主曰壅, 臣制財利曰壅, 臣擅行令曰壅, 臣得行義曰壅, 臣得樹人曰壅."

이러한 상황은 당연히 군주의 권력 상실이라는 최악의 상황으로 떨어지게 된다.

신하가 군주의 이목을 닫아 버리면 그 군주는 자리를 잃게 되고, 신하가 재정을 장악하면 그 군주는 은덕을 베풀 수 없게 되며, 신하가 제멋대로 명령을 내리면 그 군주는 통제력을 잃게 되고, 신하가 마음대로 상벌권을 행사하면 그 군주는 권위를 잃게 되며, 신하가 사사로이 작당하게 되면 그 군주는 자기편을 잃게 된다.208)

종합하면 한비자의 법치 사상이란 군주의 권력을 강화하고 안정시키는 것에 불과하다.

무릇 천하의 다스림은 반드시 인정(人情)에 근거해야 한다. 인정에는 좋아하고 싫어함이 있기에 상벌을 쓸 수 있다. 상벌을 쓸 수 있다면 금하는 것과 명령하는 것이 확립되어 다스리는 방법이 갖추어진다.209)

제6장 법가 학파에 대한 평가

상앙은 농전(農戰)을 통해 부국강병을 추구하였다. 한비자는 군주의 통치 방법으로 '법'·'세'·'술'을 제시하였다. 그런데 의문은 그들이 이렇

---

208) 위와 같음: "臣閉其主, 則主失位; 臣制財利, 則主失德; 臣擅行令, 則主失制; 臣得行義, 則主失名; 臣得樹人, 則主失黨."
209) 같은 책, 「八經」: "凡治天下, 必因人情. 人情者, 有好惡, 故賞罰可用. 賞罰可用, 則禁令可立而治道具矣."

게 농전을 강조하고 '법'·'세'·'술'의 통치 방법을 제시한 그 궁극적 목
적은 무엇인가? 달리 말하면, 상앙과 한비자에게 과연 '정치'란 무엇
이고, '국가'란 무엇이며, '백성'이란 무엇인가?

장형근은 아래와 같이 말하였다.

열심히 농사를 지어 생산력을 극대로 끌어올리고, 열심히 전투하여 전과
를 극대로 끌어올리는 것이 인간 본성을 다하는 것이다? 어찌 보면 인간성
에 대한 너무도 잔인한 결론이 아닌가?210)

그는 상앙을 이렇게 평가하였다.

나라를 잘 다스리는 정치가는 상과 벌을 적절히 사용할 줄 알아야 한다.
이러한 상벌 수단을 효과적으로 이용하여 뛰어난 정치적 효과를 거둔 사람
이 상앙이다. 진나라 이후 2천 년간 중국은 전제 군주에 의한 중앙집권적
통치를 하였다. 군주 전제는 중국의 춘추전국시대 법가 사상가들이 확립해
낸 정치제도이다. 끊임없이 분열과 통합을 거듭하면서도 중국이 강대한 중
앙집권국가를 유지할 수 있었던 것은 상과 벌의 효과적 운용과 관련이 있
다. 상앙은 상벌 중심의 법가사상 확립에 지대한 공헌을 한 대표적 사상가
이자 정치가였다.211)

그런데 그는 또 아래와 같이 말하였다.

그러나 한편으로 『상군서』를 읽고 있으면 인간 사회에서 문화가 얼마나

---

210) 장현근, 『상군서-난세의 부국강병론』, 71쪽.
211) 같은 책, 19-20쪽.

중요한가를 깨닫게 된다. 법만을 추구하는 것에 대한 두려움도 생긴다. 부
국강병을 실현하기 위해 얼마나 많은 희생이 따라야 하는지를 알 수 있게
된다.212)

이춘식은 한비자를 다음과 같이 평가하였다.

    ……한비자가 제시한 국가상은 강력한 '중농억상정책'을 기반으로 농업
발달과 강인한 체력의 농촌 장정으로 구성된 강병육성을 기본으로 조직된
농·전 체제의 농전국 수립이었으며, 이 농전국을 기반으로 한 군사 강국이었
다고 할 수 있다. ……한비자의 통치 사상은 종래의 '세'·'술'·'법'을 통합한
사상이었으며, 동시에 전국 중기 이후 각국에서 대두되고 있던 **전제적 군주**
의 국가 경영과 통치를 위한 새로운 통치 사상의 제시였다.213) (강조는 인
용자)

백해는 진나라의 정책에 대해 이렇게 말하였다.

    진나라의 정치와 군사적 방면에서 중요한 역할을 했던 백리해(百里奚)·상
앙(商鞅)·공손연(公孫衍)·장의(張儀)·백기(白起)·범수(范睢)·채택(蔡澤)·여불위(呂不
韋)·위료(尉繚)·왕관(王綰)·이사(李斯) 등은 모두 외국인들이었다. 그러나 진나
라가 등용한 외국인들은 모두 종횡가(縱橫家)와 법가였을 뿐만 아니라 이들
대부분은 마지막에 토사구팽의 처지에 떨어지고 말았으니, 실용주의적 색채
가 농후하다고 할 것이다. 진나라 통치자의 눈에는 농업과 전쟁만 유용한
것이고, 그 외 모든 것 특히 학술과 사상은 국가에 무익할 뿐만 아니라 오
히려 해로운 것이었다. 이 때문에 진나라의 정책은 예로부터 단기적 효과를

---

212) 같은 책, 23쪽.
213) 이춘식, 『춘추전국시대의 법가사상과 세勢·술術』, 320쪽.

추구하는 것이었고, 장기적인 계획이 드물었으며 특히 학술과 사상을 배척하였다.214)

김영식은 상앙의 법가 사상이 가지고 있는 몇 가지 문제점을 다음과 같이 말하였다.215) 첫째, 농업을 지나치게 강조하여 상업과 수공업을 억압하였다. 둘째, 백성을 어리석게 만들고 순박하게 만들 것을 주장하였다. 셋째, 유가 사상의 인의·도덕을 무시하였고, 가혹한 형벌과 연좌제로 백성을 구속하였다.

한나라 이래 겉으론 유가의 외피를 쓰고 실제론 법가 통치를 해온 중국의 정치 전통도 어떤 면에선 바로 법가 존군비신론의 연장이고, 상앙의 예의 모순을 이겨내지 못한 것으로 보인다.216)

이처럼 법가, 그리고 법가를 중시한 진나라는 모두 장기적인 정책이 없었던 인물과 나라였다. 그것은 매우 치명적인 약점이 되었다. 법가의 인물들 자신이 비참한 죽음을 맞이하게 되었고, 진나라 역시 진시황의 천하통일 이후 얼마 지나지 않아 멸망하였다.

---

214) 바이시[白奚], 『직하학 연구』, 82-83쪽.
215) 김영식 옮김, 『상군서』, 40쪽.
216) 장현근, 『상군서-난세의 부국강병론』, 124-125쪽.

제9장 중국철학 8
도학(2) 도교

제9장 중국철학 8
도학(3) 도교

　원래 한(漢)나라 이전 고대 중국에는 구체적인 종교가 없었다. 동한 (東漢) 말 불교가 전래한 뒤 도교가 탄생하였고, 제도를 겸비한 종교가 출현하게 되었다.[1] 그러므로 "도교는 중국인의 종교이다."[2] 또 "도교 는 원래 민중의 종교이다."[3] 그리고 "종교 문화사적으로 볼 때 중국인 이 갖고 있는 종교사상의 특징은 도교에 나타나 있"다.[4]

　종교사상의 측면에서 볼 때, 중국 민족의 특성은 다음과 같다.[5] ① 중국 민족은 종교사상에서 특별한 선입견을 갖고 있지 않다. ②중국

---

1) 王治心, 『중국종교사상사』, 전명용 옮김, 이론과 실천, 1988, 16쪽.
2) 요시오카 요시토요[吉岡義豊], 『중국의 도교-不死의 길-』, 최준식 옮김, 민 족사, 1991, 19쪽.
3) 같은 책, 27쪽.
4) 같은 책, 20쪽.
5) 王治心, 『중국종교사상사』, 17쪽.

민족은 종교상의 규제를 그다지 중시하지 않았고, 개인적인 자유 신앙에 의지했다. ③중국 민족은 정교(政敎)의 분리가 매우 일찍 시행되었다. ④중국 민족은 종교신앙은 숭배 의식에 구애받지 않는다. ⑤중국 민족은 하늘[天]을 최고의 정신적 주재자, 모든 윤리 도덕의 근원으로 생각하였다.

　도교의 기원은 전국시대에 유행했던 신선 사상에 바탕을 두고 있다. 도교(道敎)는 중국에서 발생한 종교이다. 도교가 발생하게 된 원인 한대 말기의 혼란에 있다. 세상이 혼란하게 되면 인간은 절대적인 것에 의탁하여 자신의 안신입명(安身立命)을 추구하게 된다.

　앙리 마스페로(Henri Maspero, 1883-1945)는 고대 중국의 종교 발생에 관해 이렇게 말하였다.

　더 정확히 말하면 기원전 4-기원전 3세기에 철학을 꽃피웠던 다양한 사상이 출현했던 것이다. 그러나 그들이 기울인 온갖 노력과 연구와 시도와 성찰을 통해서 우리는 이 시기 중국 종교의 의식(意識)의 일반적인 경향에 상응하는 두 흐름을 확실히 발견할 수 있다. 그런 경향은 중국인들이 언제 어디서든 기본적인 종교 문제에서 사람들을 갈라놓는 두 태도, 곧 합리주의적인 태도와 신비주의적인 태도를 보였다는 점을 의미한다. 하나는 집단적인 종교 형태를 선호했고, 또 하나는 개인적인 형태를 선호했다. ……
　결국 이런 강력한 두 흐름이 먼저 유교를, 그 다음으로 도교를 만들었고, 도교를 넘어 후대에 불교가 중국에 뿌리를 내릴 수 있도록 종교적 분위기를 조성했다.[6]

　인간은 현실의 삶이 고통스러울 때 어떤 '이상적 세계'를 그리게 된

---

6) 앙리 마스페로, 『도교』, 신하령·김태완 옮김, 까치, 1999, 32쪽.

다. 이 '이상적 세계'는 '종교적 세계'를 의미한다. 그러므로 어떤 면에서 인간은 '종교적 동물'이라고 말할 수 있다.

고대 중국인은 그들의 이러한 '이상적 세계', '종교적 세계'를 '신선'과 '불로장생'이라는 사상으로 나타냈다. 그런데 이 '신선'과 '불로장생'은 이 인간의 육체를 간직한 채 영원히 사는 자유로운 존재를 의미하였다. 도교를 믿은 "도교도들이 얻고자 했던 것은 영혼과 정신의 거처인 물질적 신체의 불사(不死)였다."7) 도교에서 추구한 '육신의 불사'는 이 도교라는 종교의 매우 독특한 특징이다.

『장자』에 다음과 같은 내용이 있다.

(이 세상에서) 천 년을 살다 세상이 싫어지면 속세를 떠나 선경(仙境)으로 올라간다. 저 흰 구름[白雲]을 타고 천제의 고향[帝鄕]에 이른다.8)

장자가 말하는 '천제의 고향'[帝鄕] 역시 세속의 삶에서 고통을 받고 살아가는 인간의 이상세계를 그리고 있다.

『사기』(史記) 「봉선서」(封禪書)의 기록이다.

제(齊)나라 위왕(威王)과 선왕(宣王), 연(燕)나라의 소왕(昭王) 이후로 사람을 바다로 파견하여 봉래(蓬萊)·방장(方丈)·영주(瀛洲)를 찾도록 하는 일이 많아졌다. 전설에 의하면 이 삼신산(三神山)은 발해(渤海) 가운데에 있는데 그 길이 멀지 않았지만, 선인(仙人)들은 (세속의 사람들이 탄) 배가 그곳에 오는 것을 걱정하여 곧 바람을 일으켜 배를 멀리 보냈다고 전해진다. ……세속의 제왕 중에서 그곳을 흠모하지 않는 자가 없었다. 진시황이 천하를 통

---

7) 같은 책, 36쪽.
8) 『莊子』 「天地」: "千歲厭世, 去而上僊, 乘彼白雲, 至于帝鄕."

일한 뒤에 해상(海上)에 이르면 방사들이 그것에 관하여 헤아릴 수 없이 많이 말하였다.9)

이 '삼신산'(三神山)은 '신선'이 '불로장생'하는 '이상적'·'종교적' 세계를 압축적으로 보여준다.

『회남자』(淮南子)「지형훈」(墜形訓)의 기록이다.

곤륜산(昆侖山) 언덕에서 위로 두 배 올라가면 양풍산(涼風山) 있다. 이 산에 오르면 죽지 않는다. 거기서 다시 두 배 더 올라가면 현포산(懸圃山) 있다. 이 산에 오르면 신령해져 바람과 비를 부릴 수 있다. 거기서 다시 두 배 정도 더 올라가면 하늘 꼭대기이다. 여기에 오르면 곧 신령한 자[神]가 된다. 이곳이 바로 천제[太帝]가 머무는 곳이다.10)

회남왕(淮南王) 유안(劉安) 역시 승천하여 신선이 되었다고 말한다.

이 신선 사상이 도교의 핵심을 이룬다. 이 '신선'과 '삼신산'과 같은 이상적 세계는 뒤에 도교의 이상적 인간과 이상적 세계·종교적 세계를 형성하였다.

일반적으로 학자들은 도가와 도교를 '철학적 도가', '종교적 도가'라고 구분하기도 한다. 이것은 서양에서 종교와 철학을 구분하는 방식을 따른 것이다.11) 그렇지만 이런 방식은 문제가 있다. 중국철학에서는

---

9) 『史記』「封禪書」: "自威·宣·燕昭使人入海求蓬萊·方丈·瀛洲. 此三神山者, 其傳在渤海中, 去人不遠; 患且至, 則船風引而去. ……世主莫不甘心焉. 及至秦始皇并天下, 至海上, 則方士言之不可勝數."
10) 『淮南子』「墜形訓」: "昆侖之邱, 或上倍之, 是謂涼風之山, 登之而不死. 或上倍之, 是謂懸圃, 登之乃靈, 能使風雨. 或上倍之, 乃維上天, 登之乃神, 是謂太帝之居."
11) 김경수는 『내단도교』(문사철, 2020)의 「머리말」에서 "도가사상과 도교사

철학과 종교가 서양처럼 확연히 구분하는 문화가 없었기 때문이다. 그러므로 "도교와 도가와의 관계가 완전히 별개의 가르침인 것같이 생각한다면, 여러 가지 오해에 빠지게 될 것이다."[12]

제1절 개념

중국에서 발생하고 성장한 도교를 이해하기 위해서는 먼저 도교라는 용어의 개념적 의미를 고찰할 필요가 있다. "도교는 ……중국인 고유의 신앙, 즉 중국의 민간신앙을 체계화한 것"으로, "도교는 중국인의 민족 종교를 대표한다"고 말할 수 있다.[13] 그렇지만 무엇보다도 중요한 점은 도교는 "온 식구가 한곳에 모여 오순도순 정답게 살기"를 바라는 "이러한 작은 소망을 갖고 사는 서민 대중의 꿈과 희망이 담긴 종교"라는 것이다.[14]

그러나 이러한 작은 소망이 비록 대수로운 것은 아니지만 서민들에게는

상은 완전히 다른 종류"라고 말하였다.(9쪽.) 그렇지만 도가와 도교는 매우 밀접한 관계가 있다. 酒井忠夫·福井文雅는「도교란 무엇인가」(酒井忠夫 외, 『道敎란 무엇인가』, 崔俊植 옮김, 民族社, 1991)에서 이렇게 말하였다. "유교와 불교에 대해서 중국의 민간신앙·사상·과학 등의 각 요소가 복합된 '도'의 가르침이 도가도술로 의식되면서 불교에 상대되는 '도교'가 성립되었던 것이다. 이 유·불·도 삼교 중에 '도교'는 '도가'와 같은 뜻으로서, 그 후에도 '도교즉도가'(道敎卽道家)라는 호칭이 계속 사용되었다. 따라서 일반적으로 말해지고 있는 '도가는 철학, 도교는 종교'라는 이분법적인 사고방식은 수정되어야 한다."(33쪽.)
12) 酒井忠夫·福井文雅,「도교란 무엇인가」, 24쪽.
13) 같은 책, 25쪽.
14) 요시오카 요시토요[吉岡義豊], 『중국의 도교-不死의 길-』, 43쪽.

생존의 한계선이기도 하다. 이것이 위협받을 때 그들은 감연히 일어나 거대한 힘을 발휘한다.[15]

호부침(胡孚琛)·여석침(呂錫琛)은 『도학통론—도가·도교·단도』(道學通論—道家·道敎·丹道)에서 도교를 이렇게 정의하였다.

이른바 도교란 중국 모계 씨족 사회에서 자생한 여성 생식기 숭배를 특징으로 한 원시 종교의 연변 과정 중에서 고대 무사문화(巫史文化), 귀신신앙, 민간 전통, 각종 방기술수(方技術數) 등이 종합적으로 들어가서 도가 황로지학(黃老之學)을 기치와 이론 지주로 하여, 유가, 도가, 묵가, 의학, 음양, 신선 등 여러 학설 중의 수련사상(修煉思想)·공부경지(功夫境地)·신앙요소(信仰要所)와 윤리관념(倫理觀念)을 포함한 도세구민(度世救民), 장생성선(長生成仙)을 위하여 체도합진(體道合眞)을 총괄적인 목적으로 한 신학화(神學化), 방술화(方術化)를 포함하는 다층화한 종교체계이다. 도교는 한대 이후 특정한 시대적 조건 아래 부단히 불교의 종교의식을 섭취하여 중국 민족 전통문화의 모체 중에서 잉태되고 성숙된 "도"(道)를 최고신앙으로 하며 중국 민족 문화의 특색을 가진 종교이다.[16]

그렇지만 학자들의 도교 대한 개념적 정의는 다양하다.

일본학자의 관점이다. 주정충부(酒井忠夫)·복정문아(福井文雅)는 「도교란 무엇인가」라는 글에서 일본학자들의 13가지 정의를 정리하였다. 여기에서는 그 가운데 앞부분에 있는 두 가지를 소개한다.

---

15) 같은 책, 43쪽.
16) 胡孚琛·呂錫琛, 『道學通論—道家·道敎·丹道』, 社會科學文獻出版社, 2004, 258쪽.

(1) 도가라는 이름에다가 신선도(神仙道)와 천사도(天師道)를 혼합하고, 거기에 민간신앙을 포함해서 불교와 유교의 교의와 의식을 융합시킨 것, 노자를 신격화하고, 장생승천(長生昇天)을 교지로 하며, 소재멸화(消災滅禍)를 위해 모든 방술(方術)을 행한다.

(2) 신선도에서 복식연양(服食煉養)을, 도가철학에서 치심양성(治心養性)을, 민간신앙에서 다신(多神)을, 무축(巫祝)에서 장초법(章醮法)을 취해서 종합 통일한 것.17)

한국학자 김경수의 말이다.

노장(老莊)의 도가사상과 진한(秦漢)시대에 유행한 황로(黃老)사상과 신선사상 그리고 전통적인 민간신앙 등이 복합적으로 결합하여 태평도(太平道)와 천사도(天師道)라는 두 갈래로 시작된 것이 중국의 도교이다.18)

도교에는 매우 다양한 요소들이 혼재되어 있다. 도교는 모계 씨족 공동체 사회 때 자생한 원시 종교이다. 도교는 한대 황로지학(黃老之學)의 신학화(神學化)와 방술화(方術化)이다. 도교는 중국의 유·도·불 및 각종 문화 요소를 모두 잡다하게 취하여 자신의 큰 틀에 넣었다. 도교의 목표는 도세구인(度世救人), 장생성선(長生成仙)과 합도통신(合道通神)이다.19)

중국은 원시시대부터 전해오는 무술과 금기(巫術禁忌), 귀신에게 바치는 제사, 민속 신앙, 신화와 전설, 각종 방술(方術) 등이 결합하여

---

17) 酒井忠夫·福井文雅, 「도교란 무엇인가」, 16쪽.
18) 김경수, 『내단도교』, 21쪽.
19) 胡孚琛·呂錫琛, 『道學通論──道家·道敎·丹道』, 258쪽.

이루어진 것이다. 도교가 추구하는 것은 속세를 초탈하여 수련을 통해 불로장생하고 선인(仙人)이 되어 도탄에 빠진 인간을 구제하는 것이다. 따라서 수도하여 신선이 되는 것과 신선 신앙은 도교의 근본 목적이 자 도교 사상의 핵심이다. 신선에 대한 염원은 기본적으로 육신을 통해 신선이 되고 오랫동안 장생하는 것이다.[20]

『후한서』(後漢書) 권112 상·하「방술전」(方術傳)의 기록에 의하면 방선도(方仙道)의 '방'(方)·'방술'(方術), '의방술'(醫方術)·'방기'(方技) 그리고 '황로'(黃老)·'천문'(天文)·'오행'(五行)·'무술'(巫術)·'참위'(讖緯)와 '도가'(道家)·'음양가'(陰陽家)·'수술'(數術) 중의 '천문'·'오행'·'시귀'(蓍龜)·'잡점'(雜占), 그리고 '방기' 중의 '의경'(醫經)·'경방'(經方)·'방중'(房中)·'신선'(神僊)이 있다. 또 민간신앙의 '무축술'(巫祝術)·'도참술'(圖讖術)이 있다.[21] 이것은 모두 도교와 관련이 있다.

중국 고유의 종교—도교는 다른 종교와 마찬가지로 개인 구제와 사회 구제라는 두 측면을 가지고 있다.

제2절 구분

도교에는 이론적인 부분과 통속적인 부분이 병존한다. 전자는 도사, 학자들에 해당하는 것으로 일반인들의 신앙과 관계가 없다. 이것을 '이론적인 도교', '철학적 도교' 또는 '도사의 도교'라고 한다. 후자는 '민간에서 행해지는 모든 통속적인 도교 신앙과 행위, 사상을 총칭'하

---

20) 장언푸, 『도교』, 김영진 옮김, 산책자, 2008. 17쪽.
21) 酒井忠夫·福井文雅, 「도교란 무엇인가」, 28쪽.

는 것으로 '통속 도교'라 이름을 한다.[22)]

중국학자 호부침은 중국의 도교 기원과 관련하여 다음과 같이 말하였다.

중국의 고대인들은 질병과 재난은 모두 귀신이 인간에게 내리는 징벌로 생각하였고, 무축이 제사를 통하여 병을 치료하고 악귀를 죽이고 재난을 물리칠 수 있다고 생각하였다. 그러므로 질병과 재난의 위협이 가장 중요했던 하층 민중은 대부분 무귀도(巫鬼道)를 신봉하였다. 상층의 황제와 귀족은 권력과 부귀를 영원히 보호하기 위하여 장생불사를 추구하였고, 방사들은 불사의 약(不死之藥)과 장생술(長生術)이 있어서 그들에게 도움을 줄 수 있다고 선전하였다. 그리하여 전국시대에는 "방선도"(方仙道)가 연(燕)·제(齊) 지역의 상층사회에서 유행하였다. "방선도"는 위진 신선 도교의 선구(先驅)이다. "무귀도"는 한(漢)·위(魏) 때 민간 도교의 전신(前身)이다. 이런 까닭으로 고대의 무축과 방사 집단은 바로 중국 초기 도교의 시작이라 할 수 있다. 도교의 교지(敎旨)는 중국 선조들이 장생과 재앙을 물리치고자 한 욕망을 반영한다.[23)]

중국의 도교는 크게 상층도교(上層道敎)와 민간도교(民間道敎)로 구분된다. 상층도교는 주로 사대부들이 믿었다. 민간도교는 일반적으로 민중이 믿었던 종교이다.

일본학자 이시이 마사코(石井昌子)는 이렇게 말하였다.

도교는 중국인의 종교이다. ……도교를 이해하기 위해서는 우선 도교라는

---

22) 구보 노리타다, 『도교의 신과 신선 이야기』, 이정환 옮김, 뿌리와이파리, 2004, 57쪽.
23) 胡孚琛, 『魏晉神仙道教-抱朴子內篇硏究』, 人民出版社, 1991, 9-10쪽.

종교의 음양(陰陽) 두 개의 얼굴을 가지고 있다는 것, 다시 말해 양면성이 있다는 것을 알아야 한다.

양의 면의 도교, 이것은 체제 순응형으로서 도사들의 도교로 대표되는 것이다. 반면에 음의 면의 도교란 이와는 달리 농민적이고, 민중적이며 민중 사이에서 생겨났던 여러 가지 도교 신앙과 그 종교적 집단을 말한다. 이것은 도사들의 도교에 대해 민중도교라고 말할 수 있다.24)

도교의 상층 도교와 민중 도교/민간 도교에는 여러 가지 도파가 있다. 이 도파에는 금단파(金丹派), 경록파(經籙派), 점험파(占驗派), 태평도(太平道), 천사도(天師道), 무귀도(巫鬼道), 상청파(上淸派), 영보파(靈宝派), 정일도(正一道), 전진도(全眞道) 등이 있다.

1. 상층 도교25)

중국에서 도교가 형성되던 시기에 각 도파는 '도교'라는 명칭을 사용하여 각각의 도파를 창립한 것이 아니라 특정한 도파의 명칭을 사용하여 각자의 도교 도파를 형성하였다. 그런데 후대에 이러한 여러 도파를 통합하여 도교라고 불렀다. 또 어떤 도파의 경우 후대학자들이 도교를 연구하는 과정에서 붙인 이름도 있다.

중국 도교에서 상층 도교는 사대부의 도교라고 말할 수 있다. 상층

---

24) 이시이 마사코[石井昌子], 「道敎의 신」, 酒井忠夫 外, 『道敎란 무엇인가』, 崔俊植 옮김, 民族社, 1991, 108쪽.
25) 이 부분의 필자의 『중국 도교의 철학과 문화 Ⅱ』(BOOKK, 2021)에서 관련된 내용을 참조하여 요약하였다.

도교에는 금단파(金丹派), 경록파(經籙派), 점험파(占驗派) 등이 있다. 민간도교에는 백가도(白家道), 간군도(干君道), 이가도(李家道), 전진도(全眞道), 정일도(正一道) 등이 있다.

금단파에서 중요한 인물 가운데 한 사람은 위백양(魏伯陽, ?-?)이다. 그에 관한 기록은 정사(正史)에 없다. 그런데 그에 관해『신선전』(神仙傳)에서는 이렇게 기록하였다.

위백양(魏伯陽)은 오(吳) 지역 사람이다. 본래 부귀한 집안의 아들이었는데 성품이 도를 좋아하여 벼슬길에는 관심이 없었는데 한가하게 살며 양생에 힘썼다.26)

그의 저작으로『참동계』(參同契)가 있다.

백양은『참동계』(參同契)를 지었는데 오행(五行)과 서로 비슷한 것으로 모두 3권이었다. 그 학설은『주역』(周易)을 풀이한 것과 비슷하였지만 실제로는 효상(爻象)을 빌려 단약을 만드는 이론을 적은 것이다.27)

그의 저작『참동계』는 대체로 한나라 환제(桓帝) 때 무렵에 성립하였다.28)『참동계』의 성격에 대해 ①내단, ②외단, ③방중술, ④이 셋을 겸한 것이라는 네 가지 학설이 있다.29) 이 책은『주역』의 원리를 운

---

26)『神仙傳』권2: "魏伯陽者, 吳人也. 本高門之子, 而性好道術, 不肯仕宦, 閒居養性." [한글 번역은 임동석의『신선전』(동서문화사, 2009) 참조. 필요한 경우 수정하였다. 아래도 같다.]
27) 위와 같음: "伯陽作『參同契』, 五行相類, 凡三卷. 其說似解『周易』, 其實假借爻象, 以論作丹之意."
28) 李養正,『道教概說』, 中華書局, 1989, 52-53쪽.
29) 같은 책, 53쪽.

용하여 단약을 만드는 방법을 논의하였다. 위백양의 저작 『참동계』의
핵심 내용은 음양(陰陽)이라는 두 가지 원소의 배합과 변화를 이론으
로 삼아 단을 만드는 원리와 방법을 밝힌 것이다.[30]

금단파와 관련하여 가장 중요한 인물은 갈홍(葛洪, 284-344)이다.
갈홍은 그의 저작으로 『포박자』(抱朴子)가 있다. 이 책은 「내편」(內篇)
과 「외편」(外篇)으로 구성된다. 그런데 이 『포박자』라는 책의 출현으로
도교는 사상사적으로 확실한 지위를 확보할 수 있게 되었다. 그런 의
미에서 이 책은 도교사에서 획기적인 저작이다.[31] 이 책 가운데에서
「내편」은 도교의 이론을 논하였다. 다음과 같이 말하였다.

> 나는 여러 가지 양생의 책(養生之書)을 살펴보고, 불로장생의 방법(久視之
> 方)을 수집했는데 일찍이 읽은 것만도 수천 권에 이르지만 모두 환단(還丹)
> 과 금액(金液)을 대요(大要)로 삼지 않은 것이 없었다. 그러므로 이 두 가지
> 가 선도(仙道)의 핵심[極]인 것이다. 이것을 복용하고 신선이 되지 못한다면
> 옛날부터 선인(仙人)은 존재하지 않았을 것이다.[32]

이처럼 갈홍은 환단과 금액을 선도(仙道)의 핵심으로 보았다. 그는
단약의 효과에 대해서 다음과 같이 말하였다.

> 무릇 금단(金丹)이란 오랫동안 달이면 달일수록 영묘한 변화가 있다. 황
> 금은 불속에 넣어 백 번을 달구어도 결코 소실되는 일이 없고, 땅속에 묻어

---

30) 위와 같음.
31) 요시오카 요시토요[吉岡義豊], 『중국의 도교-不死의 길-』, 77쪽.
32) 『抱朴子內篇』「金丹」: "余考覽養生之書, 鳩集久視之方, 曾所披涉, 篇卷以千
數矣, 莫不皆以還丹金液爲大要者焉. 然則此二事蓋仙道之極也. 服此二不仙, 則
古來無仙矣."

두어도 영원히 녹슬지 않는다. 이 두 가지 물건을 복용하여 사람의 몸을 단련하면 사람이 불로불사(不老不死)할 수 있다.[33]

일본학자 산전리명(山田利明)은 「신선도」(神仙道)에서 이렇게 말하였다.

신선도 가운데에서도 특히 극약을 복용하는 것은 금단도(金丹道)라 불린다. 금단도는 연금술(鍊金術)을 그 모체로 삼고 있는데, 이는 불멸의 황금을 복용하면 불사의 경지에 이를 수 있다고 생각했기 때문이다.[34]

이처럼 금단파는 환단과 금액을 복용하여 불로장생을 추구한다.

환단의 화학성분은 주로 황화제이수은(HgS)이다. 그 특성은 다음과 같다.

무릇 초목(草木)을 태우면 곧 재가 되지만 단사(丹砂)는 태우면 수은이 되고 다시 환원한다. ……그러므로 사람들이 장생하게 할 수 있다.[35]

금단파는 "외부의 물질을 빌려 자신을 견고하게 하는"(此盖假求于外物以自堅固) 방법이다.[36] 금액은 당시 전해지던 단방(丹方)으로 볼 때 일종의 금(金) 또는 약금(藥金)[제련된 銅合金]의 용액 혹은 상징적인

---

33) 위와 같음: "夫金丹之爲物, 燒之愈久, 變化愈妙. 黃金入火, 百煉不燒, 埋之, 畢天不朽. 服此二物, 煉人身體, 故能令人不老不死."
34) 酒井忠夫 外,『道敎란 무엇인가』, 284쪽.
35) 葛洪,『抱朴子內篇』「金丹」: "凡草木燒之卽燼, 而丹砂燒之成水銀, 積變又還成丹砂, ……故能令人長生."
36) 위와 같음.

용해된 금의 용액이다. 환단은 연단로(煉丹爐) 중에서 우주 시간을 모방하여 시간을 반대로 되돌려 얻은 화합물로 일종의 고체화된 도(道)인데 사람이 복용한 후에 자연히 늙음을 돌이켜 아이가 될 수 있고(返老還童) 도를 얻어 신선이 될 수 있다는 것이다.37)

동진(東晉) 애제(哀帝) 연간(362년-365년) 때 강동(江東)에서 천사도(天師道, 즉 五斗米道)가 성행하였는데, 대량의 도서(道書)를 만들고 경법(經法)을 전수하는 것을 첫머리로 한 도교 경록파가 출현하였다. 이것은 부록(符籙)을 위주로 한 천사도가 의리화(義理化)의 한 차례 중요한 큰 발전으로, 그 구체적인 체현은 상청(上淸)·영보(靈寶)·삼황(三皇) 경법의 출현이었다.38)

2. 민간 도교39)

이 세상을 살아가면서 힘없고 가난한 서민 대중이 가장 바라는 것은 무엇일까?

평화를 향한 기원. 이것이야말로 중국의 대중과 농민이, 즉 억압받은 불행한 사람들이 기나긴 역사를 통하여 열망해 온 비원(悲願)인 것이다. 도교는 이러한 비원을 내걸고 일어난 농민대중의 혁명운동으로부터 기원한다.40)

---

37) 胡孚琛·呂錫琛『道學通論-道家·道敎·丹道』, 298-299쪽.
38) 李養正, 『道敎槪說』, 72쪽.
39) 이 부분은 최대우·이경환의 『중국 도교의 철학과 문화 Ⅰ』(BOOKK, 2019)의 관련된 내용을 참조하여 요약하였다.
40) 요시오카 요시토요[吉岡義豊], 『중국의 도교-不死의 길-』, 44쪽.

아마도 '배부르고 등이 따뜻한 것'이리라. 그리고 가족이 모여 오순
도순 함께 살아가라는 것, 오직 그것뿐이다. 고대 중국의 가난한 대중
역시 마찬가지이다. 그들이 바라는 것은 부도 명에도 아니다. 다만
　민간 도교/민중 도교/교회 도교는 농민과 일반 민중의 신앙으로 도
교신 신앙에 따라 세워진 농민·민중의 집단결사 또는 왕조에 의해 인
정된 교단을 의미한다.

　중국문화의 이대 지주인 유교와 도교를 대비시켜 보면, 전자는 국가나 왕
　조라는 관료·지성인의 입장에서 나온 교학이고, 후자는 '민'(民) 즉 농민과
　일반 민중의 신앙으로서, 신(神) 신앙에 따라 세워진 농민·민중의 집단결사
　나 왕조에 의해 인정된 교단을 지칭하는 것이다. 이 농민·민중을 사회적 집
　단의 주체로 한 도교를 민중도교라고 한다.[41]

　민중 도교는 민중의 신앙을 기본으로 한다. 이 민중 도교에는 태평
도(太平道), 무귀도(巫鬼道), 오두미도(五斗米道), 천사도(天師道), 간군도
(干君道), 백가도(帛家道), 이가도(李家道), 청수도(淸水道) 등과 같은 여
러 가지 도파가 있다. 오늘날 도교의 정통은 천사도이다.
　장각은 황로도를 신봉하였고, 또 제자들을 가르쳤다. 그는 환자를
치료하는 방법을 이용하여 포교를 하였다. 그에게 환자들이 찾아오면
자신의 잘못을 반성하도록 하였고, 또 부수(符水)를 마시게 하였다. 그
런데 치료가 잘 되지 않으면 환자의 신심이 부족한 탓이라고 하였다.
　태평도는 주술신앙, 내성(內省)에 의한 병의 치료, 황제를 중심으로

---

41) 酒井忠夫·福井文雅, 「도교란 무엇인가」, 25쪽.

한 초월자의 힘에 의한 인과관(因果觀)—황로도와 『태평청령서』의 종교 학설을 중심 하여 당시의 사회적 혼란과 불안을 이용하여 성립된 종교 교단이다.[42] 『태평경』은 인간의 길흉화복은 개인의 행위로부터 생긴다고 생각하였는데, 선행을 권장하고 불행의 초래하는 악행을 금하였다.

장각은 준군사조직으로 태평도 교단을 세워 36방(方)을 두어 통솔하도록 하고 대방(大方)은 만 여 명, 소방(小方)은 6-7천 명으로 하여 각각 거수(渠帥)를 두었다. 장각은 스스로 "천공장군"(天公將軍)이라 칭하고, 두 동생 장보(張寶)는 "지공장군"(地公將軍), 장량(張梁)은 "인공장군"(人公將軍)이라 부르고 "창천(蒼天)은 이미 죽었고 황천(黃天) 설 것이니, 갑자년에 천하는 크게 길할 것이다"(蒼天已死, 黃天當立, 世在甲子, 天下大吉)는 참언과 구호를 선전하였다. 도민(道民)은 모두 황건을 두르고 중평(中平) 원년(甲子年, 즉 184년) 3월 5일(甲子日)에 업성(鄴城)에서 모일 것을 기약하여 "황천태평"(黃天太平)의 세계를 세우고자 일어났다.

장릉(張陵, 34-156)[43]은 안휘성(安徽省) 패현(沛縣) 출신이다. 그는 142년 천사도(天師道)를 창립하였다. 장릉은 장도릉(張道陵)이라 부르기도 한다. 천사도는 장릉, 그의 아들 장형(張衡, ?-179)[44], 손자 장로(張魯, ?-216)[45] 3대에 의하여 창립되고 발전하였다. 장릉은 천사(天師)라 불렸고, 장형은 사사(嗣師)라 불렸으며, 장로는 계사(系師)라 불렸다. 이들을 삼장(三張)이라고 부른다. 그런데 이들이 혈연적 관계

---

42) 구보 노리따다, 『도교사』, 125쪽.
43) 將朝君, 『中國歷代張天師評傳』(卷一), 江西人民出版社, 2014, 3쪽.
44) 위와 같음.
45) 같은 책, 4쪽.

가 있었는지 여부는 분명하지 않다.

장릉은 원래 패국(沛國: 지금의 江蘇) 풍(風)이라는 곳의 사람으로
자칭 장량(張良)의 9대손이다. 그는 본래 태학생(太學生)으로,[46] 한나
라 안제(安帝) 연광(延光) 4년(125년)에 비로소 도를 배우기 시작하여
『황제구정단경』(黃帝九鼎丹經)과 장생의 도(長生之道)를 배우고 널리 제
자들을 모아 한 순제 때 촉(蜀)에 들어가 학명산(鶴鳴山: 지금의 成都
市 大邑縣 안에 있다)에서 도서(道書) 24편을 저술하였다. 『삼천내해
경』(三天內解經), 『한천사세가』(漢天師世家) 등의 기록에 의하면 장릉은
순제 한안(漢安) 원년(142년) 학명산에서 태상로군(太上老君)의 부명(符
命)을 받아 천사(天師)의 지위에 봉해졌고, "정일맹위지도"(正一盟威之
道)를 새롭게 세우고, 천 여 명의 제자들을 이끌고 사방에서 포교하
고, 좨주 도관 제도(祭酒道官制度)를 세워 도민을 관리하여 천사도를
창립하였다. 천사도는 본래 장릉의 교단이 스스로 칭한 것으로, 정일
맹위지도(正一盟威之道)를 전한 까닭에 후에 또 정일도(正一道)라고 이
름하였다.

장릉은 저서입설(著書立說)을 하였다. 그의 저작으로 『도서』(道書),
『영보』(靈寶), 『천관장본』(天官章本) 즉 『천이백관의』(千二百官儀), 『황
서』(黃書) 등이 있다. 그는 또 『구정단경』(九鼎丹經), 『상청금액신단경』
(上淸金液神丹經) 등을 전수하였다. 이것은 그가 금단을 제련했음을 설
명해준다.[47]

---

46) 葛洪, 『神仙傳』. 『太平御覽』에서는 『上元寶經』을 인용하여 이렇게 말하였
    다. "(장릉은) 본래 큰 유학자로, 한나라 연광(延光) 4년에 처음 도를 배웠
    다. 동한 말기에 학명산(鶴鳴山)에서 선관(仙官)으로부터 정일맹위의 가르침
    (正一盟威之敎)을 전수받았는데, 이것을 베풀어 백성을 교화하는 법으로 삼
    으니 천사(天師)라고 불렀다."
47) 孔令宏, 『中國道敎史話』, 河北大學出版社, 1999, 90쪽.

장릉은 24치(治)의 교구를 두고 전교 활동을 하였다. 이 24치는 태상노군이 상황(上皇) 원년에 세운 것인데 한안(漢安) 2년(143년) 장도릉에게 명하여 다스리도록 했다고 한다.48) 24치는 다시 상치 8곳(上八治), 중치 8곳(中八治), 하치 8곳(下八治)으로 나뉜다.

후에 장로는 한 헌제 건안 20년(215년) 조조(曹操)에게 투항하였고, 진남장군(鎭南將軍) 관직이 배수되고 낭중후(閬中侯)에 봉해졌다. 장로의 동생 장위(張衛)는 투항하지 않고 전사하였고, 그의 아들 장성(張盛) 부부는 동오(東吳)로 흘러 들어가 강서(江西) 용호산(龍虎山)에 은거하여 도를 닦았다. 장로는 도민을 이끌고 조조를 따라 북방으로 옮겨 갔으며 이듬해(216년) 죽었는데, 시호를 원후(原侯)라 하고 업성(鄴城: 지금의 河北 臨漳)에 장사지냈다. 장로의 다섯 아들과 그의 신료(臣僚)인 염포(閻圃), 이휴(李休), 방덕(龐德) 등은 북방으로 들어가 존숭을 받았으며, 또 조씨 집안과 인척관계를 맺어 다섯 아들은 모두 열후(列侯)에 봉해졌다. 이처럼 천사도는 사천 지역에서 가지고 있던 초기 도교 결사의 소박한 형식을 벗어나 중원의 사족 사회(士族社会)에 전파되면서 그 교단의 명성은 비로소 드러나기 시작하였고 귀도 및 오두미도라는 호칭은 점차 다시 사용하지 않게 되었다. 사회 하층에서 많은 오두미도 도민들이 중원으로 옮겨가면서 중원의 태평도 도민과 하나로 융합되면서 강력한 초기 도교의 성격을 형성하여 천사도의 역량을 크게 하면서 천사도의 영향력은 전국에 미치게 되었다.49)

오두미도와 천사도는 태평도와 같이 한나라 정권의 진압을 당하지 않았으므로 뒤에 중국 도교의 정종(正宗)이 되었다.

장수 역시 초기 오두미도의 지도자이다. 그는 장릉보다 약간 뒤의

---

48) 李申, 『道敎洞天福地』, 宗敎文化出版社, 2001, 45쪽.
49) 胡孚琛·呂錫琛, 『道學通論-道家·道敎·丹道』, 287-288쪽.

인물로 보인다. 『전략』에 의하면 장각과 동시대 인물로 파촉 일대 오두미도의 초기 지도자이다.50)

천사도의 장형(張衡)이 죽은 뒤에 무귀도가 다시 성행하면서 천사도의 교권이 파군(巴郡)의 무인(巫人) 장수(張修)의 손에 들어가게 되었다. 파군의 무인 장수는 대체로 장릉의 천사도에 들어간 사천 지역의 무격이다. 그는 천사도의 교법(敎法)과 무귀도를 하나로 결합하여 간략하게 오두미도를 만들었다.

장수의 오두미도는 무귀도의 신앙을 기초로 하고 도관(道官)은 "귀리"(鬼吏), 신도[道徒]는 "귀졸"(鬼卒), 교령(敎令)은 "간령"(奸令)이라 부르고 포교의 수단과 신도가 되는 자격을 간략하게 하여 일률적으로 쌀 다섯 말을 받았으므로 "미무"(米巫), "미적"(米賊)이라 부르기도 하였다.

한나라 영제(靈帝) 중평(中平) 원년(184년) 황건 봉기가 폭발하여 가을 7월에 장수는 그의 귀도병졸(鬼道兵卒)을 이끌고서 황건봉기에 호응하여 그 군대를 "오두미 군대"(五斗米師)라 부르며 군현을 공격하여 빼앗았다.

장수는 『전략』에 의하면 장각과 동시대의 인물로 파촉(巴蜀) 일대 오두미도의 초기 지도자였다.

장수는 최초로 『노자』를 교도들이 익혀야 할 경전으로 삼았다.51) 그는 또 『삼관수서』(三官手書)를 지었는데 참회문 세 통을 써 천·지·인 삼관에게 빌게 한 것이다.

---

50) 牟鐘鑒, 『중국 도교사』, 69쪽. 이것은 裴松之의 관점이다.(李申, 『道教本論』, 上海文化出版社, 2001, 76쪽.) 그러나 이 책에서는 우선 장로와 장수를 서로 다른 인물로 삼고 기술한다.
51) 牟鐘鑒, 『중국 도교사』, 69쪽.

모종감은 장수의 죽음과 관련하여 이렇게 말하였다.

　　필자는 장수가 도를 행할 때 이미 오두미도라는 호칭이 있었다고 생각한
다. 그리고 『전략』에 기록된 오두미도사 장수와, 『삼국지』 「장로전」에서 장
로와 연합하여 한중태수 소고(蘇固)를 공격했다가 이후 장로에 의해 살해된
장수는 동일인이라고 생각한다. 당시 장로는 장수를 살해하고 그 무리를 빼
앗은 이후에 스스로 한중에서 오두미도의 교권을 세웠기 때문이다.52)

　　호부침·여석침 역시 장로와 장수가 한중의 태수 소고를 죽인 뒤에
장로가 다시 장수를 죽이고 그의 오두미사(五斗米師)를 겸병했다고 말
한다.53)
　　위에서 논의한 것과 같은 중국 도교사에서 중대한 역사적 사건들은
모두 민중의 고단한 삶과 연관이 있다. 이 문제와 관련해서 우리는 중
국의 비밀결사(祕密結社)에 대해서도 고찰할 필요가 있다.

제3절 내용

　　잔스촹은 "넓은 뜻의 도교 문화는 도교 정신이 갈무리되어 있는 모
든 존재물"이라고 정의한다.54) 그렇지만 이것은 그야말로 '넓은 뜻'에
서 말한 것이기에 너무도 불분명하다. 그는 또 ""좁은 뜻의 도교 문화
는 도교의 정신적 결과물"이라고 말하였다.55) 이 경우에는 '도교'의

---

52) 같은 책, 70쪽.
53) 胡孚琛·呂錫琛, 『道學通論-道家·道敎·丹道』, 296쪽.
54) 잔스촹, 『도교문화 15강』, 안동준·린샤오리 뒤침, 알마, 2012, 35쪽.
55) 같은 책, 36쪽.

범위를 지나치게 '좁게' 정의한 것이다. 사실 도교에는 '정신적 측면의 문화'(무형의 측면)와 '물질적 측면의 문화'(유형의 측면)가 모두 있다. 그런데 사실 다른 세계적 종교와 비교해 볼 때 도교는 매우 복잡한 내용을 담고 있다.

> ……도교는 항상 미래지향적으로 발전하는 무한한 힘을 가진 종교라고 할 수 있다.
> 도교는 매우 촌스러운 종교이다. 속스럽고 고귀하고 저속한 것이 뒤죽박죽 마구 섞여 있다. 그러나 유연함을 잃지는 않는다. 결코 세련되지 않았으며, 또한 세련되려고 하지도 않는다. 이러한 도교에는 무한한 포용력과 강인한 생명력이 있다. 이 생명력이 바로 도교 신앙의 핵심이다.[56]

그런데 또 중요한 점은 세계의 다른 종교와 마찬가지로 중국의 도교에도 긍정적/부정적 측면 양면이 모두 있다는 사실이다.

> 도교의 실태를 파악하기 위해서는 중국의 역사를 철저히 알아야만 한다. 특히 도교에는 음양의 양면성이 있다는 것을 기억해 둘 필요가 있다. 양(陽)적인 면으로 나타난 도교는 체제 순응형이면서 도사들의 도교로 대표된다. 한편 음(陰)적인 면의 도교는 반체제적[造反型]으로서, 민중 속에 나타난 다양한 도교 신앙과 종교 집단을 가리킨다.[57]

중국 도교의 발전에는 불교의 영향이 매우 컸다. 도교는 세계관과 의식 형태 등 여러 측면에서 불교를 모방하였다.

---

56) 요시오카 요시토요[吉岡義豊], 『중국의 도교-不死의 길-』, 21쪽.
57) 같은 책, 25쪽.

도교의 내용은 교학, 방술, 의술, 윤리 등 크게 네 가지로 나눌 수 있다. 물론 이것이 절대적인 기준인 것은 아니다. 다른 분류법 역시 가능하다. 아래에서는 이것을 기준으로 논의하기로 한다.

1. 교학

교학에는 우주생성설, 만물의 근원인 도(道)의 발생과 그 전개, 천계(天界)와 지옥의 종류와 모습, 신과 선인(仙人)에 대한 부분이다.

도교의 이상 세계는 본래 전국시대 중기에 널리 유행하였던 신선 세계가 그 모델이다.

『장자』의 기록이다.

> 천 년을 살다가 이 세상에 염증이 나면 (이 세상을 떠나) 하늘로 올라가 신선[仙]이 되는데, 저 흰 구름을 타고서 제향(帝鄕)에 이르면 세 가지 근심[三患]이 이르지 못하고, 몸에는 항상 재앙이 없으니 어찌 욕됨이 있겠는가?[58]

이것은 전국시대라는 환란의 시대상을 반영한다. 인간이란 현실적 고통이 크면 클수록 고통이 없고 자유로운 세상(천국)을 꿈꾸게 된다. 이 '신선이 산다는, 더군다나 불로장생하고 고통이 없으며 자유로운 세상이라는 유토피아는 고대 중국인이 꿈꾸던 이상 세계의 형상이다.

---

58) 『莊子』「天地」: "千歲厭世, 去而上仙, 乘彼白雲, 至于帝鄕, 三患莫至, 身常無殃, 則何辱之有?"

도교에서는 무(無)가 근원이고, 무에서 묘일(妙一), 삼원(三元), 삼재(三才)로 변화하며, 그로부터 만물이 발생했다고 말한다. 삼원에서 천보(天寶), 영보(靈寶), 신보(神寶) 등 삼군(三君)이 나왔는데, 이 세 명의 신들이 있는 장소를 삼천(三天) 또는 삼청경(三淸境)이라 부른다. 삼청경이란 천보군이 있는 옥청경(玉淸境), 영보군이 있는 상청경(上淸境), 신보군이 있는 태청경(太淸境)을 총칭하는 것이다. 이것은 각각 신을 옥청, 상청, 태청이라 부른다. 삼보군, 즉 삼청은 원래 최고신인 원시천존(元始天尊)에서 갈라져 나온 신으로 각각 경전을 설법하고 동진(洞眞), 동현(洞玄), 동신(洞神)이라는 삼동(三洞)의 교조가 되었다.

도교의 천계설(天界說)에는 36천설과 33천설이 있다.[59]

[36천설] 도교가 건립된 뒤 일기삼청(一氣三淸)과 구중천(九重天) 관념이 결합하였다. 도교 『삼청도』(三淸道)에서 일기(一氣)가 현원(玄元)을 화생하여 삼기(三氣)가 시작되는데 삼기를 삼경(三境)이라 칭하고 또 삼천(三天)이라 칭한다고 말하였다. 이 삼기의 각 기가 삼천을 화생하여 모두 구천(九天)이다. 『도덕경』의 '하나가 둘을 낳고 둘이 셋을 낳는다'(一生二, 二生三)는 것에 의거하여 구천이 각각 삼천을 다시 낳아 모두 이십칠천이 된다. 이십칠천에 원래의 구천을 더하면 모두 삼십육천이다. 삼십육천은 삼청(三淸)의 삼경삼천(三境三天)을 포함하지 않는다. 그러므로 삼십육천설은 모두 마땅히 "삼경삼십육천"(三境三十六天)설이 된다.[60]

[33천설] 도교에는 또 삼십삼천설이 있다. 삼십삼천설은 주로 불교에서 온 것이다. 불교에서는 이 세계에 모두 삼십삼천이 있는데 동서남북에 각각 팔천이 있고 중앙에 수미산(須彌山) 정상의 천이 있어서 모두 삼십삼천천이

---

59) 李申, 『道敎洞天福地』, 宗敎文化出版社, 2001, 14-15쪽.
60) 같은 책 14쪽.

다. 불교의 설을 모방하여 도교는 자신의 삼십삼천을 만들었다. 삼십이천은 각기 사방에 있는데 사천이 중첩되어 모두 팔중이다. 최상일층은 대라천(大羅天)으로 모두 삼십삼천이다. 이것은 삼십삼천과 중국의 구중천이 결합한 것이다.[61]

도교는 다신교이다. 물론 중심이 되는 신이 있다. 예를 들어 다음과 같은 신들이 있다.

  1. 천군(天君), 북극천군(北極天君), 북극진인(北極眞人), 상황태편지군(上皇太平之君), 태평덕군(太平德君), 태평도덕군(太平道德君), 태평지군(太平之君), 천상대신(天上大神), 대도덕명군(大道德明君), 양덕군(陽德君), 덕군(德君)
  2. 천사(天師), 천사상황신인(天師上皇神人), 황천사(皇天師), 황천명사(皇天明師), 천지군부사(天地君父師), 태상(太上)
  3. 오장신(五藏神), 오덕신(五德神), 오방기신(五方騎神)
  4. 사명(司命), 지지사명(地之司命), 육축지사명신(六畜之司命神)
  5. 서왕모(西王母), 천관(天官), 청제(靑帝), 청의옥녀(靑衣玉女), 적의옥녀(赤衣玉女)[62]

그 밖에도 여러 신이 있다. 그러나 그 중심이 되는 신 역시 시대적 변화에 따라 달라졌다.

이렇게 신계(神界)의 관리는 무수히 많다. 가장 높은 천궁(天宮)인 자미궁(紫微宮)에만 해도 5억 5,555만의 위계가 있고, 그 수만큼 부서가 있다. 그리고 각 부서에는 각각 5억 5,555만의 선관(仙官)이 있다. 그들은 모두 기

---

61) 같은 책, 15쪽.
62) 요시오카 요시토요[吉岡義豊], 『중국의 도교-不死의 길-』, 50-51쪽.

로 형성되어 저절로 생긴 것으로서 푸른 날개옷을 입고 있다. 게다가 하늘의 81층에는 많은 궁전이 있고, 궁전마다 모두 신으로 가득 차 있다. 신계에서는 서열이 낮을수록 그만큼 정묘(精妙)하지 않은 기로 만들어진다.63)

그런데 도교에 이처럼 신이 많은 것은 민중의 욕망을 채워주기 위해서이다.

최고위의 신으로부터 최하위의 신에 이르기까지 그들은 모두 교화하는 역할을 가지고 있다. 그리고 그들이 가르치는 것은 구제의 방법이다. 그러나 그것은 교의나 신앙이 아니라 신자가 교의와 신앙을 받아들이게 하는 준비로서, 생리학적, 의학적, 연금술적 기술이다.64)

도교에서 말하는 천계는 욕계(欲界), 색계(色界), 무색계(無色界) 삼계 삼십육천으로 나뉜다. 이것은 불교의 천계에서 나온 것이다. 욕계는 육천(六天), 색계는 십팔천(十八天), 무색계는 사천(四天)으로 나뉜다.65)
도교의 신선(神仙)은 여러 가지로 나누어진다. 하늘을 날 수 있는 천선(天仙), 하늘에 오를 수 없는 지선(地仙), 보통 사람에게는 죽은 것처럼 보이는 시해선(尸解仙), 물속에 있는 수선(水仙) 등이 있다. 그런데 『운급칠첨』(雲笈七籤)에서는 삼청경에 모두 27위(位)의 신선이 있다고 하였고, 또 상선(上仙), 고선(高仙) 등이 명칭이 있다.

---

63) 앙리 마스페로, 『도교』, 304쪽.
64) 같은 책, 305쪽.
65) 최대우·이경환, 『신선과 불로장생 이야기』, 景仁文化社, 2017, 252-255쪽.

2. 방술

방술은 의술, 점술, 장수를 위한 주문이나 방법 등 중국 고대의 무당이나 방사(方士) 등이 실시했던 다양한 주술적 방법을 총칭하는 말이다. 여기에는 주술, 부적, 굿, 액막이 제사, 기도, 의식 등이 포함된다.

주술에는 은형법(隱形法), 변형법(變形法), 분형법(分形法), 더위나 추위를 피하는 방법, 무기에 상처를 입지 않는 방법, 금이나 은을 만드는 방법, 비가 내리게 하는 방법, 날씨가 맑아지게 하는 방법, 여우에게 물건을 옮기게 하는 방법, 눈이 뜨이고 귀가 듣게 하는 방법, 악귀나 악령을 물리치는 방법 등이 있다. 『포박자』에 있는 기록을 간단히 몇 가지 소개하면 다음과 같다.

> 호흡법을 알면 역병(疫病)이 크게 유행하는 곳에 들어갈 수 있을 뿐만 아니라 병자와 함께 잠을 자도 감염되지 않는다.[66]
> 호흡으로 칼로 난 상처에 주술을 하면 흐르던 피가 금방 멈춘다.[67]

부적에는 재액(災厄) 방지, 초복(招福), 장수(長壽) 기원 등의 목적을 이루게 하는 힘이 있다고 한다.

갈홍의 『포박자』에는 산에 오를 때 몸에 지니는 삼황내문(三皇內文), 오악진형도(五岳眞形圖), 입산부(入山符), 승산부(昇山符), 물 위를 걷기

---

66) 葛洪, 『抱朴子內篇』「至理」: "知之者, 可以入大疫之中, 與病人同牀而己不染."
67) 위와 같음: "以氣禁金瘡, 血卽登止."

위한 제수부(制水符), 산이나 강에 있는 악귀 등을 물리치는 천수부(天水符)나 상황죽사부(上皇竹使符) 등의 부적이 열거되어 있다. 『포박자』에 있는 내용을 간단히 소개하면 다음과 같다.

입산하기 7일 전에 반드시 목욕재계하고 승산부(昇山符)라는 호부(護符)를 갖고 가야 한다.[68]

육술부(六戌符)를 1,000일 동안 먹거나 붉은 반점이 있는 거미나 칠중수마(七重水馬)를 풍이수선환(馮夷水仙丸)과 함께 복용하면 물속에서 지낼 수 있다. 단지 그것을 하체에 바르면 물 위를 걸을 수 있다.[69]

이상의 내용과 같이 방술은 장생을 추구하는 것, 악귀와 재앙을 물리치는 것 등과 관련이 있다.

3. 의술

오늘날에도 의술은 인간의 삶에서 매우 중요한 요소이다. 그런데 위생학이 아직 발전하지 못했던 과거에는 이 의술이 더욱 중요하였다. 이 의술에는 양생술(養生術), 치병법(治病法), 약제(藥劑) 등이 포함된다.

양생술에는 벽곡(辟穀), 복이(服餌), 조식(調息), 도인(導引), 방중(房中) 다섯 가지가 있다. 치병법에는 약을 사용하거나 주문을 외고, 부

---

68) 같은 책, 「登涉」: "凡人入山, 皆當先齋洁七日, 不經汚穢, 帶昇山符."
69) 위와 같음: "或食'六戌符'千日, 或以赤班蜘蛛及七重[種]水馬, 以合馮夷水仙丸服之, 則亦可以居水中. 只以涂躍下, 則可以步行水上也."

적을 복용하는 방법 등이 있다. 약제는 여러 가지 약재(藥材)를 사용하는 것이다.

도교에서 의술은 그 가장 중요한 역할은 신선이 되어 장생불사하도록 하는 것이다. 그리고 다음으로 병을 치료하는 기능이다.

중국 도교에 의하면 신선이 되는 방법은 크게 세 가지로 나누어진다.[70] ①양생술, ②불로초, ③단약이다. 이 세 가지 방법에는 토납(吐納), 태식(胎息), 내시(內視), 도인(導引), 벽곡(辟穀), 내단(內丹), 외단(外丹), 금석약(金石藥), 복이(服餌), 방중(房中), 수양(修養), 양정(養正愛氣), 식기(食氣), 환단(還丹), 금액(金液) 등이 있다.[71] 이 가운데 몇 가지는 의술과 관련이 있고, 또 몇 가지는 방술과 관련이 있다.

4. 윤리

도교는 중국인이 참으로 실천할 수 있는 개인적인 도덕을 창조했다. 도교의 도덕은 누구라도 실천할 수 있는 것이다.[72] 이것 역시 장수와 관계가 있다. 여기에는 덕과 선을 쌓는 것, 계율, 청규 등이 포함된다. 사람들에게 나쁜 일을 하지 말고 윤리/도덕을 실천하라고 권하는 의미를 담고 있다.

『요수과의계율초』(要修科儀戒律鈔)의 기록이다.

---

70) 최대우·이경환, 『신선과 불로장생 이야기』, 340쪽.
71) 같은 책, 340-341쪽.
72) 앙리 마스페로, 『도교』, 352쪽.

인간의 몸에는 신이 있는데, 신들은 정해진 시각에 하늘에 올라가 선행과 악행을 보고한다. 120번 이상 죄를 지으면 병이 난다. 180번 죄를 지으면 결핍[耗, 불완전]이 된다. 이런 사람은 가축을 기르는 일에 성공하지 못할 것이다. 190번 죄를 지으면 루(漏, 뒷처리를 못함)가 된다. 이런 사람은 전염병에 걸릴 것이다. 530번 죄를 지으면 소흉(小凶)이 된다. 이런 사람은 사산아(死産兒)를 낳게 될 것이다. 720번 죄를 지으면 대흉(大凶)이 된다. 이런 사람은 아들을 두지 못하고 딸만 많이 두게 될 것이다. 820번 죄를 지으면 앙(殃)이 된다. 이런 사람은 병 때문에 시각장애인이나 청각장애인이 될 것이다. 1,080번 죄를 지으면 화(禍)가 된다. 이런 사람은 재난을 만나 죽을 것이다. 1,200번 죄를 지으면 잔(殘)이 된다. 이런 사람은 폭도에게 습격을 당할 것이다. 1,600번 죄를 지으면 구(咎)가 된다. 이런 사람은 후손이 없어 자식도 손자도 없을 것이다. 1,800번 죄를 지으면 색(塞)이 된다. 이런 사람은 다섯 대에 걸쳐서 불행해질 것이다.73)

이러한 기록은 모두 도교 신도에게 권선징악을 말한 것이다. 인간의 선한 행동, 악한 행동과 수명의 장수와 요절을 연결하였다.

신선[仙]이 되려면 충효(忠孝)·인화(人和)·인신(仁信) 근본으로 할 것이다. 만약 덕행을 닦지 않고 방술(方術)에만 힘을 쓴다면 결코 장생할 수 없다. 큰 악행을 저지른 자는 사명신[司命]이 정해진 수명에서 몇 년을 감하고, 작은 잘못을 저지른 자는 며칠 간의 수명을 단축한다. 범한 경중에 따라 (생명을 단축하는) 연수와 일수에 많고 적음이 있다.74)

---

73) 같은 책, 300쪽.
74) 葛洪, 『抱朴子內篇』「對俗」: "欲求仙者, 要當以忠孝·和順·仁信爲本. 若德行不修, 而但務方術, 皆不得長生也. 行惡事大者, 司命奪紀, 小過奪算, 隨所犯輕重, 故所奪有多少也."

또 신선이 되어 장생불사하는데도 역시 윤리 도덕은 필요하다.

사람이 지선(地仙)이 되려면 300번 착한 일을 해야 한다. 천선(天仙)이 되려면 1,200번 착한 일을 해야 한다.[75]

그런데 이 과정에서 중도에 죄를 지으면 그동안 해왔던 선행은 무의미하게 된다.

만약 1,999가지 착한 일을 했을지라도 그 뒤에 한 가지 악한 일을 하게 되면 그때까지 행한 착한 일을 모두 잃게 된다. 그때부터는 다시 착한 일을 처음부터 시작해야 한다.[76]

도교의 이러한 윤리의식을 잘 나타낸 것이 『공과격』(功過格)이다. 현재 전해지는 가장 오래된 책은 금(金)나라 대정(대정) 11년(1171년) 서산(西山)의 허진군(許眞君)을 신앙하는 정명도(淸明道) 도사가 쓴 『태미선군공과격』(太微仙君功過格)이다.[77] 이것은 "공과(功過)의 비교 계량에 의해 수명이 줄고 늘어난다는 사상"이다. "보름이나 한 달, 일 년마다 신들이 인간의 행위를 감찰해서 선악 공과를 평가하여 상벌을 내린다고 한다."[78]

또 인간의 몸속에는 삼시충(三尸蟲)이 있다고 한다. 이것 역시 인간의 수명과 관련이 있다.

---

75) 위와 같음: "若有千一百九十九善, 而忽復中行一惡, 則盡失前善, 乃當復更起善數耳."
76) 위와 같음: "人欲地仙, 當立三百善; 欲天仙, 立千二百善."
77) 요시오카 요시토요[吉岡義豊], 『중국의 도교-不死의 길-』, 185쪽.
78) 같은 책, 48쪽.

인간의 몸속에는 삼시((三尸)가 있다. 삼시는 형체가 없지만, 그 실질은 혼령이나 귀신과 같은 것이다. ……경신일[庚申之日]에 하늘[上天]로 올라가 사명[司命]에게 그 사람의 과실을 보고한다. ……죄가 큰 자는 '기'(紀)의 기간에 해당하는 수명을 감한다. '기'라는 수명은 3백일이다. 죄가 작은 자는 산(算)의 기간에 해당하는 수명을 감한다. '산'은 3일이다.[79]

『태평경』에 있는 윤리 사상을 소개하면 다음과 같다.[80] ①'선'(善)을 지키고 행할 것을 권한다. ②사람의 마음은 '지극한 성(誠)'으로 되어 있다. ③불효(不孝)·불순(不順)·불충(不忠)은 '세 가지 악'[三惡]이다. ④천도(天道)와 지덕(地德)을 명심하고 지켜서 천·지·인이 합일하면 '동심동덕'(同心同德)·'천인감응'(天人感應)한다. ⑤병이 든 사람에게 부수(符水)·탄자(呑字, 특수한 문자를 종이에 싸서 태워 그것을 물에 풀어 먹는 법)로 치료한다. ⑥길흉화복은 개인의 행위에 의한 자업자득이지 숙명적인 것이 아니다. ⑦박장론(薄葬論)을 주장한다. ⑧금주를 주장한다. ⑨공과(功過)에 따라 수명이 달라진다. ⑩화이(華夷) 평등사상이다.

위에서 도교의 내용에 관해 네 가지로 나누어 설명했지만, 이 네 가지 내용은 서로 밀접한 관련이 있다. 간단히 말해서, 만약 신선이 되어 불로장생하려면 무엇보다도 먼저 '신선'이 존재하고, '신선'은 배워서 될 수 있다는 것을 믿어야 하며, 여러 방술과 의술의 이론에 조

---

79) 葛洪, 『抱朴子內篇』「微旨」: "身中有三尸. 三尸之爲物, 雖無形而實魂靈鬼神之屬也. ……是以每到庚申之日, 輒上天白司命, 道人所爲過失. ……大者奪紀. 紀者, 三百日也; 小者奪算. 算者, 三日也."

80) 요시오카 요시토요[吉岡義豊], 『중국의 도교-不死의 길-』, 46-48쪽 참조 요약.

예가 깊어야 하고, 또 윤리 도덕적이어야 한다.

제4절 도교 문헌의 백과전서 『도장』

도교의 중요 문헌을 정리한 것으로 『도장』(道藏)이 있다. 이 문헌은 크게 삼동사보(三洞四輔) 십이부(十二部)로 구성되었다. 여기에서 '삼동'은 동진부(洞眞部), 동현부(洞玄部), 동신부(洞神部)이다. '사보'는 태현부(太玄部), 태평부(太平部), 태청부(太淸部), 정일부(正一部)이다.81)

현존하는 『도장』은 명대(明代) 정통(正統) 9년(1444년)에 편찬되었다. 그런데 뒤에 만력(萬曆) 35년(1607년)에 또 『속도장』(續道藏)을 간행하였다. 명대 정통 『도장』과 만력 『속도장』은 모두 도서(道書)1,476종 5,485권을 수록하였다. 이 『도장』은 "삼동"(三洞: 洞眞部, 洞玄部, 洞神部), "사보"(四輔: 太玄部, 太平部, 太淸部, 正一部)로 분류하였다. 그 가운데에서 "삼동"의 각 부(部)는 다시 12류(十二類: 本文類, 神符類, 玉訣類, 靈圖類, 譜錄類, 戒律類, 威儀類, 方法類, 衆術類, 記傳類, 贊頌類, 章表類)로 구분하였다.82)

이 『도장』은 중국 도학(道學) 고문헌의 결집이고, 동시에 또 도교와 관련이 있는 『역』(易)학, 의학, 고대 과학 기술, 문학, 지리, 제자백가의 저작을 수록하였는데, 중화민족문화유산의 대보고(大寶庫)이다.83)

81) 이시이 마사코[石井昌子], 「도교의 신」, 116-117쪽.
82) 胡孚琛·呂錫琛, 『道學通論-道家·道敎·丹道』, 624쪽.
83) 위와 같음.

제10장 중국철학 9

중국 불교

제10장 중국철학 9

중국 불교

새로운 철학사상의 전래 과정은 번역, 해석, 창조를 통해 이행된다. 중국 불교의 성립 과정 역시 이와 마찬가지이다.

그렇다면 인도 불교는 중국에 언제 전해졌는가? 이 문제에 관해서는 여러 가지 학설이 있다.[1] 그렇지만 기본적으로 기원전 2년설이 가

---

1) 박태원, 「중국 불교의 도입과 수용-전개와 착근의 사상사적 의미」, 중국철학회, 『중국철학 Vol.6 N.1, 1999, 129쪽. "중국에 불교가 처음 전래된 시기에 대해서는 여러 가지 설이 있다. 서주(西周)의 목왕(穆王) 때라는 설, 동주(東周)의 경왕(敬王) 때라는 설, 공자 당시 이미 불교가 알려져 있었다는 설, 진시황 4년 때라는 설, 전한(前漢) 무제(武帝) 때라는 설, 전한 성제(成帝) 때 유향(劉向)이 불경을 보았다는 설, 전한 애제(哀帝) 때라는 설, 후한 명제(明帝) 때라는 설 등이 그것이다."; 탕용동, 『한위양진남북조 불교사 1』, 장순용 옮김, 學古房, 2014, 1. 「불교의 중국 전래에 관한 갖가지 전설」 부분을 참조하라; 崔德忠·西順藏 엮음, 『중국종교사』, 조성을 옮김, 한울아카데미, 1996, 83쪽. "불교가 중국에 전래된 연대에 대해서는 이설이 많다. 특히 후대의 불교 사료 등에 나타나는 불교 전래에 관한 기록은 거

장 널리 받아들여지고 있다. 그러나 어느 한 시기에 곧바로 전해졌다는 것은 정확한 것이 아니다. 이것은 어디까지나 문헌의 기록일 뿐이다.

인도 불교가 중국에 전해지는 과정은 남방과 북방 두 길이 있다. 하나는 북방을 통한 것(북전 불교)이고, 다른 하나는 남방을 통한 것(남전 불교)이다.[2] 여기에서 북전 불교는 산스끄리트 본을 한역(漢譯)한 불전을 바탕으로 자리(自利)와 이타(利他)를 설하는 대승불교를 근간으로 한다. 남전 불교는 상좌부 계통의 불교를 계승하는데 빨리어 불전을 근간으로 한다. 이것은 자신의 깨달음과 구제를 설하는 소승불교를 근간으로 한다.[3] 그런데 불교는 중국·한국·일본에서 단순한 종교 차원을 넘어 사상적 토대로 사회적·정치적으로 중요한 역할을 하였다.[4] 그런 까닭에 불교는 동북아시아 3국에서 정치적·사상적으로 매우 중요한 요소가 되었다.

중국 불교의 시대 구분은 2기설, 3기설, 5기설이 있다. 2기설의 구분은 불교의 전래로부터 청나라 말기까지의 2천 년을 전·후기로 나누어 당나라 말기와 오대에 해당하는 AD 10세기까지 전기 천년을 중세

의 믿을 수 없다. 보통 불교 쪽에서 전해지고 있는 A.D. 67년(永平 10) 도래설 등도 설화로서는 흥미 있는 것이지만 역사적 사실은 분명히 아니다. 비교적 믿을 수 있는 것으로는 전한 哀帝(B.C. 7-1)의 B.C. 2년(元壽 1)에 대월지(大月氏) 왕의 사자인 伊存이 浮屠敎를 구전했다는 기사이다. 그리고 明帝의 이복동생인 楚王 英이 黃老와 함께 부처를 신봉하였다는 것 또 사실일 것이다. ……그 뒤 후한의 桓帝(A.D. 146-167)때에는 安息 (Parthia)에서 온 安世高가 소승불교의 경전을 번역하기도 하고 대월지에서 온 支婁迦懺이 대승경전을 번역하였다."
2) 토오도오 교순·시오이리 료오도, 『中國불교사』, 차차석 옮김, 대원정사, 1992, 19쪽.
3) 위와 같음.
4) 김선희, 『동양철학 스케치 1』, 풀빛, 2019, 209쪽.

로, 북송 이후 청나라 말기인 20세기 초까지의 천년을 근세로 보고
있다. 3기설은 제1 초기 수용기—후한·삼국·서진, 제2 전성기—동진·남
북조·수·당, 제3 지속점쇠기(持續漸衰期)—송나라에서 현대까지이다. 5
기설은 제1기 전한부터 동진(東晉) 초에 이르는 전래와 번역시대, 제2
기 동진 초부터 남북조에 이르는 연구시대, 제3기 수·당의 건설시대,
제4기 오대(五代)부터 명나라 말기에 이르는 계승시대, 제5기 청나라
이후 쇠퇴기이다. 그런데 일반적으로 5기설을 받아들인다.5) 방립천(方
立天)은 3단계로 나눈다.6) 1단계는 한(漢)·삼국(三國)·양진(兩晉)·남북조
(南北朝) 시대이다. 이 시기는 불교가 전래하여 차츰 흥성해 간 단계이
다. 2단계는 수당(隋唐) 시대이다. 이 시기는 중국 불교가 정착한 단계
이고, 중국의 불교 철학이 가장 번영한 단계이다. 3단계는 송(宋)·원
(元)·명(明)·청(淸) 시대이다. 이 시기는 불교가 쇠퇴한 단계이다. 임계유
(任繼愈) 역시 3단계설을 말하였다.7) 제1단계: 한대에서 남북조시대까
지 약 500년으로 번역·소개 단계이다. 제2단계: 수당시대 약 300년으
로 창조·발전단계이다. 셋째, 북송시대에서 아편전쟁까지 약 1,000년
으로 유(儒)·석(釋)·도(道) 삼교합일(三教合一) 단계이다.

그렇지만 중요한 점은 인도 불교가 중국에 전래하면서 중국인에 의

---

5) 토오도오 교순·시오이리 료오도, 『中國불교사』, 17-18쪽. "제1기 또는 전승
   과 전역시대 혹은 격의불교시대라 하고, 남북조시대(401-573년)를 제2기
   혹은 연구·학파시대라고 부르며, 수나라의 남북통일 이후를 제3기로 삼아
   건설시대(581-750년), 실행시대(751-1120년), 계승시대(수나라에서 청나
   라 말기) 등으로 부른다. 혹은 수나라 시대를 절충시대, 당나라 시대를 종
   파시대, 5대 이후 근세까지를 조술(祖述) 시대로 부르기도 한다. 또 수·당
   시대를 중국 불교의 형성기로 보기도 하며, 당나라 말기 이후를 융합시대
   라고 부르기도 한다."(295쪽.)
6) 方立天, 『불교철학개론』, 劉英姬 옮김, 민족사, 1989, 44쪽.
7) 任繼愈, 『漢唐佛教思想論集』, 人民出版社, 1994, 4-6쪽.

한 이해/해석은 오랜 시간을 지나면서 이루어졌다는 사실이다.

불교가 중국에 전해지고 정착하는 과정은 충격적인 일회적 사건이 아니라 오랜 시간 동안 여러 사람에 의해 이루어진 자연스럽고 점진적인 과정이었다.[8]

인도 불교를 중국에 전래하던 초기 번역의 단계에 해당하는 인물로는 안식국(安息國, 페르시아) 출신 안세고(安世高), 월씨국(月氏國, 아프카니스탄 방면) 출신의 지루가참(支婁迦讖), 역시 월씨국과 관련이 있는 지겸(支謙, 222-253년 사이)과 축법호(竺法護, 약 230-308) 등이 있다. 안세고는 148년 낙양에서 소승 경전을 번역하였고, 또 선정을 수행하였다. 지루가참은 2세기 말엽 역시 낙양에서 반야·화엄과 계통의 대승 경전을 번역하였다. 지겸과 축법호 등과 같은 이들 외국의 승려에 의해 반야(般若)·유마(維摩)·정법화(正法華)·무량수(無量壽)·십지(十地) 등 여러 중요한 대승 경전이 번역되었다.[9]

아래에서는 중국 불교의 성립 과정을 역사적 순서에 따라 살펴보기로 한다.

제1절 중국 불교의 성립 과정

불교가 중국에 들어온 시기는 대략 서한(西漢) 애제(哀帝) 원수(元壽)

---

8) 김선희, 『동양철학 스케치 1』, 212쪽.
9) 玉城康四郞·鎌田茂雄·關口眞大 外, 『중국불교의 思想』, 정순일 역, 民族社, 1989, 6쪽.

원년(元年), 즉 기원전 2년이다. 이때 경헌(景憲)이 대월씨(大月氏) 군주의 사자 이존(伊存)으로부터 직접 부처의 가르침을 전해 들었다는 것이다.10)

인도 불교가 중국에 전래한 과정에는 여러 가지 학설이 있지만 대체로 두 가지 관점이 비교적 명확하다. 그것은 어환(魚豢)의 『위략』(魏略)과 『후한서』(後漢書) 「초왕영전」(楚王英傳)의 기록이다.11) 인도 불교가 중국에 전래한 것은 『위략』의 기록에 의하면 기원전 2년이고, 『후한서』의 기록에 의하면 65년이다.

『후한서』(後漢書) 「초왕영전」(楚王英傳)이다.

유영(劉英)은 ……만년에 황로(黃老)를 더 좋아하였으며, 부도(浮屠, 부처)를 배워 재계(齋戒)와 제사(祭祀)를 행하였다.12)

여기에서 부도는 부처를 의미한다는데 그에게 재계와 제사를 하였다고 한다.13)

후한(後漢) 환제(桓帝) 때의 기록이다.

화려한 휘장을 설치하고 부도(浮屠)와 노자(老子)의 사당을 세워 제사를 지냈다.14)

---

10) 구보타 료온[久保田量遠], 『中國儒佛道三敎의 만남』, 최준식 옮김, 민족사, 1990, 15, 41쪽.
11) 토오도오 교순·시오이리 료오도, 『中國불교사』, 21-22쪽.
12) 『後漢書』 「楚王英傳」: "英 ……晚節更喜黃老, 學爲浮屠, 齋戒·祭祀."
13) 구보타 료온[久保田量遠], 『中國儒佛道三敎의 만남』, 16쪽. "이 당시는 초왕 영이 黃老의 가르침을 신봉하면서 동시에 불교에 대해서도 제사를 지냈다고 하는데, 이것으로 보면 불교가 독립적으로 믿어졌던 것이 아니라 황로학과 병행해서 존숭되었던 것을 알 수 있다."

이상의 내용은 초기 중국 불교의 상황을 간략히 보여준다.

인도 불교의 중국 전래 과정은 두 가지 흐름이 있다. 육로와 해로를 통한 전래이다. 그렇지만 주로 육로(즉 북방)를 통해 전래되었다.

인도 불교가 중국에 들어오면서 의탁 불교 시대, 격의 불교 시대, 본의 불교 시대, 중국 불교의 단계를 거쳐 왔다. 그러므로 전체적으로 보면 도불교섭사(道佛交涉史)라고 말할 수 있다. 이 과정에서 도교와 불교는 비판과 논쟁을 통해 서로 영향을 주고받았다.15)

중국 불교철학은 인도에서 전래한 불교로 인해 발생한 종교철학이다. 불교가 중국에 전래된 후, 그것은 중국 고유의 전통사상, 주로 儒家, 그 다음으로는 道家, 玄學家의 사상, 그리고 중국 고유의 미신관념 등과 서로 접촉하고, 격돌하고, 투쟁하고, 융합하면서 자신을 부단히 개조하고 변화시켜 가며 발전하였다. 그리하여 독특한 성격을 가진 새로운 학설, 새로운 체계가 형성되었다. 이것은 중국 불교철학이 인도의 불교이론을 흡수하고, 중국 고유의 전통사상을 섭취하고 그것을 융합·개조하여 형성된 새로운 사상임을 말해 준다. 그러므로 그것은 인도의 불교사상과도 다르고, 중국의 유가, 도가 등의 전통사상과도 다르다. 그것은 중국화한 불교철학이 되어 중국 철학 사상의 큰 흐름 속에 들어가 중국 전통사상의 일부분을 이루었다.16)

---

14) 『後漢書』「孝桓帝紀」: "設華蓋以祠浮圖·老子."
15) 중국의 도불 교섭사에서 중요한 내용은 도교도와 불교도의 논쟁, 그리고 그 과정에서 나온 노자화호설(老子化胡說), 노자작불설(老子作佛說), 삼성화현설(三聖化現說), 노자비대현론(老子非大賢論), 노자불타설(老子佛陀說) 등이 있다.
16) 方立天, 『불교철학개론』, 43-44쪽.

1. 의탁 불교 시대

의탁 불교는 불교가 도가사상의 한 일파로 이해되던 시기의 불교이다. "중국의 황로사상, 특히 신선술법(神仙術法)의 사상이 융성하였기 때문에 불교가 전래되던 초기에는 의식(儀式) 형태로서의 불교가 황로방술(黃老方術) 사상에 의탁이 되어 중국 전역에 성행하게 되었다."17) 다시 말해 초기에 "전래된 불교가 老子敎와 매우 유사한 것으로 받아들여졌다"는 것이다.18)

그런데 동한시대에는 黃老學이 유행했기 때문에 중국인들은 종종 불교와 황로학을 같은 종류라고 보고, 禪學을 道를 배워 신선이 되는 方術의 하나라고 생각했다.19)

중국에 불교가 전래하던 초기에는 불교를 독립적으로 존숭하거나 제사를 지낸 것이 아니라 대부분 황로학과 같이 존숭하거나 제사를 하였다.20) 그러므로 의탁 불교는 기본적으로 오해에 기초한 것으로 볼 수 있다.

2. 격의 불교 시대

---

17) 金得晩,「曇濟六家七宗試評」, 韓國哲學研究會,『哲學研究』第30·31輯, 1980·1981, 261쪽.
18) 구보타 료온[久保田量遠],『中國儒佛道三敎의 만남』, 15쪽.
19) 方立天,『불교철학개론』, 44쪽.
20) 구보타 료온[久保田量遠],『中國儒佛道三敎의 만남』, 16쪽.

  격의 불교는 불교와 비슷한 도가사상의 개념, 즉 노자의 무(無)나 장자의 소요 개념을 빌려 공(空) 사상을 이해하던 시기의 불교이다. 이것은 '개념의 짝짓기'(格義) 작업으로,21) "인도 정신과 중국 정신의 교섭이라는 이 기념비적인 인류문화사의 사건"이다.22)

  이 격의 불교는 "東漢末에서부터 東晉十六國 鳩摩羅什과 그의 제자 僧肇에 의해 中國 般若學이 완성되기 이전까지의 시기를 말한다."23) 그런데 "대·소승 경전이 함께 한역되고 반야공 사상을 격의 불교로 이해했던 초기 중국 불교에서 반야의 의미가 깨달음을 추구하는 지혜나 계·정·혜의 지혜를 넘어서 대승의 반야바라밀로 이해되는 데는 반야경이 한역된 이후에도 오랜 시간이 소요되었다."24) 이것은 너무도 당연한 현상이다. 한 문화권의 문화가 다른 문화권에 전해질 때는 그 문화권의 기존 관념을 통해, 즉 기존의 관념으로 이해할 수밖에 없기 때문이다. 그런데 이 과정에서 오해/곡해가 발생하게 된다. 이것은 전래하는 초기 단계에서 발생하는 것이다.

  이 격의 불교는 다시 말해 "불교 수용의 태도 속에서 유교와 도교에 연관시켜 불교를 이해"하는 방식이다.25) 그렇지만 이것은 이전의 의탁 불교처럼, 불교를 도교의 한 분파로 이해한 것이 아니라 도교와

---

21) 박태원, 「중국 불교의 도입과 수용-전개와 착근의 사상사적 의미」, 136쪽.
22) 같은 논문, 137쪽.
23) 金鎭戌, 「格義佛敎新探」, 韓國佛敎學會, 『韓國佛敎學』 제30집, 2001, 320쪽.
24) 최은영, 「초기 중국불교에서 반야에 대한 이해(1)-2종반야와 3종반야의 전개를 중심으로」, 동아시아불교문화학회, 『동아시아불교문화』 36집, 2018, 5쪽.
25) 토오도오 교순·시오이리 료오도, 『中國불교사』, 37쪽.

제10장 중국철학 9 중국 불교

불교가 서로 다른 사상이고, 특히 불교가 외래사상이라는 점을 인식한
것이다. 다시 말해 중국에 불교가 전래하던 초기에 중국 고유 사상을
바탕으로 외래사상이었던 불교를 이해하는 방식이다.26) 이것은 외래사
상을 이해할 때 초기에 나타나는 기본적인 현상이다.

　인도 불교가 들어왔을 때 중국 사상 가운데서도 특히 현학(玄學, 도가사
상에 뿌리를 둔 위진남북조시대의 철학 사조)의 용어와 개념들이 번역에 이
용되었다. 따라서 격의 불교는 노자와 장자로 대표되는 도가사상을 교두보
로 삼아 인도 불교가 중국에 진출하는 과정이라고 할 수 있다.27)

이처럼 인도 불교가 중국에 전해지는 과정에서 위진시대의 현학이
중요한 역할을 하였다. 그것은 외형적으로 볼 때 불교와 도가철학이
유사했기 때문이다.

　불교가 도가식 사유를 업고 나타나게 된 배경에는 '현학'(玄學)이라는 독
특한 사상 조류가 있었다. 현학이란 유가와 도가의 절충적 사유를 보이는
위진 남북조 시대의 사조를 말한다.28)

물론 이것은 당연히 잘못된 이해/해석이다.

　印度에서 불교가 처음 중국에 수입되어 왔을 때 그 교리의 핵심인 "니어
바나"(Nirvana)는 中國發音으로 "니에판"(涅槃)으로 음역되는데(물론 한역

---

26) 김선희, 『동양철학 스케치 1』, 215쪽.
27) 위와 같음.
28) 같은 책, 216쪽.

ㄷ아시의 정확한 발음이 니에판이었는지는 좀 더 깊은 성운학적 연구가 필요하다), 이 涅槃은 중국인에게 아무런 의미 내용을 지닐 수 없었다. 그러므로 "니어바나"에 해당되는 중국인의 생활공간 속에서의 의미체계를 찾다 보니까 등장한 것이 『老子』와 『莊子』에서 빈번히 쓰는 "無爲"(wu-wei)라는 개념이었다. 그러므로 초기 불교에 있어서는 "니어바나"는 "우웨이"로 번역되고, "우웨이"는 중국인에게 의미를 갖게 된다. 그러나 이러한 格義的 번역방식의 난점은 "니어바나"라는 개념이 "우웨이"에 의하여 변질되는 위험성이다. 즉 불가의 "니어바나"가 도가의 "우웨이"의 내연 속으로 들어와 버리는 것이다. "니어바나"와 "우웨이"가 개념상 동일하다면 문제는 없다. 그러나 개념상의 차이가 나타날 때 이러한 번역은 문제성을 드러낸다.

"니어바나"와 "우웨이"는 인간의 도덕적 시비선악을 떠나서 고통이 없는, 모종의 단련을 거쳐 도달하는 경지라는 의미에서는 동일할 수 있지만, 전자는 제거의 대상인 고통이 개인적 측면이 강하다고 한다면 후자는 사회적 측면이 강하고, 전자는 종교적 판단에 기초하고 있다고 한다면 후자는 심미적 판단에 기초하고, 전자는 苦를 대상으로 하는 데 반하여 후자는 欲을 대상으로 하는 등, 兩者의 개념상 차이는 무시할 수 없는 것으로 남는다.[29]

따라서 이 격의 불교 단계에서 중국인이 이해한 인도 불교란 중국인에 의한 중국식 이해로 많은 부분 오해되었다. 그렇지만 그렇다고 해서 무조건 부정적으로만 볼 일은 아니다. 사실 외래문화를 이해한다는 것은 이러한 격의의 과정을 거칠 수밖에 없다.

중국 불교의 형성 과정에서 이 격의 불교는 인도 불교의 경전을 번역하는 과정에서 발생하였다. 그 근본 원인은 크게 두 가지로 볼 수 있다.[30] 첫째, 인도 불교의 반야학과 관련한 문헌의 번역이 부족하였

---

29) 김용옥, 『동양학 어떻게 할 것인가』, 통나무, 1986, 154쪽.
30) 侯外廬·趙紀彬·杜國庠·邱漢生, 『中國思想通史』(第三卷 魏晉南北朝思想), 人民

다는 점이다. 둘째, 인도 불교 문헌의 번역이 부정확했다는 점이다. 이 격의 불교의 그 대표적인 종파에 관한 기록은 담제(曇濟)의 『육가 칠종론』(六家七宗論)이다. 이 '육가칠종'은 격의지학(格義之學)의 산물이 다.31) 그런데 이 '육가칠종'은 특히 동진시대 현학가들이 현ㄴ학 개념으로 불교의 '공' 사상을 해석한 것이다.32)

이것과 관련한 기록이 『고승전』(高僧傳) 「명승전초담제전」(名僧傳鈔 曇濟傳)에 보인다.

> 육가칠종(六家七宗)은 본무9本無), 본무이(本無異), 즉색(卽色), 심무(心無), 연회(緣會), 환화(幻化), 식함(識含)을 말한다.33)

보창(寶唱)의 『속법론』(續法論)에서도 이 '육가칠종'에 관한 기록이 있다.

> 송(宋)나라 때 석담제(釋曇濟)가 『육가칠종론』(六家七宗論)을 지었다. 이 논에 육가(六家)가 있는데 나뉘어 칠종(七宗)이 되었다. 하나는 '본무종'(本無宗)이고, 둘은 '본무이종'(本無異宗)이며, 셋은 '즉색종'(卽色宗)이고, 셋은 '심무종'(心無宗)이며, 다섯은 '식함종'(識含宗)이고, 여섯은 '환화종'(幻化宗)이며, 일곱은 '연회종'(緣會宗)이다. 지금 여기에서 '육가'라 말하는 것은 '칠종' 가운데에서 '본무이종'을 제외한 것이다.34)

出版社, 1980, 426-427쪽.
31) 金得晩,「曇濟六家七宗試評」, 259쪽.
32) 같은 논문, 262쪽.
33) 『高僧傳』 권8 「曇濟傳」: "六家七宗曰: '本無·本無異·卽色·心無·緣會·幻化·識含也.'"
34) 『大正藏』 권65: "宋曇濟作六家七宗論, 論有六家, 分成七宗. 一本無宗, 二本無異宗, 三卽色宗, 四心無宗, 五識含宗, 六幻化宗, 七緣會宗. 今此言六家者,

이 글에서도 '칠종'은 본무종(本無宗)·본무이종(本無異宗)·즉색종(卽色宗)·식함종(識含宗)·환화종(幻化宗)·심무종(心無宗)·연회종(緣會宗)이라고 하였다. 이 가운데 '본무이종'을 제외한 여섯이 '육가'이다. 그러므로 여기에서 '가'(家)와 '종'(宗)은 기본적으로 같은 의미로 이해할 수 있다.

이 '육가칠종'은 불교의 반야학(般若學)을 중국 전통사상, 즉 특히 도가의 현학(玄學)을 통해 이해한 것이다.

동진(東晉) 초기에 선진 도가(先秦道家)에 기대어 불교의 공(空)을 우주 생성의 실체로서 이해하였던 격의는 이후의 본말유무(本末有無)의 우주 본체론적 문제로 반야 사상을 해석하는 과도기적 격의로 볼 수 있을 것이다.[35]

이 '육가칠종'은 ①도안(道安)의 '본무종', ②축법심(竺法深)·축법태(竺法汰)의 '본무이종', ③지도림(支道林, 支遁)의 '즉색종', ④우법개(于法開)의 '식함종', ⑤도일(道壹)의 '환화종', ⑥지민도(支愍度)·축법온(竺法蘊)·도항(道恒)의 '심무종', ⑦우도수(于道邃)의 '연회종'이다.[36] 그런데 이것은 크게 셋으로 나눌 수 있다.[37] 첫째, '본무'·'본무이'이다. 이것은 "본체적 공무를 해석하는 종파"이다. 둘째, '즉색'·'식함'·'환화'·'연회'이다. 이 종파는 "색즉시무"(色卽是無)를 주장한다. 셋째, '즉색'이

于七宗中除本無異宗也."
35) 원필성, 「格義佛敎에 대한 재고-釋道安의 例를 중심으로-」, 동국대학교 불교문화연구원, 『佛敎學報』 58, 2011, 48-49쪽.
36) 侯外廬·趙紀彬·杜國庠·邱漢生, 『中國思想通史』(第三卷 魏晉南北朝思想), 426쪽.
37) 金得晩, 「疊濟六家七宗試評」, 263쪽.

다. 이 종파는 심신(心神)만이 '무'(無)라는 입장이다. 그런데 승조는 이 가운데 '본무'·'심무'가 각기 독립적인 일파를 이루는 것 이외의 4가(家) '즉색'·'식함'·'환화'·'연회'는 즉색파(종)에 귀결할 수 있다고 하였다.[38]

이 '육가칠종'의 기본 관점을 정리하면 다음과 같다. 첫째, 도안의 '본무종'은 본래 본무(本無)를 진여(眞如)로 해석하는 것으로 제법(諸法)의 본성이 근본적으로 공적(空寂)하다는 것이다. 다시 말해 도안은 '적멸'(寂滅)·'공적'(空寂)으로 세간에 있는 모든 존재[有], 즉 만사만물(萬事萬物)의 진제(眞諦)를 설명한다.[39] 그런데 승조는 이 본무가는 "유와 무의 相卽 관계를 相離 관계로 바꾸어 '無'를 강조한 것은 잘못이라고 생각하였다."[40] 둘째, 축법심·축법태의 '본무이종'은 "공(空)에 대한 본무(本無)의 이론"인데 "공에 대한 유무 관계"로 "화유입무"(化有入無)라는 관점이다. 그런 까닭에 "유(有)는 무(無)로 인하여 성립하고, 무는 유에 의해 나타난다"는 것이다.[41] 셋째, 지도림의 '즉색종'은 "색(色) 그 자체가 독립적으로 실재(實在) 불가능하다는 것"을 말한다. 이것은 "현상적 색 스스로가 자기의 본성을 찾을 수 없고, 반드시 '인연'을 통해서 생기(生起)하는 것이라고 본다."[42] 그러나 "즉색가는 물질 현상에 자신의 주체가 없는 것만을 말했지, 물질 현상 자체가 비물질적이라는 것은 인식하지 못했다."[43] 넷째, 우법개의 '식함종'은 "세계 만물이 모두 망령된 心識의 변화라고 하였다."[44] 다섯째, 도일의 '환화종'

---

38) 侯外廬·趙紀彬·杜國庠·邱漢生, 『中國思想通史』(第三卷 魏晉南北朝思想), 425-426쪽.
39) 金得晩, 「曇濟六家七宗試評」, 262쪽.
40) 方立天, 『불교철학개론』, 47쪽.
41) 金得晩, 「曇濟六家七宗試評」, 270쪽.
42) 같은 논문, 268쪽.
43) 方立天, 『불교철학개론』, 47쪽.

은 "세계 만물이 모두 幻像같다"고 말하였다.45) 여섯째, 지민도·축법온·도항의 '심무종'은 외물에 대해 유(有, 있다), 무(無, 없다)라는 집착의 마음을 일으키지 말 것을 주장하였다.46) 일곱째, 우도수의 '연회종'은 "세계 만물은 모두 인연이 화합하여 생긴 것이므로 실체가 없다"고 하였다.47)

승조(僧肇)는 이렇게 정리하였다.

본무(本無)·실상(實相)·법성(法性)·성공(性空)·연회(緣會)는 한 가지 의미이다. ……이것은 '본무'로 일심 그 자체를 삼고, '연회'로 일심의 현상적인 작용으로 삼았으며, '실상'·'법성'·'성공'은 모두가 일심의 진여로 이룬 현상 만법의 의미이다. 그렇기에 이 다섯은 '하나의 의미일 뿐이다'(一義耳)고 말하였다.48)

그리고 이어서 이 다섯 가지가 한 가지 의미인 그 구체적인 이유를 다음과 같이 설명하였다.

'본무'(本無)란 번뇌가 고요히 사라진 '일심'(一心)에는 결국 하나의 법도 없고, 육진(六塵)의 경계로 나타나는 일체의 차별적인 모습을 떠나서 범부와 성인이라고 하는 상대적인 경지가 멀리 단절되었음을 지적한 것이다. 그 때문에 본래 차별적인 법의 모습이 없는 것을 '본무'라고 말한 것이지 의식적인 사변으로 추리하여 모든 법을 없게 한 것은 아니다. 왜냐하면 육진의 경

---

44) 같은 책, 45쪽.
45) 위와 같음.
46) 위와 같음.
47) 같은 책, 46쪽.
48) 『肇論』「宗本義」: "本無·實相·法性·性空·緣會, 一義耳. ……是以本無, 爲一心之體, 緣會爲一心之用, 實相·法性·性空, 皆一心所成萬法之義, 故曰一心耳."

계로 나타난 일체의 모든 차별적인 법은 모두 일심이 인연을 따라 변화하여 나타난 것이기 때문이다.49)

'일심' 자체는 본래 나타남이 없고 인연이 화합하여 나왔을 뿐이다. 그렇기에 '본무'의 '일심'이 인연으로 회합하여 나왔다고 하여 '연회'(緣會)라 말하였다.50)

인연으로 회합하여 나타난 현상의 모든 법은 본래 실체가 없고 인연으로 나왔기 때문에 '공'(空)이다. 그렇기에 그 자체를 '성공'(性空)이라 말하였다.51)

제법 전체가 '성공'인 진여가 변화한 것이다. 그렇기에 이것을 제법의 성품이라고 하여 '법성'(法性)이라 말하였다.52)

진여성공(眞如性空)의 법성으로 이루어진 모든 법에서 진여에는 현상의 차별적인 모습이 없다. 그러므로 모든 법의 본체인 진여성공에는 번뇌가 고요히 소멸하였다. 그렇기에 이것을 제법의 실제 모습인 '실상'(實相)이라 말하였다.53)

김주경은 "교리 이해의 측면에서 본다면 육가설은 이론 체계가 없고, 불교 교리의 이해 자체가 미숙하다고 말할 수 있다. 하지만 육가설은 불교가 중국화 되어가는 과정을 나타낸 과도기적 사유 체계로 여겨야 한다"고 지적하였다.54) 너무도 당연한 말이다.

---

49) 위와 같음: "本無者, 直指寂滅一心, 了無一法, 離一切相, 迥絶聖凡, 故曰本無, 非推之使無也. 以一切諸法, 皆一心隨緣之所變現."
50) 위와 같음: "心本無生, 但緣會而生, 故曰緣會."
51) 위와 같음: "以緣生諸法, 本無實體, 緣生故空, 故曰性空."
52) 위와 같음: "以全體眞如所變, 故曰法性."
53) 위와 같음: "眞如法性所成諸法, 眞如無相, 故諸法本體寂滅, 故曰實相."
54) 김주경, 「格義佛教時代의 '空'에 대한 논쟁」, 『東洋思想』 제29집, 1998, 150쪽. (원필성, 「格義佛教에 대한 재고-釋道安의 例를 중심으로-」, 49쪽 각주 6. 재인용.)

동양철학 이야기-전통사상과 근대(제2권)

여징(呂澂)은 이렇게 말하였다.

구마라집 이전의 불교 교학의 상황은 승예(僧叡)의 『비마라힐제경소서』(毘摩羅詰提經疏序)에 의거하면 대개 '격의'와 '육가'의 두 가지 분야가 있었다. 서문에서 말하기를 "……격의는 본래 의미를 어긋나고 멀어지게 하였고, 육가는 편벽되고 가까이할 수 없다"라고 하였다.[55]

이 기록에 의하면 '격의'와 '육가' 모두 불교의 본래 뜻을 파악하지 못한 이론/해석/이해라는 것이다. 그러므로 "격의 불교의 이와 같은 형식은 중국에 불교가 전해진 지 얼마 지나지 않은 4세기 초기에 이르기까지 불교를 이해하는 사람이 많지 않았기 때문에 대부분 유가나 도가와 같은 불교 외의 사상을 빌려 불교의 이치를 설명하는 방편"이었다.[56] 그렇지만 격의를 무조건 부정적으로 볼 필요는 없다. 왜냐하면 "격의의 커다란 공헌은 현학가들로 하여금 자국의 고유한 사상, 즉 노장사상을 근거로 해서 불교의 원초적 이론의 새로운 의미를 무색하여 토착화하게 한 데 있었"기 때문이다.[57] 이러한 격의 불교의 해석이 정당한지 아닌지와는 상관없이 서로 다른 문화 사이에 이해/해석에서 이러한 격의의 방법은 당연히 필요한 어쩔 수 없는 과정이라고 생각한다. 그러지만 그렇다고 해서 격의 방법에 따른 해석이 정당하다는 것은 아니다. 인도불교를 올바르게 이해하기 위해서는 이 격의 단계를 지나 좀 더 깊은 이해/해석의 과정이 필요하기 때문이다.

55) 呂澂, 『중국불교학 강의』, 각소 옮김, 민족사, 1992, 78쪽. (원필성, 「格義佛教에 대한 재고-釋道安의 例를 중심으로-」, 51쪽. 재인용.)
56) 원필성, 「格義佛教에 대한 재고-釋道安의 例를 중심으로-」, 52쪽.
57) 金得晚, 「曇濟六家七宗試評」, 259쪽.

3. 본의 불교 시대

본의 불교는 불교 사상이 본격적으로 이해되기 시작한 시기의 불교
이다. 이 단계에서 중요한 문제는 번역을 통한 이해/해석의 과정이다.
우리가 흔히 번역을 '창조적 오해'라고 말하는 것처럼, 한 언어에서
다른 언어로 번역하는 작업은 단순히 두 언어를 이해한다고 해서 가
능한 일은 아니다. 더 근본적으로 두 문화에 대한 깊은 이해가 없으면
불가능한 것이다.

번역은 단순히 외래문자를 자국문자로 바꾸면 그 작업이 완전히 끝나는
것이 아니다. 그것은 문자가 문화의 산물이며 문자의 번역은 문화의 번역이
기도 하기 때문이다. 따라서 서로 다른 민족의 언어를 비슷한 단어나 범주
를 찾아 번역한다는 것은 표면상(일시적)으로는 통용될 수 있지만, 문화적
차이에서 오는 이질감은 지속적으로 존재할 마련이고, 또한 이를 해소시키
기가 쉽지가 않는 것이다. 그리고 특히 번역의 대상이 오랜 역사적 과정을
거쳐 완성된 종교적 개념을 포함하고 있을 경우에는 서로 다른 문화로 인해
발생하는 이질감에 대한 해소가 더욱 어려운 것이다. 왜냐하면 이러한 종교
개념들은 대부분 그 종교가 발생하게 되는 민족들의 고유한 사고와 생활 방
식 등의 다양한 요소들이 뿌리를 내리고 있기 때문에 이를 번역한다는 것은
하나의 문자를 번역해서 해결할 수 없으며, 그 개념 속에 있는 다양한 요소
들도 함께 번역되어야 하기 때문이다.[58]

---

58) 같은 논문, 53쪽.

윌리엄. O. 콰인(Willard van Orman Quine, 1908-2000)은 '번역의 불확정성 원리'를 제시하였다.

한 언어를 다른 언어로 번역하는 경우 관찰할 수 있는 언어 성향의 총화와 일치하는 여러 가지의 각기 다른 번역을 할 수 있는데, 이때 어느 번역이 올바른 번역이냐고 묻는 것은 헛된 일이다. 이것이 **번역의 불확정성 원리**이다.[59] (밑줄과 강조는 인용자)

이것은 "번역이란 두 언어 사이에 공통으로 들어 있는 그 어떤 제삼의 의미의 동일성을 통해 이루어지는 단순한 기호와 교환 과정이라는 신념은 거짓된 것"이라는 의미이다.[60]

김용옥은 『동양학 어떻게 할 것인가』에서 다음과 같이 번역의 문제를 지적하였다.

우리 동양학도들은 번역이라는 문제가 단순히 문자의 옮김에서 끝나는 것이 아니라 이와 같이 전 세계적인 정치 사건까지 유발시킬 수 있는 거대한 그리고 심원한 事象들의 연계 속에서 이해되어야 한다는 사실을 새삼 자각해야 할 필요가 있다.[61]

그러므로 한 언어에서 다른 언어로 '번역'하는 과정은 일정 기간 오해/곡해/몰이해가 수반될 수밖에 없다. 이것이 앞에서 말한 의탁 불

---

59) W. O. Quine, *Word and Object*, 1960, p.27, (이명현, 「Quine의 원초적 번역의 불확정성론: 그 비판적 검토」, 철학연구회, 『철학연구』 제9집, 1974, 73쪽. 재인용.)
60) 위와 같음.
61) 김용옥, 『동양학 어떻게 할 것인가』, 167쪽.

교, 격의 불교 과정에 있었던 상황이다. 그러나 본의 불교 단계에서도 이러한 위험성은 여전히 존재한다. 어떤 면에서 '번역'을 통한 '이해'가 가능한 거인지 그 자체가 문제가 될 수도 있다.

본의 불교 단계에서 중요한 인물은 구마라집과 그의 제자 승조이다.

(1) 구마라집

구마라집(Kumārajīva, 鳩摩羅什, 343/344-413, 350-4099)[62]은 구자국(Kucīna, 龜玆國) 출신의 승려이다. 그는 용수(龍樹, 약 150-250)의 공관(空觀) 불교를 중국에 전하였다.[63] 구마라집은 중국의 401년 요진(姚秦) 홍시(弘始) 3년 장안으로 와 불경을 번역하였다. 그리고 413년 홍시 15년에 죽었다. 그러므로 그가 중국에 와 활동한 기간은 약 12년 정도이다.[64]

구마라집이 번역한 불교 문헌은 70부 384권으로 경전(經典)·논서(論書)·율(律) 등 매우 다양하다. 여기에는 이전에 이미 다른 사람이 번역한 것을 다시 번역한 중역(重譯)과 그가 새로 번역한 신역(新譯)이 있다. 그는 당시 중국 불교계에서 성행하고 있던 대품과 소품의 두 『반야경』(般若經)·『유마경』(維摩經)·『법화경』(法華經) 등은 오류와 부정확한

---

62) 탕용동, 『한위양진남북조 불교사 2』, 장순용 옮김, 學古房, 2014, 583쪽. "구마라집 법사는 대체로 진(晉)나라 강제(康帝) 때(343년 혹은 344년) 구자국에서 태어났다.; 일본학자 츠카모토[塚本善隆]는 대략 350년-409년이라고 한다. (토오도오 교순·시오이리 료오도, 『中國불교사』, 94쪽.)

63) 玉城康四郎·鎌田茂雄·關口眞大 外, 『중국불교의 思想』, 鄭舜日 譯, 民族社, 1989, 32쪽.

64) 탕용동, 『한위양진남북조 불교사 2』, 583쪽.

것을 바로 잡아 의미가 잘 통하도록 한 중역에 해당하고, 『중론』(中論) 등 반야사상과 관계가 깊은 용수와 제바니 논저, 계율과 선관에 관한 『십송율』(十頌律)·『좌선삼매경』(坐禪三昧經) 등은 신역에 해당한다.65)

구마라집이 쓰거나 번역한 경전은 『대품반야』(大品般若), 『소품반야』(小品般若), 『금강반야』(金剛般若), 『유마경』(維摩經), 『십주경』(十住經), 『법화경』(法華經), 『아미타경』(阿彌陀經) 등이 있고, 논서는 『중론』(中論), 『백론』(百論), 『십이문론』(十二門論), 『대지도론』(大智度論), 『십주비바사론』(十住毘婆沙論), 『성실론』(成實論) 등이 있으며, 율에는 『십송율』(十頌律)이 있다.66) 그가 번역한 『중론』·『백론』·『십이문론』은 삼론종(三論宗), 『성실론』은 성실종(成實宗)을 일으켰다. 또 『법화경』은 천태종(天台宗)과 관련이 있고, 『아미타경』(阿彌陀經)과 『십주비파사론』(十住毘頗沙論)은 정토종(淨土宗)의 이론서가 되었으며, 『미륵성불경』(彌勒成佛經)은 미륵신앙을 발전시켰다. 『법망경』(法網經)은 대승계(大乘戒)를 소개하였고, 『십송율』은 계율 연구의 자료가 되었다. 이상과 같이 그의 불교 경전 번역은 중국인의 불교에 관한 오해와 한계를 극복하게 하였다.67)

구마라집은 번역 과정에서 내용의 생략과 보충이라는 취사선택을 하였다.

구마라집의 번역에 대해서 의심스럽게 생각되는 것은 현존 『대지도론』(大智度論) 100권 중 초품만이 완전 번역이고 거기에 34권이나 할애를 하고

65) 토오도오 교순·시오이리 료오도, 『中國불교사』, 94쪽.
66) 玉城康四郎·鎌田茂雄·關口眞大 外, 『중국불교의 思想』, 6-7쪽.
67) 박태원, 「중국 불교의 도입과 수용-전개와 착근의 사상사적 의미」, 145쪽; 토오도오 교순·시오이리 료오도, 『中國불교사』, 96쪽.

있는데, 제2품 이하는 요점만을 발췌하여 번역했다는 점이다. ……이러한 산략(刪略)은 이외에도 있는데, 구마라집은 왜 이러한 산략을 결심하고 단행한 것일까? 그것은 다만 경전이 말하는 근본 의취를 명료하게 해야한다는 점에 있었을 것이다. 그의 번역 문장에는 **원문에서 언급하고 있지 않은 깊은 의미에 관한 설명을 덧붙이고** 있는 경우가 있기 때문에, 단순히 번잡한 것을 피하기 위해 축약했다고는 볼 수 없다. 따라서 그의 번역은 **자신의 학식과 식견에 의거하여 원문의 취사나 보충 설명**도 했다고 보아야만 한다.[68] (강조와 밑줄은 인용자)

그가 인도 불교의 문헌을 한자로 번역을 하면서 '생략'·'설명'·'취사'·'보충'을 한 것은 그 의미를 분명히 하려는 의도였지만, 그러한 과정은 당연히 의미의 변화를 만들 수밖에 없었을 것이다.

이런 외적인 사정과 함께 외래 불교 자체를 중국인의 체질에 맞추기 위한 내적인 전개도 필요했다. 말하자면 사상·습속·풍토가 다른 인도 불교는 중국인에게 수용되기 위해서 변용될 필요가 있었던 것이다. 중국인의 습속에 걸맞는 종교 의례나 경전을 번역하는 데서도, 개산(改刪)·협입(夾入)·부가(附加)·증광(增廣)의 과정이 진행되어 위경이 제작되게 이른다. 이처럼 표면적인 중국화는 불교사상의 내용을 변용시키기까지 전개되지 않을 수 없었다.[69]

구마라집은 또 번역 과정에서 여러 가지 불교 용어/개념을 만들었다. 이것은 단순한 번역 작업이 아니라 매우 뛰어난 창조적인 과정이

---

68) 토오도오 교순·시오이리 료오도, 『中國불교사』, 95-96쪽.
69) 같은 책, 294쪽.

지만, 다른 한 편으로 보면 어떤 면에서 왜곡일 수도 있었다. 이것은 번역 작업이 갖는 한계 또는 창의적 측면이다.

탕용동은 구마라집 학문의 종지를 네 가지로 정리하였다.[70] 첫째, 그는 『반야』와 『삼론』의 불학을 가장 중시하였다. 둘째, 그는 소승의 일체가 유(有)라는 설을 배척하였다. 셋째, 그에 의해 무아(無我)의 뜻이 비로소 크게 밝혀졌다. 넷째, 그의 학설은 필경공(畢竟空, 공함도 없고 공함이 없음도 없음)을 주장한다.

(2) 승조

승조(僧肇, 374/384-414)는 구마리집의 제자이다. 그는 구마라집이 인도불교의 경전을 한역할 때 활동했던 인물이다. 그의 저작으로 『조론』(肇論)이 있다.[71] 이 책에는 4편의 논문이 있다. 그것은 「물불천론」(物不遷論), 「부진공론」(不眞空論), 「반야무지론」(般若無知論), 「열반무명론」(涅槃無名論)[72]이다. 당연히 이 4편의 논문은 불교의 반야학에

---

70) 탕용동, 『한위양진남북조 불교사 2』, 632-645쪽. 참조 요약.
71) 僧肇法師, 『肇論』, 송찬우 옮김, 경서원, 2019.
72) 金珠經, 「僧肇의 涅槃無名論 성립에 관한 諸問題」, 한국불교학회, 『한국불교학』 23, 1997. "『肇論』 안에서 승조 찬술이 아니라고 의심받는 것으로 「宗本義」와 「涅槃無名論」이 있다. 「종본의」는 후대의 학인들이 『조론』으로 묶으면서 四論의 상관관계에 맞추어 덧붙인 大要라고 하는데, 이 점에 대해서는 대다수의 학자들 사이에 異論이 거의 없다. 「열반무명론」에 대해서는 1938년에 중국의 학자 湯用彤이 위작일 가능성이 있다고 제기한 이후 많은 학자들 사이에 견해가 엇갈리고 있다."(598쪽) "필자가 보기에 사상가에게 있어 문제는 고유한것이기 때문에, 중국학자가 문체 문제를 가지고 진위를논한다면 거의 결정적일 수도 있다고 본다. 그렇지만 승조 사상 체계에 입각해 본다면 「열반무명론」은 배제할 수 없다. 이 논은 승조가 죽기

보이는 '공'이란 관점을 핵심으로 하였다.

「物不遷論」은 物의 운동과 時間性에 대해, 「不盡空論」은 空의 의미에 대해, 「般若無知論」은 般若가 分別하는 知識으로는 얻어지지 않는다는 것에 대해, 「涅槃無名論」은 緣起諸法과 涅槃이 다르지 않다는 것에 대해 논증한다. ……「物不遷論」에서 實相은 動과 靜의 차별을 넘어서 있고, 「不盡空論」에서 空은 緣起와 다르지 않고, 또한 現象은 實相과 다르지 않으며, 「般若無知論」에서 般若는 差別的이며 分別的인 知識으로 얻어지는 것이 아니고, 「涅槃無名論」에서 涅槃은 모든 衆生에게 평등한 一乘이다.[73]

중국학자 탕용동(湯用彤, 1893-1964)은 "한마디로 말해서 승조의 학설은 '체(體)이면서 바로 용(用)'이라고 한다"고 말하였다.[74] 그리고 이어서 다음과 같이 평가하였다.

그가 지은 『물불천론』, 『부진공론』 및 『반야무지론』 세 가지는 중국과 인도의 의리(義理)를 융화해 회통했고, 체용(體用) 문제에 대해서도 깊고 절실한 깨달음[證知]이 있었으며, 게다가 지극히 아름답고 유력한 문자로 그 뜻을 표현했기 때문에 중국 철학에서 가장 가치 있는 저작이다.[75]

전에 저술한 것이기 때문에, 대략적으로 서술해 놓고 문장을미처 다듬지 못했을 수도 있다고 본다. 문체가 간혹 이질적이라면 후대인이 筆寫하면서 문장을 손질했을 것이라고 보고 싶다."(610쪽.)

73) 이호석, 「僧肇의 常滅本性과 宗密의 本覺眞心 비교-僧肇의 「涅槃無名論」과 宗密의 『原人論』에 한정하여」, 연세대학교 국학연구원, 『東方學志』 제154집, 2011, 6쪽.

74) 탕용동, 『한위양진남북조 불교사 2』, 659쪽.

75) 위와 같음.

　승조는 「물불천론」에서 진제(眞諦)와 속제(俗諦)의 관계 문제를 '물불천'(物不遷)으로 설명하였다.

　'물'(物)이란 관찰할 객관인 현상의 만법을 지적한 것이고, '불천'(不遷)은 만법 자체가 성공실상(性空實相)인데, 범부(凡夫)가 허망한 마음으로 만법을 보면 마치 변하는 것이 있는 것 같다는 말이다.76)

　이것은 현학의 관점으로 반야학을 설명하는 방식을 비판한 것이고, 현학에서 말하는 '유'와 '무'에 대한 해석이 잘못되었음을 나타낸 것이다. 현학은 '유'(有) 또는 '무'(無) 가운데 어느 하나를 근본으로 생각하였다. 그러나 승조는 이 두 가지 관점 모두 잘못되었다고 지적하였다.

　반드시 움직이는 모든 현상의 모습에서 고요한 진공을 구해야만 한다. 그러므로 비록 움직이면서도 항상 고요하다. 움직임을 버리지 않고 고요함을 구하기에 비록 고요하여도 움직임을 떠나지 않는다.77)

　이것은 '움직임'[動]과 '고요함'[靜]을 통해 이 둘을 떠나지 않는 도리를 설명하였다. 이러한 관점은 '유'를 떠나지 않으면서 '무'를 구하고, '무'를 떠나지 않으면서 '유'를 구하는 논리로 현학의 '유'와 '무'에 치우친 관점을 비판한 것이다. 승조는 『중론』을 중국인들에게 이해하도록 풀이함과 동시에 『주역』이나 『장자』 등에서 설해진 현상계 일체 존재들의 변화와 사건들에 관한 정의를 일종의 俗諦로 자리매김하

---

76) 『肇論』「物不遷論」: "物者, 指所觀之萬法. 不遷, 指諸法當體之實相. 以常情妄見諸法, 似有."
77) 위와 같음: "必求靜於諸動, 故雖動而常靜; 不釋動而求靜, 故雖靜而不離動."

되 지양하려는 목적도 가지고 「물불천론」을 썼다"고 하는데,78) 즉 "無常에 집착하는 소승과 설일체유부의 실체론적 학설을 중관학으로 논파하고, 중국 전통 철학에 기반을 둔 현상론을 속제로 매김함과 동시에 지양하려는 의도로 「물불천론」을 썼다"는 것이다.79)

탕용동은 다음과 같이 말하였다.

> 그가 지은 논문들 중에 『물불천론』이 가장 중요하다. 『물불천론』에서 "반드시 온갖 움직임[動]에서 고요함[靜]을 구해야 하고, 움직임을 버리지 않고 고요함을 구해야 한다"고 말하고, 또 "고요하면서도 항상 흘러가고, 흘러가면서도 항상 고요하다"고 말한 것은 모두 움직임이 바로 고요함임을 주장하는 것이다.80)

구미숙은 승조가 이 글을 쓴 저작 동기에 관해 이렇게 설명하였다.

> 승조가 사람들의 상식을 비판한다는 것은 글 서두에서 보았지만, 현학가들의 無를 비판하기 위해서라는 내용은 본문에서 직접 확인할 수 없다. ……현학가의 無를 비판하기 위해서라는 것도 승조의 시대적 상황에서 이들 사상의 영향을 받지 않을 수 없었겠지만 「물불천론」에서 직접적으로 이에 대해 언급하는 것은 없다. 다만 글 이면에 깔린 그의 사상적 배경으로 추정할 수 있을 뿐이다.81)

---

78) 김주경, 「物不遷論 저술 의도의 검토」, 한국불교학회, 『한국불교학』, 2010, 280쪽.
79) 구미숙, 「僧肇의 「物不遷論」에 있어서 운동부정의 논리와 중국불교적 성격」, 동아시아불교문화학회, 『동아시아불교문화』 제17집, 2014, 161쪽.
80) 탕용동, 『한위양진남북조 불교사 2』, 659쪽.
81) 구미숙, 「僧肇의 「物不遷論」에 있어서 운동부정의 논리와 중국불교적 성격」, 162쪽.

 물론 승조의 이 글에서는 '유'와 '무'에 관한 직접적인 비판은 없다. 다만 '동'과 '정'을 통해 '운동 부정'을 밝히고 있다. 그러나 승조의 '동'과 '정'에 대한 비판은 이런 구조를 분명히 보여준다.

 승조는 「부진공론」에서 '육가칠종' 가운데 '심무'·'즉색'·'본무' 3가를 중심으로 그 문제점을 논의하였다.

 [心無家] 본래 마음이 고요하다는 것[神靜]에서는 얻은 바가 있지만, 만물이 허망하다는 것[物虛]에서는 잃은 바가 있다.82)

 [卽色家] 무릇 '색'(色)을 말하는 자는 어떤 '색'을 곧 (어떤) '색'이 (결정)되는 것이라 하지만, 어찌 (어떤) '색'을 (그 어떤) '색'이라 한 뒤에 '색'이 되겠는가? 이것은 진실로 단지 '색'이 스스로 '색'이라 하는 것이 아니라는 것을 말한 것일 뿐이니, (참으로) '색'이 '색'이 아니라는 것을 깨닫지 못한 것이다.83)

 [本無家] '본무'(本無)는 정감으로 '무'(無)를 숭하여 말할 때마다 '무'를 귀하게 여긴 것이 많다. 그러므로 '비유'(非有)에 대해서는 '유'(有)가 없다고 말하고, '비무'(非無)에 대해 '무' 역시 없다고 한다. 그렇지만 무릇 그 글의 근본 취지[本旨]를 고찰하면 단지 '비유'란 '진유'(眞有)가 아니라는 의미이고, '비무'란 '진무'(眞無)가 아니라는 의미일 뿐이다. 어찌 '비유'가 이 '유'가 없다는 의미이고, '비무'가 이 '무'가 없다는 의미이겠는가?84)

---

82)『肇論』「不眞空論」: "得在於神靜, 失在於物虛."
83) 위와 같음: "夫言色者, 但當色卽色, 豈待色色而後爲色哉? 此眞語色不自色, 未領色之非色也."
84) 위와 같음: "本無者, 情尙於無, 多觸言以賓無. 故非有, 有卽無; 非無, 無亦無. 尋夫立文之本旨者, 眞以非有非眞有, 非無非眞無耳. 何必非有無此有, 非無無彼無?"

승조에 의하면 그가 말하는 '비유비무'(非有非無)에서 '비유'(非有)는 '진유'(眞有)가 아니고, '비무'(非無)는 '진무'(眞無)가 아니라는 것이다.[85] 왜 '부진공'(不眞空)인가? 만물에는 진실성, 즉 변하지 않는 본성이 없지만, 그렇다고 해서 존재하지 않는 것은 아니고, 다만 만물은 허망하여 진실하지 않은 것, 즉 '공'이기에 '진실하지 않은 존재'라는 것이다.[86]

이것은 곧 비유(非有)이고 속제(俗諦)의 사물은 연생(緣生)이기 때문에 진실하게 존재하지 않다고 한 것이며, 비무(非無)는 진공(眞空)이면서 묘유(妙有)이기 때문에 진공으로 없는 것이 아니라는 의미였을 뿐이다. 하필이면 비유(非有)라 했다고 하여 속제의 유(有)가 없다고 하였겠으며, 비무(非無)라고 하여 진제(眞諦)의 무(無)마저 없다고 하겠는가?[87]

승조에 의하면 "물(物)의 개념에는 현상적 사물과 사건을 지칭하면서도 동시에 그 속에 상호의존적 연기성과 유동적 변화성이 깔려있어 이미 타물(他物)과 격절성을 가지고는 독립된 존재가 아니다. 즉 차이성과 통일성을 동시에 그려낸다. ……그것은 상호 상입(相入)적이며 변화의 가변성 속에 열려 있다."[88] 이것을 '연기적 생성론의 세계관'이라고 말할 수 있다.

---

85) 方立天, 『불교철학개론』, 47쪽.
86) 위와 같음.
87) 『肇論』「不眞空論」: "直以非有, 非眞有. 非無, 非眞無耳. 何必非有無此有, 非無彼無?"
88) 황상진, 「승조법사가 사물의 운동과 변화를 부정한 이유-제논의 역설과 비교하여」, 한국불교사연구소, 『文学史学哲学』 제64호, 2021, 214쪽.

이를 연기적 생성론의 세계관의 표현으로 바꾼다면 '물 된 것'[所物]은 생성된 사물 즉 '생성자'(生成者)이고, '물 되게 하는 것'[可物]은 생성자가 생성되어 가게 하는 작용력으로서 '생성성'(生成性) 그 자체라고 할 수 있을 것이다. ⋯⋯본체-현상의 이원론에서 말하는 불변의 본체는 현상의 시공을 초월한 불변성이지만 물(物)을 물 되게 하는 형이상적 통일 원리는 시공의 현상 속에 내재한다. 따라서 생성은 생성자의 생성인 것이다. ⋯⋯생성은 개별적 생성자에 내재하면서 생성자를 초월하는 관계에 있다. 생성은 개별적 생성자를 초월하는 범주이지만 그 생성은 어디까지나 생성자의 생성이기 때문에 내재적이다.89)

그러므로 "동일자 그 자체가 무상한 것이다. 생성자 그 자체가 생성하기 때문에 무상이라고 한다. 그러므로 진정으로 무상하다고 하려면 사물이 변천은 부정되어야 한다."90)

승조가 운동을 부정하는 의도는 생성 자체로서의 운동을 부정한 게 아니고 생성자들의 운동을 부정한 것이다. 생성자의 거래(去來를 부정함으로써 오히려 생생불식(生生不息) 하는 생성의 역동성을 드러내려 한다. 생성성의 역동성 속에서는 생성자의 동정(動靜)이 상즉(相卽)한다.91)

승조는 「반야무지론」에서 상즉(相卽)의 논리를 전개하였다.

'작용'[用]이 '고요함'[寂]이요, '고요함'이 곧 '작용'이다. '작용'과 '고요함'은 '본체'[體]가 '하나'[一]이다. 함께 나오지만 이름을 달리한다.92)

---

89) 같은 논문, 216쪽.
90) 같은 논문, 219쪽.
91) 같은 논문, 222쪽.

이 논리는 노자 『도덕경』 제1장의 논리와 비슷하다. 실제로 이 단락의 뒷부분 내용 "함께 나오지만 이름을 달리한다"(同出而異名)는 제1장의 문장에서 나온 것이다.

승조는 이러한 논리에 기초하여 '지'(知)와 '무지'(無知)의 관계를 논의하였다.

무릇 아는 것이 있으면 알지 못하는 것이 있다. 성인의 마음[聖人心]은 무지(無知)로 알기에 알지 못하는[不知] 것이 없다. 알지 못하는 것으로 알기에 '일체지'(一切知)라고 말한다.[93]

그러므로 승조가 말하는 반야에서의 무지(無知)는 '무지'가 아니라 '참된 지혜'[眞知], 즉 '일체지'가 된다. 그러므로 "성인은 언어와 개념에 토대한 사유의 조작 즉 희론의 구조를 자각하였으므로 개념에 속박된 사유를 하지 않는다."[94]

다음은 「열반무명론」이다.

유(有)는 무(無)로 인하여 있고, 무는 유로 인하여 없다는 것이다. 유는 유라고 칭할 바가 없고, 무는 무라고 칭할 바가 있다. 그러므로 유는 무에서 생겨나고, 무는 유에서 생겨난다. 유를 떠나면 무는 없고, 무를 떠나면 유는 없다. 유와 무는 서로 생겨나게 한다.[95]

---

92) 『肇論』「般若無知論」: "用卽寂, 寂卽用. 用寂體一, 동출이이명."
93) 위와 같음: "夫有所知, 則有所不知. 以聖人心無知, 故無所不知, 不知之知, 乃曰一切知."
94) 김현구, 「승조의 상즉관에 대한 인도 중관학파적 리뷰」, 동아시아불교문화학회, 『동아시아불교문화』 25집, 2016, 237쪽.

　그런데 "緣起는 오직 現象的인 俗諦만을 설명할 수 있을 뿐, 涅槃眞諦는 緣起로 설명되지 않는다는 점"을 알아야 한다.96) 왜냐하면 "涅槃은 緣起空으로 설명할 수 있는 대상이 아닌 것"이기 때문이다.97)

　　열반(涅槃)은 있지도 않고도 없지도 않다. 말이 끊어지고, 마음의 행함도 멸한 곳이다.98)

　사실 이러한 논리 구조는 위진 현학의 '유'·'무' 논쟁에 대한 불교적 사유를 통한 비판적 극복이라고 할 수 있다.

　　僧肇는 그때까지 전개해 온 有無의 개념을 계승발전시켜 萬物은 一切가 假相에 기대어 그것을 걸머져 立論의 바탕으로 하기 때문에 非有요, 非無이며 그 實相은 體·用의 일치에서만이 眞實이요, 因緣 안에서만 眞空이요, 동시에 妙有인 것이다. ……즉 非非有 非非無의 재부정을 거쳐 本然의 긍정을 낳고 住無住 相無相을 깨닫게 되는 것이다.99)

　승조가 말한 '열반'의 특징은 "세속의 유위 세계에서 뛰어넘는 것을 제창하면서도 유위 세계를 떠나지 않은 채로 무위한 세계를 긍정하는 것이다."100)

---

95) 『肇論』「涅槃無名論」: "有者有於無, 無者無於有. 有無所以稱有, 無有所以稱有. 然則有生於無, 無生於有. 離有無無, 離無無有, 有無相生."
96) 이호석, 「僧肇의 常滅本性과 宗密의 本覺眞心 비교-僧肇의 「涅槃無名論」과 宗密의 『原人論』에 한정하여」, 9쪽.
97) 같은 논문, 10쪽.
98) 『肇論』「涅槃無名論」: "涅槃非有, 亦復非無, 言語道斷, 心行處滅."
99) 金珠經, 「僧肇의 涅槃無名論 성립에 관한 諸問題」, 614쪽.

이상의 논의를 종합하면, 승조의 불교 사상에서 대체로 「물불천론」
은 속제(俗諦)에 해당하고, 「부진공론」은 진제(眞諦)에 일치하는 것이
며, 이 진제와 속에라는 이제(二諦)로 관찰할 대상의 세계로 삼는데
「반야무지론」은 이 대상의 세계를 관찰하는 주관적인 수행의 인지(因
地)가 되고, 「열반무명론」은 이것을 통해 얻은 과덕(果德)이다.[101]

4. 중국 불교 시대

중국 불교 시대는 중국인의 시각, 즉 중국인의 가치 관념으로 불교
를 해석한 독창적인 불교 시대이다. 다시 말해 중국 불교는 원래의 인
도 불교와는 아주 다른, 새롭게 창조된 불교이다.

인도 불교와 중국 불교의 차이에 있다. 이 개념은 중국인들이 중국
의 사유 방식으로 불교를 이해할 때 매우 유용한 개념이다.[102] 중국
불교는 불성(佛性)이라는 진여(眞如)가 항상 편재하고 있으므로 모든
중생은 불성이 있고, 따라서 부처가 될 수 있다고 한다.

중국에 유전된 불교는 한결같이 석가를 교조로 하여 '成佛을 구하는 종
교'임에는 틀림없지만, 여러 가지 서로 다른 교설이 수용되었다. 그 가운데
서 중국의 불교도가 선택하여 그 경전에 의해서만 구원을 받는다고 하는 자
각을 갖고 중국인에 맞도록 중국 사회에 수용된 불교가 '중국 불교'이다. 그

---

100) 같은 논문, 621쪽.
101) 僧肇法師, 『肇論』, 33쪽.
102) 이호석, 「僧肇의 常滅本性과 宗密의 本覺眞心 비교-僧肇의 「涅槃無名論」
    과 宗密의 『原人論』에 한정하여」, 4쪽.

것은 인도 불교나 중앙아시아 불교, 실론 불교가 아니라 어디까지나 중국 독자의 불교였다.[103]

제2절 중국 불교의 특징

중국 불교와 인도 불교의 차이점은 무엇인가? 즉 중국 불교의 특징은 무엇인가?

임계유는 중국 불교의 특징을 4가지로 설명하였다.[104] 그것은 ①변화성[不停頓], ②조화성[協調性], ③창조성(創造性), ④융합성[三敎合一]이다. 그 구체적인 내용을 살펴보면 다음과 같다.

첫째, 변화성이다.

위진남북조 시기에 이르자 불교와 현학이 배합되었는데 당시의 사대부들은 이러한 경향에 경도되었다. 이후 중국 사회의 역사가 부단히 전진함에 따라 불교 역시 사회의 시대적 수요에 배합하여 부단히 충실하게 되었는데 그 형식과 내용을 변화시키고 자신을 발전시켜 중국의 문화, 철학의 내용을 충실하게 하였다.[105]

둘째, 조화성이다.

인도 불교의 대승과 소승, 다른 학파가 모두 전후로 하여서 들어 온 뒤

---

103) 窪德忠·西順藏 엮음, 『중국종교사』, 84쪽.
104) 任繼愈, 『漢唐佛敎思想論集』, 1-10쪽 참조 요약.
105) 같은 책, 1쪽.

에 내부에 모순이 발생하였다. ……중국 불교는 그것과 동시에 병존하던 교화 사상 유파 및 서로 다른 종교신앙 역시 시대에 따라 용납·흡수·협조의 태도를 취하였다.106)

셋째, 창조성이다.

중국 불교의 창조성을 가장 잘 나타낸 것은 중국 불교 중의 수많은 종파를 개창한 인물의 저작이다. ……이러한 저작(經·論·疏·抄)은 적게는 몇 권, 많게는 수십 권, 수백 권인데 중국 불교의 내용을 풍부하게 하여 불교 이론 연구의 새로운 국면을 개창하였다.107)

넷째, 융합성이다.

수당(隋唐) 이전에는 삼교(三敎)가 정립하여 각각 자신의 교파를 정통이라고 표방하였다. 교파 사이의 세력에는 차이가 있지만, 그러나 전체적인 추세는 협력하여 전진하는 것이었다. 삼교 가운데 유가(儒家)가 주류였고, 불교[釋]와 도교[道]는 보조적이었다.108)

방립천은 중국의 불교 철학은 "인도의 불교 이론을 흡수하고, 중국 고유의 전통 사상을 섭취하고, 그것을 융합·개조하여 형성된 새로운 사상"이라고 말하였다.109) 그러므로 중국의 불교 사상은 "인도의 불교 사상과도 다르고, 중국의 유가, 도가 등의 전통 사상과도 다르다. 그

---

106) 같은 책, 2-3쪽.
107) 같은 책, 5쪽.
108) 같은 책, 6쪽.
109) 方立天, 『불교철학개론』, 43쪽.

것은 중국화한 불교 철학이 되어 중국 철학사상의 큰 흐름에 들어가 중국 전통 사상의 일부분을 이루었다."110)

인도 불교가 중국 불교로 변화하는 과정을 보면 ①번역, ②해석, ③ 창조의 단계라는 것을 알 수 있다.

제3절 중국 불교의 중요 종파

중국 불교가 중국에서 성장·발전 과정에 수많은 종파가 생겨났다. 그 여러 가지 종파 중에는 삼론종(三論宗)·성실종(成實宗)·열반종(涅槃宗)·지론종(地論宗)·섭론종(攝論宗)·선종(禪宗)·천태종(天台宗)·정토종(淨土宗)·밀종(密宗, 즉 密教) 등이 있다. 그 가운데 어느 종파는 학파적 성격이 강하고, 어떤 종파는 학파적 성격과 함께 교단으로서 종파적 성격도 강하다. 천태종과 화엄종은 불교 교학의 완성으로 쌍벽을 이루고, 정토종과 선종은 실천적으로 가장 대표적인 종파이다.111) 그 가운데 중요한 종파는 천태종, 화엄종, 정토종, 선종 등이다. 이것을 중국 불교의 '4대 종파'라고 부른다. 여기에 밀종을 더하여 5대 종파라고 한다112)

중국 불교 각 종파의 핵심 내용을 간략히 정리하면 다음과 같다.113)

---

110) 같은 책, 43-44쪽.
111) 敎養敎材編纂委員會 編, 『佛敎文化史』, 東國大學校 出版部, 1995, 85쪽.
112) 이병욱, 『천태사상』, 태학사, 2005, 12쪽.
113) 이와 관련한 내용은 高崎直道 원저, 『불교입문』, 洪思誠 편역, 우리출판사, 1997, 215-224쪽 참조 요약; 方立天, 『불교철학개론』, 53-67쪽 참조 요약.

① 삼론종(三論宗)

구마라습(鳩摩羅什)의 제자들이 전한 종파로 수나라 때 길장(吉藏, 549-623)에 의해 교리가 확립되었다. 여기에서 '삼론'(三論)은 인도불교 중관학파의 저작인 나가르주나[龍樹]의 『중론』(中論), 『십이문론』(十二門論), 아리야데바[提婆]의 『백론』(百論)이다. 길장은 『삼론현의』(三論玄義), 『대승현론』(大乘玄論)을 저술하였다. 그는 여러 저술에서 공(空)과 반야(般若)의 교의를 밝혔다.

인도 중관학파의 이제(二諦), 팔불중도(八不中道)를 계승하고 해석하였다.

②천태종(天台宗)

혜문(惠文, 약 6세기), 혜사(惠思, 515-577)를 이어 제3조 지의(智顗, 538-597)에 의해 교학이 대성하였다. 천태종의 중요 저작으로 『법화경』(法華經), 『법화문구』(法華文句), 『法華玄義』, 『마하지관』(摩訶止觀) 등이 있다. 그밖에 담연(湛然, 711-782의 『금강비』(金剛錍), 『종시심요』(終始心要) 등이 있다. 그 가운데 중심 경전은 『법화경』이다. 천태 지의는 지관(止觀)이라는 수행 체계를 조직하였다. 이 종파의 교학은 삼제원융(三諦圓融), 일념삼천(一念三千), 십계호구(十界互具)의 성구설(性具說) 등이다.

지의는 혜문의 '일심삼관'(一心三觀)을 계승, 발전하여 '공'(空), '가'(假), '중'(中) 삼제(三諦)를 말하였다. 이것을 삼제원융'(三諦圓融)의 설이라고 한다. 이 '삼제'는 '일심'(一心) 안에 동시에 존재하는 것으로, '공', '가', '중'은 서로 원용하여 방해하지 않고 완전히 통일되어 있다.

지의는 혜사의 '십여'(十如) 사상을 이어받아 '일념삼천'(一念三千)의 이론을 제시하였다. 여기에서 '일념'은 곧 '일심'이고, '삼천'은 우주 전체이다. 그러므로 이 '일념삼천'이란 우주 전체가 심념(心念)의 활동 가운데 존재하는 것이라는 의미이다.

③ 삼계교(三階敎)

북제(北齊) 말 말법사상이 유행하였는데 이 종파는 신행(信行)을 강조하였다. 이 종파는 불교의 발전을 정(正), 상(象), 말(末) 세 단계로 나눈다. 그런데 지금은 말법 시대이기 때문에 보불(普佛), 보법(普法)을 숭앙해야 한다고 하였다.

④정토교(淨土敎)

말법 시대에는 시대인식으로 정토왕생(淨土往生)을 가르침으로 하였다. 북위의 담란(曇鸞, 476-542)이 세친(世親)의 『정토론』(淨土論)에 주석을 하였는데 염불을 주장하였다. 당나라 때 도작(道綽, 562-645)이 『관무량수경』(觀無量壽經)에 근거하여 교의를 확립하였고, 그의 제자 선도(善導, 613-681)가 완성하였다. 그의 정토사상은 『관경소』(觀經疏)에서 살펴볼 수 있다. 이 종파는 새로운 종교운동으로 중국 민중에게 큰 영향을 주었다.

⑤ 선종(禪宗)

선종은 불심종(佛心宗)이라고도 한다. 이 종파는 보리달마를 제1조로 한다. 제6조 혜능(惠能, 638-713)에 의해 완성되었다. 선종은 혜능의 남종선(南宗禪)과 신수(神秀)의 북종선(北宗禪)이 있다. 뒤에 남종선이 주류가 되었다. 남종선은 혜능 이후 마조(馬祖)와 석두(石頭)에 의해 임제(臨濟), 조동(曹洞), 운문(雲門), 법안(法眼), 위앙(潙仰)이라는 오가칠종(五家七宗)으로 발전하였다.

선종은 교외별전(敎外別傳), 불립문자(不立文字), 직지인심(直指人心),

견성성불(見性成佛) 등을 주장하였다.

⑥ 법상종(法相宗)

현장(玄奘, 600-664)의 제자 규기(窺基, 632-682)가 개창하였다. 이 종파의 종지는 『성유식론』(成唯識論)을 기초로 하는데, 또 『구사론』(俱舍論) 등의 아비달마교학(阿毗達磨敎學)도 있다.

⑦ 화엄종(華嚴宗)

두순(杜順, 557-640), 지엄(智儼, 602-668), 법장(法藏, 643-712)에 의해 체계화되었다. 그 뒤 징관(澄觀, 738-839), 종밀(宗密, 780-841) 등에 의해 더욱 발전하였다. 『화엄경』(華嚴經)을 중심 경전으로 한다. 천태종과 함께 중국 최고의 불교 철학이다.

화엄종은 『화엄경』의 교리를 중중무진(重重無盡)의 법계연기(法界緣起)로 해석하였다. 지엄의 저작으로 『화엄경수현기』(華嚴經搜玄記), 『화엄일승십현문』(華嚴一乘十玄門), 『화엄공목장』(華嚴孔目章) 등이 있다.

법장은 법계연기설(法界緣起說)을 세웠다. 여기에서 '법계연기'는 세계의 일체 현상이 모두 서로 의지하고 인과관계를 맺고 있기 때문에 서로 연결되고 포섭되어 원융무애(圓融無碍)하다는 것이다. 그는 네 가지 법계설, 육상(六相), 십현(十玄) 등의 법문으로 법계연기를 설명하는 독특한 이론 체계를 수립하였다.

⑧ 율종(律宗)

도안(道安)은 중국 교단 제도를 계율(戒律)로 정리하였다. 그 뒤 『사분율』(四分律)에 근거하여 수계 작법과 여러 제도와 계율의 연구가 이루어졌다. 도선(道宣, 596-667)의 남산율종(南山律宗)이 있다.

⑨ 밀교(密敎)

선무외(善無畏, 637-735)의 『대일경』, 금강지(金剛智)와 불공(不空)의

『금강정경』(金剛頂經)이 있다.

제11장 중국철학 10

도학(4) 위진 현학

제11장 중국철학 10
도학(4) 위진 현학

제1절 위진 현학의 시대적 배경

후한(後漢) 중기 이후 한나라 정권은 외척과 환관에 의해 농단되었다. 그 결과 외척과 환관에 대한 비판적인 사대부 관료들의 정치집단이 형성되었다. 사대부 관료들은 청의(淸議)를 통해 정치적 비판을 하였는데 '인물평'(人物評)이 그 대표적인 방법이었다. 그런데 사대부 관료들에 의한 외척과 환관에 대한 이러한 정치적 비판은 결과적으로 당고(黨錮)를 불러들였다.

한편으로 강력한 힘을 가진 지주들은 탐욕스럽게 토지의 약탈과 부의 집중에 힘써 백성들은 큰 고통에 빠지게 되었다. 당시 백성들은 지주들의 착취와 자연재해로 도탄에 빠지게 되었는데 힘이 없는 백성들은 삶의 고통을 종교적 힘에 의탁하여 해결할 수밖에 없었다. 그 결과 184년에 장각(張角)이 이끄는 태평도(太平道)에 의한 농민기의(農民起義), 즉 황건대기의(黃巾大起義)가 발생하였다.

양한시대 때 학술은 처음에는 황로학이 유행하여 문경지치(文景之治)라는 뛰어난 정치적 업적을 이루어졌지만 한 무제(武帝)가 동중서(董仲舒)의 건의를 받아들이면서 점차 유학을 독존하게 되었다. 동중서가 주장한 천인감응설(天人感應說)은 음양재이(陰陽災異)를 바탕으로 한 학설로 종교적 색채가 강하였다. 당시 주도적 입장에 서 있었던 금문경학(今文經學)은 뒤에 참위(讖緯)와 결합하여 참위신학사상(讖緯神學思想)이 되었다. 참위는 종교적 예언인데, 종교적 미신으로 경학을 해석한 것이다. 고문경학(古文經學)은 금문경학에 대해 비판적 입장이었다.

후한은 220년 조조(曹操)의 아들 문제(文帝) 조비(曹丕)가 위(魏)나라를 세우면서 멸망하였다. 이때부터 점차 위(魏)·촉(蜀)·오(吳) 삼국시대가 펼쳐진다.

위나라는 문제 조비가 226년에 죽자 그의 아들 명제(明帝) 조예(曹叡) 재위에 올랐으며, 조예가 239년에 죽자 8세의 어린 조방(曹芳)이 즉위하였다. 그런데 정시(正始) 10년(249년) 사마의(司馬懿)가 쿠데타를 일으켜 위나라 정권을 장악하였다.

위진 현학은 이러한 정치·사회적 격변기의 산물이다. 위진 현학이 발생한 사상적 원인은 한대 유학의 점진적 쇠퇴와 날로 증가하는 한대 도가의 자연주의적 사상의 발흥이 변화하면서 생겨났다. 사회적 원인은 위진시대 정치와 경제가 발전하는 중에 나타났다.[1] 그러므로 위

---

1) 許抗生·李中華·陳戰國·那薇, 『위진현학사』(상), 김백희 역, 세창출판사, 2013, 8쪽.

진현학은 "당시 현실 정치의 요구에 적응하여 발생한 것"으로, "바로 현실 사회의 산물인 것이다."[2]

위진 현학의 논리적·인식론적 방향은 유무(有無) 논쟁으로 나타났고, 사회·정치적 방향으로는 명교(名敎)와 자연(自然)의 논쟁으로 나타났다.[3] 우리는 이것을 현학의 이론적 측면(天道)과 현실적/실천적 측면(人事)이라고 말할 수 있다. 다시 말해 위진 현학의 핵심 주제는 이론적으로는 본체와 현상의 관계를 유·무 논쟁으로 표현했다면 실천적으로는 명교(名敎)와 자연(自然)의 통일로 나타났다. 여기에서 명교는 명분강상의 질서(名分綱常之序)와 이것을 이용하여 종법등급제도라는 정치윤리원칙을 옹호하는 것을 가리킨다. 자연은 본체론의 범주로 그 의미는 자연이연(自然而然), 자기이연(自己而然), 본연여차(本然如此)로 사람의 개체자아(個體自我), 순수 본성(純粹本性)을 가리킨다.[4] 위진 현학은 "내성"(內聖)의 학문으로 생명 존재에 관한 학문, 인생 가치에 관한 학문이다.[5] 그렇지만 또 "외왕"(外王)의 학문이기도 하다. 위진 현학의 특징은 도가를 중심으로 유가와 융합을 시도한 것이다. 다시 말해 위진 현학의 궁극적 목적은 정치윤리의 근거를 찾아 현실 문제의 해결에 있다고 말할 수 있다.

제2절 위진 현학의 분류

---

2) 같은 책, 97-98쪽.
3) 김시천, 「유무론을 통해 본 왕필의 '자연'과 '인식'의 문제」, 한국철학사상
   연구회, 『시대와 철학』 6, 1995, 242쪽.
4) 高晨陽, 『儒道會通與正始玄學』, 齊魯書社, 2000, 15-16쪽 참조 요약.
5) 같은 책, 5쪽.

현학은 일종의 본성학(本性學)으로 자연세계(우주의 자연, 온갖 사물)와 인류사회(사람)의 본성을 연구하는 하나의 학문이다. 그런데 현학은 선진시대 도가사상을 계승한 것으로 자연의 본성에 순응하는 것을 주장한 자연주의 철학이라고 말할 수 있다. 그러므로 신도가(新道家)라고 부른다.[6] 그렇지만 현학 역시 선진시대 도가철학과 마찬가지로 당시의 시대적 문제, 특히 정치 문제의 해결을 그 핵심 과제로 하였다.

위진 현학은 시기에 따라 몇 가지 단계로 구분한다.

중국학자 탕일개(湯一介, 1927-2014)는 『곽상과 위진현학』(郭象與魏晉玄學)에서 다음과 같이 분류하였다.

> 위진 현학에는 발전 과정이 있다. 조위(曹魏) 정시(正始) 연간(240-249년)의 왕필·하안에서 발전하여 죽림(竹林) 시기(254-262년)의 혜강·상수에 이르게 되었고, 또 발전하여 원강(元康)·영가(永嘉) 전후(290년 전후)의 배외(裴頠)·곽상에 이르게 되었으며, 동진시대에 이르러 장잠(張湛)·도안(道安)에 이르게 되었는데 이러한 발전이 분명히 당시 사회의 변동과 관련이 있다는 것은 의심의 여지가 없다.[7]

이 단락에서 탕일개는 위진 현학을 몇 가지 단계로 구분하였다. 그것을 정리하면 다음과 같다.

1. 240년-249년: 정시 현학. 하안, 왕필.

---

6) 許抗生·李中華·陳戰國·那薇, 『위진현학사』(상), 4쪽.
7) 湯一介, 『郭象與魏晉玄學』, 北京大學出版社, 2000, 1-2쪽.

2. 254년-262년: 죽림 현학. 혜강, 상수.

3. 290년 무렵: 원강 현학. 배위, 곽상.

4. 동진 시기: 상잠, 도안

물론 이외에도 다양한 인물이 있다.

정세근은 이것과는 다른 분류를 제시하였다. 즉 그는 탕일개와는 달리 "시대보다 사상의 성격에 따라 구분"하였는데 명교파(名敎派: 玄學派), 죽림파(竹林派: 自然派), 격의파(格義派: 般若派)로 분류하였다.8) 이러한 분류 방식 역시 의미가 있다.

탕일개는 또 각 시기 현학의 특징을 다음과 같이 정리하였다.

……정시(正始) 시기 왕필·하안의 "귀무"(貴無: "以無爲本")에서 발전하여 죽림(竹林) 시기 혜강(嵆康)의 "귀무"(貴無: "越名敎而任自然")와 상수(向秀)의 "숭유"(崇有: "以儒道爲一")에 이르고, 또 죽림 시기의 현학이 발전하여 원강(元康) 시기 배위(裴頠)의 "숭유"(崇有: "自生而必體有")와 곽상(郭象)의 "독화"(獨化: "物各自造")에 이르고, 동진(東晉) 시기에 이르러 장잠(張湛)의 "귀무"(貴無: "群有以至虛爲宗")와 도안(道安)의 "본무"(本無: "無在萬化之先")에 이르는……9)

여돈강(余敦康) 역시 위진 현학의 발전 첫 단계는 하안과 왕필이 '명교는 자연에 근본한다'는 명제에 근거하여 유도 두 학파의 동일성

---

8) 정세근, 「죽림칠현의 정체와 그 비판」, 한국동서철학회, 『동서철학연구 제21호, 2001, 61쪽. (임형석, 「완적의 대인 대망론-「통역론」의 새로운 독법-」, 한국유교학회, 『유교사상문화연구』 제85집, 2021, 161-162쪽, 각주 4 참조. 재인용.)

9) 湯一介, 『郭象與魏晉玄學』, 2쪽.

을 긍정적으로 논증하는 특징을 가지고, 두 번째 단계는 '월명교이임자연'(越名教而任自然)의 관점에서 도가를 숭상하고 유가를 반대하는 입장과 허무의 방탕한 풍속을 바로잡으려고 유가를 숭상하고 도가를 반대하는 관점 두 방향으로 전개된다고 하였다.10)

이상의 변화 과정을 살펴보면, 결국 위진 현학은 '귀무'(이상)와 '숭유'(현실)의 변주이다. '귀무'를 주장하는 것은 '숭유'의 문제점에 대한 비판과 보완이고, '숭유'를 주장하는 것은 현실에 대한 긍정이다. 그런데 '귀무'를 고민하지 않는 '숭유'는 현실에 대한 비판과 그 대안의 고민이 부족한 것이다. 이미 문제가 드러난 현실에 대해 고민하지 않고 단순히 긍정한다는 것은 그 현실이 안고 있는 문제를 고민하지 않겠다는 의미이기 때문이다. 그럴 때 곡학아세할 가능성이 매우 크다. 또 이와 반대로 죽림 현학처럼 만약 현실을 절대부정하고 그에 대한 아무런 현실적 대안이 없다면 그것은 단순히 부정을 위한 부정에 불과할 것이다. 여기에 죽림 현학의 비극이 있다. 물론 그 시대를 살았던 인물들에게는 아무런 현실적 출로가 보이지 않았을 것이다. 그렇지만 『춘추좌전』에서 말한 것처럼, 모름지기 학자는 현실에서 자기의 뜻을 얻지 못했을 때 '입언'(立言: 글을 남기는 것)이 필요하다.11) 그저 술을 마시고 광기를 부리는 것으로 자신의 책무를 다하는 것은 아니다.

---

10) 余敦康, 『魏晉玄學史』, 北京大學出版社, 2004, 1-2쪽. (이진용, 「배위 「숭유론」의 명교와 현학」, 한국양명학회, 『양명학』 제55호, 2019, 365-366쪽. 재인용.)

11) 『春秋左傳』 襄公 24년에서는 '삼불후'(三不朽: 세 가지 영원히 썩지 않는 것)를 말하였다. 그것은 입덕(立德)·입공(立功)·입언(立言)이다. "최고의 것은 덕을 세우는 것이며, 그다음은 공을 세우는 것이고, 그다음은 말을 세우는 것입니다. 이것은 세월이 지나도 없어지지 않는 것으로, 이것을 일러 썩지 않는 것이라고 합니다"(大上有立德, 其次有立功, 其次有立言. 雖久不廢, 此之謂不朽.)

위진 현학은 『노자』·『장자』·『주역』이라는 삼현(三玄)을 중심으로 논의를 전개한다. 그리고 위진 현학을 대표하는 인물로는 하안(何晏), 왕필(王弼), 상수(向秀), 완적(阮籍), 혜강(嵆康), 배위(裴頠), 곽상(郭象) 등이 있다.

제3절 정시 현학

정시 현학은 정시지음(正始之音)이라고 부르기도 하는데 위진시대 현학 발전에서 첫 번째 단계에 해당한다. 이 당시 "정시 현학가들은 도가사상을 기초로 하여 우주의 근본 법칙을 탐구하였고, 자연무위의 원칙으로 국가와 백성을 다스리는 방법과 인생의 처세(處世) 철학을 이끌어 내었다."[12] 정시 현학의 대표적인 인물은 하안과 왕필이다.

1. 하안

하안(何晏, 190?-249)[13]은 자(字)가 평숙(平叔) 또는 권평(權平)으로 남양원(南陽苑, 지금의 南陽) 사람이다. 그의 어머니가 조조의 아내가 되면서 양자가 되었다. 그리고 뒤에 조조의 딸과 결혼하여 사위가 되었다. 그러므로 그는 조위 정권 때 이부상서(吏部尙書)라는 매우 높은

---

12) 許抗生·李中華·陳戰國·那薇, 『위진현학사』(상), 105쪽.
13) 하안은 대략 190년 後漢 獻帝 初平 원년에 태어났다. (이재권, 「何晏의 玄學 思想」, 한국동서철학회, 『동서철학연구』 15, 1998, 88쪽.)

관직에 있었다.

　　하안은 이부상서(吏部尙書)로 지위가 높고 명망이 있었다.14)

　그리고 그는 또 청담(淸談)의 주도적 역할을 담당하였다.

　　정시(正始) 연간에 왕필(王弼)과 하안(何晏)은 현리(玄理)에 뛰어난 담론을
좋아하였는데 이에 세상 사람들은 그것을 귀하게 생각하였다.15)

　　조방(曹芳)의 정시(正始) 연간(240-249)에 하후현(夏侯玄)·하안(何晏)·
왕필(王弼)을 대표로 하는 현학은 귀무(貴無) 사상을 대표한다.16)

(1) 생애

　하안의 생애에 관한 기록으로 『삼국지』(三國志), 『세설신어』(世說新
語), 『태평어람』(太平御覽) 등이 있다.
　『세설신어』「문학」(文學)편이다.

　　하안은 어려서부터 뛰어난 재주가 있었다. 그는 『주역』과 『노자』에 대해
말을 잘하였다.17)

---

14) 『世說新語』「文學」권4: "何晏爲吏部尙書, 有位望."
15) 위와 같음: "正始中, 王弼·何晏好莊老玄勝之談, 而世遂貴焉."
16) 許抗生·李中華·陳戰國·那薇, 『위진현학사』(상), 9쪽.
17) 『世說新語』「文學」注: "晏少有異才, 善談『易』·『老』."

하안은 청언(淸言)을 잘하였으며, 당시에 권세가 높았다. 그러므로 천하에
청담을 말하는 선비들은 그를 종주로 숭상하는 자가 많았다.[18]

당시에 하안은 청담을 말하는 지식인이었으며, 동시에 이부상서(吏
部尙書)라는 높은 관직에 있던 권력자였다. 그러므로 그의 주위에는
많은 선비가 모여들었다.

하안과 왕필은 매우 친밀한 관계였다. 하안의 왕필에 대한 평가는
매우 높았다.

하안은 이부상서였는데 왕필의 재능이 매우 뛰어나다는 것을 잘 알았다.
감탄하여 말하였다. "중니(仲尼, 孔子)가 '후생이 두려워할 만하다'(後生可畏)
고 말하였는데 (왕필과 같은) 이런 사람이라면 함께 천지 사이의 일을 말할
수 있겠다."[19]

하평숙(何平叔)이 『노자』를 주석하여 처음 완성하자 왕보사(王輔嗣)를 찾
아갔다. (그는) 왕필의 『노자』 주석이 정미하고 뛰어난 것을 보고 마음으로
탄복하여 이렇게 말하였다. "이와 같은 사람이라면 천지 사이의 일을 논할
수 있겠다!" 그래서 자신이 주석한 책을 『도덕이론』(道德二論)이라 하였
다.[20]

이러한 기록이 어느 정도 과장되었을 가능성 역시 있다.

하안은 왕필보다 약 26세 많다. 그렇지만 하안은 어린 왕필의 재능

---

18) 위와 같음: "晏能淸言, 而當時權勢. 天下談士, 多宗尙之."
19) 『三國志』「魏書」「王弼傳」: "何晏爲吏部尙書, 甚奇弼. 歎之曰: '仲尼稱後生可
畏, 若斯人者, 可與言天地之際乎!'"
20) 『世說新語』「文學」第四: "何平叔注『老子』, 始成, 詣王輔嗣. 見王注精奇, 迺
神伏曰: '若斯人, 可與論天人之際矣!' 因以所注爲『道德二論』."

을 높게 평가하였다. 이것은 하안의 사람됨, 그 인품이 매우 높았다는 것을 보여준다. 하안과 왕필 이 두 사람의 철학적 경향 역시 비슷하였다. 우리는 이러한 기록을 통해 그의 인품과 함께 왕필과의 인간적인 관계, 그리고 철학적 사상 관계를 알 수 있다. 하안이 청담에 뛰어난 인물로 정치와 학술에서 중요한 역할을 담당했다는 것을 알 수 있다. 그렇지만 이러한 기록 역시 후대의 인물에 의해 쓴 글이기 때문에 취사선택해야 할 것이다. 전적으로 믿을 수는 없다.

하안은 정시(正始) 무렵 청담(淸談)의 핵심 인물이었다. 그는 249년 위(魏)나라 제왕(齊王) 가평(嘉平) 원년 사마씨 정권에 의해 죽었다.

하안의 저작으로 『논어집해』(論語集解), 『도덕론』(道德論), 『무명론』(無名論), 『도론』(道論), 『주역설』(周易說) 1권, 『주역해』(周易解), 『주역사기』(周易私記), 『주역강설』(周易講說), 『효경주』(孝經注) 1권, 『위명제시의』(魏明帝諡議) 2권, 『관로전』(管輅傳) 14권, 『악현』(樂懸) 1권 등이 있다. 이 저작 가운데에서 『논어집해』를 제외한 대부분의 저작은 이미 일실하였고, 『무명론』과 『도론』은 『도덕론』의 일부일 가능성이 있다고 말한다. 그가 남긴 대부분의 저작과 관련하여 『전삼국문』(全三國文)을 참고할 수 있다.[21]

(2) 철학

하안은 "유학과 도학을 절충시키려는 절충주의자이다."[22] 그렇지만

---

21) 許抗生·李中華·陳戰國·那薇, 『위진현학사』(상), 135-137쪽 참조 요약.
22) 이재권, 「魏晉時代 哲學의 道學化 傾向-魏初 何晏을 중심으로」, 大同哲學

이것은 그 한 사람에 해당하는 것이 아니라 명교와 자연의 관계라는 측면에서 보면 위진시대 때 모든 현학자에게 공통된 문제의식이었다. 그리고 어느 시대에나 제기될 수밖에 없는 인생의 근본 문제이기도 하다.

1) 도

도는 도학의 중심 개념이다. 그러므로 하안의 철학 역시 도를 핵심 개념으로 한다.

'유'(有, 있음, 존재)가 '유'가 되는 것은 '무'(無)에 의지하여 생겨난 것이다. '사'(事)가 '사'가 되는 것은 '무'로 말미암아 이루어진 것이다.[23]

하안은 '유'와 '사'의 근본을 '무'라고 표현하였다. 이것은 노자 철학의 관점을 계승한 것이다.

도가철학에서 '도'란 본체에 대한 가명(假名)에 불과하다. 도는 천지 만물을 하나로 뭉뚱그려 이름한 것에 불과하다. 그러므로 '도'는 어떤 실체가 아니다. 노자 철학에서 '도'는 '무'와 같은 개념이다.

2) 무명론

會, 『大同哲學』 제2집, 1998, 27쪽.
23) 『列子』 「天瑞」 張湛 注: "何晏『道論』曰: '有之爲有, 恃無以生; 事而爲事, 由無以成."

하안은 도를 무명이라고 말한다.

무릇 '도'라 하지만 말로 할 수 없고 이름을 붙였지만 이름으로 할 수 없다.[24]

이것은 도와 존재의 관계, 도와 언어의 관계를 논의한 것이다. 이러한 관점은 당연히 노자 철학에서 나온 것이다.

도는 말할 수 있으면 영원한 도가 아니다. 왜냐하면 (어떤 사물에 대한) 이름이란 이름을 붙일 수 있으면 영원한 이름이 아니기 때문이다.[25]

이처럼 노자는 도를 말할 수 없는 것, 명칭을 붙일 수 없는 것이라고 주장하였다. 그렇지만 노자 자신은 '도'라고 말하였고 명칭을 붙였다. 그러므로 노자 철학에서 '도'라고 말한 것, 명칭을 붙인 것은 어디까지나 방편이다.

이재권은 하안의 언의지변을 다른 학자들의 관점과 구별하기 위해 무명론이라고 말하였다. 그렇지만 무명론이라고 하든 언의지변이라고 하든 기본적으로 노자가 말하는 '도'는 '언어'로 지칭할 수 없다는 관점은 변함이 없다.

---

24) 위와 같음: "夫道之而無語, 名之而無名."
25) 『老子』 제1장: "道可道, 非常道, 名可名, 非常名."

3) 언의지변

하안은 '도'와 '언어'의 관계에 대해 이렇게 말하였다.

'앎'[知]이란 '뜻'[意]을 아는 것을 '앎'이라 한다. (그렇지만) '앎'을 말로 하는 것은 말로 (그 '앎'을) 반드시 완전히 드러낼 수 없다.[26]

위에서 말한 무명론과 언의지변은 모두 '도'와 '무'의 입장에서 '유'와 '사'를 논의한 것으로, '도'와 '무'를 근본으로 하고 '유'와 '사'를 말단으로 삼은 것이다. 그렇지만 여기에서 중요한 점은 그렇다고 해서 '유'와 '사'가 무의미하다는 것을 의미하지는 않는다. 사실 '유'와 '사'가 없는 '도'와 '무'는 무의미하기 때문이다. 이것은 명교(名敎)와 자연(自然)의 관계에서도 일관된 관점이다.

4) 유·도의 융합

우리는 흔히 도학을 주장하는 사람은 유학을 부정한다고 평가한다. 그러나 그렇게 단순히 생각할 문제가 아니다. 하안 역시 마찬가지이다. 그가 비록 도학을 중시했지만 그렇다고 유학을 부정한 것은 아니기 때문이다. 사실 중국철학에서 유학을 부정하고 도학만을 강조한 도학 학자는 없다고 말할 수 있다. 왜냐하면 인간의 삶이란 것이 유학(현실)을 부정할 수는 없기 때문이다. 우리는 누가 되었든, 그리고 싫

---

26) 皇侃, 『論語集解義疏』 권9 何晏 注:"知者, 知意之知也. 言知者, 言未必盡也."

든 좋든 상관없이 살아있는 동안에는 이 세상에서 살아갈 수밖에 없
는 운명이다. 설령 완적, 혜강과 같은 죽림칠현의 인물이라고 하더라
도 역시 마찬가지이다. 그들이 비록 명교를 부정하고 자연을 주장하였
지만, 그것은 어디까지나 명교와 자연의 분열을 의미하지 명교 자체를
완전히 부정한 것이라고 말할 수는 없다. 명교를 부정한 자연이란 원
래부터 불가능한 일이기 때문이다.

하안이 『논어』에 관한 주석을 남겼다는 것 역시 그가 그만큼 유학
을 중시했음을 반증한다. 그러므로 "하안의 도는 그가 도가의 사상으
로 유가의 사상을 해석하는 하나의 사례이며, 도가를 원용하여 유가를
해석하는 것"이다.27) 그렇다면 이처럼 하안이 유도합일(儒道合一) 또는
유도융합(儒道融合)을 주장한 이유는 무엇인가? 도가철학이 아무리 초
월을 말하고 현실을 부정 또는 비관적으로 평가한다고 하더라도 현실
에 대한 긍정이 없는 초월, 현실을 부정한 초월이란 사실 무의미한 것
이다. 그러므로 이 세상을 살아가는 인간이란 어차피 유도합일, 유도
융합은 어쩔 수 없는, 절대적으로 부정할 수 없는 객관적 실존이다.
이것과 관련하여 참고할 만한 것이 바로 하안과 왕필의 성인에 관한
무정론(無情論)과 유정론(有情論)의 논쟁이다.

> 하안은 성인에게 희로애락(喜怒哀樂)이 없다고 생각하였는데 그 논의가
> 매우 정미하였다. ……(그런데) 왕필은 동의하지 않았다. (그는) 성인이 다른
> 사람보다 뛰어난 점은 신명(神明)으로 오정(五情)은 다른 사람과 같다고 생
> 각하였다.28)

---

27) 許抗生·李中華·陳戰國·那薇, 『위진현학사』(상), 144쪽.
28) 『魏書』「鍾會傳」注「王弼傳」: "何晏以爲聖人無喜怒哀樂, 其論甚精. ……弼與
    不同, 以爲聖人茂於人者神明也, 同於人者五情也."

만약 하안의 논리대로 성인이 무정하다면 그런 성인은 현실 세계에 관심을 둘 필요가 없을 것이다. 그러나 만약 하안이 말하는 성인이 정에 끌려다니지 않는, 즉 정에 매이지 않는 사람이라면 하안의 무정론 역시 정당하다고 말할 수 있다. 그러나 만약 문자 그대로 성인이 '무정'한 존재라면 그런 존재는 무의미할 뿐이다. 그처럼 무정한 성인이 어떻게 세상의 고통에 대해 이해할 수 있겠는가? 왕필의 관점은 하안의 논의가 가지고 있는 이러한 문제점을 지적한 것으로 보인다. 정세근은 "하안은 도가의 성인 무정론을 전반적으로 흡수하려 했던 것 같다. 이에 대해 왕필은 감정 없는 성인은 없다면서 도가의 무정론을 전면적으로 반박한다"고 지적하였다.[29] 그러나 '도가의 성인 무정론'이란 단순히 '정이 없다'는 의미가 아니다. 세속적 인간의 정에 얽매임이란 것이 없는, 어떤 면에서 '크나큰 정'을 의미한다고 해석해야 한다.

또 한 가지 지적할 점은 성인은 나와 전혀 다른 존재가 아니다. 우리는 흔히 성인으로 표현하는 어떤 인물에 대해 말할 때 그들은 우리와 다른 존재라고 생각하는 경향이 있다. 그리고서는 그들을 절대적인 존재로 두고 숭배한다. 그러나 그들이 만약 우리와 본질적으로 또는 근본적으로 우리와는 전혀 다른 존재라면 우리는 그들을 숭배하거나 존경할 필요가 없다. 어차피 우리와는 다른 존재이기 때문이다.

하안의 사상은 『노자』와 밀접한 관계가 있는데 그의 '무'(無)를 근본으로 한 본체론은 노자의 도를 근본으로 하는 본원론(本原論)의 창조

---

29) 정세근, 「왕필, 하안, 그리고 『주역』」, 한국동서철학회, 『동서철학연구』 제99호, 2021, 38쪽.

적 발휘이다.30) 그렇지만 하안 현학의 중요 특징은 유가와 도가의 조화이다.31)

하안의 정치 및 사회사상의 중심은 무위의 이론이다. 여기에서 무위는 황로사상적 의미의 무위로 보아야 할 것이다. 그는 번잡한 예교는 배격했지만, 다른 한편으로는 예교의 필요성을 인정했다. 그는 예교를 따르는 것이 자연과 정도에 합치된다고 보았다. ……이처럼 하안은 도학의 입장에서 유가의 경전을 해석했는데, 이것이 위진시대 학술 풍토의 방향을 정립하는 계기가 되었다. 또한 그는 인위적이고 형식적인 요소에 대해 반대하고, 자연에 순응할 것을 제시했다. 그리고 도학의 중심사상인 자연 무위의 사상으로 유가 사상을 해석했는데, 이것이 위진시대 학술의 서막이 되었다. ……그는 또 도학이 입장에서 유학을 해석함으로써 유학을 현학화시켰으며, 반대로 사회 윤리적인 문제에서는 도학을 유학 속으로 끌어들였다.32)

2. 왕필33)

(1) 생애

---

30) 孫以楷 主編, 陸建華·沈順福·程宇宏·夏當英 著, 『道家與中國哲學-魏晉南北朝卷』, 人民出版社, 2005, 51쪽.
31) 같은 책, 52쪽.
32) 이재권, 「유학과 도학의 경계」, 충남대학교 유학연구소, 『동양철학과 현대사회』, 2003, 117쪽.
33) 왕필의 현학 부분은 김경호 외, 『인물로 보는 중국철학사』(전남대학교출판문화원, 2019)에서 필자가 쓴 〈제10장 왕필, 위·진 현학〉 부분을 요약하였다.

왕필이 살았던 시대는 한나라가 망하고, 위·촉·오 삼국이 정립되었던 혼란기였다.

왕필은 자(字)가 보사(輔嗣)로 삼국시대 때 위나라 산양(山陽) 고평(高平) 사람이다. 그는 황초(黃初) 7년(226년)에 태어나 정시(正始) 10년(249년) 24세에 죽었다.

왕필에 관한 기록은 『삼국지』(三國志) 「종회전」(鍾會傳)에서 "왕필은 유가와 도가의 이치에 대해 논하기를 좋아했으며, 문필이 좋고 재능이 뛰어나며, 변론을 좋아했는데, 『역』(易)과 『노자』(老子)에 주석을 하였다. 일찍이 상서랑(尙書郞)에 임명되었고, 나이 20여 세 때 죽었다"(弼好論儒道, 辭才逸辯, 注易及老子, 爲尙書郞, 年二十餘卒)고 하였다. 또 하소(何劭)는 「왕필전」(王弼傳)에서 "왕필은 어려서 총명하고 지혜로웠는데 나이 10여 세에 노자를 좋아하였으며 논변에 통달하고 언변에 능하였다"(弼幼而察惠, 年十餘, 好老氏, 通辯能言)고 말하였다. 그런데 또 "사람됨이 가볍고, 세상 물정을 모른다"(爲人淺而不識物情)고 지적하였다. 그런 까닭에 자기의 뛰어남을 믿고 남을 업신여겼으므로 당시 사군자(士君子)들의 미움을 받았다.[34]

왕필의 저작으로 지금 전해지는 것은 『주역주』(周易注) 6권(또는 7권), 『주역약례』(周易略例) 1권, 『노자주』(老子注), 『노자지략』(老子指略), 『논어석의』(論語釋義) 2권(또는 3권), 『대연의』(大衍義) 3권 등이 있다.

(2) 철학

---

[34] 許抗生·李中華·陳戰國·那薇, 『위진현학사』(상), 176쪽.

왕필의 철학을 귀무론(貴無論)/본무론(本無論)이라고 말한다.[35] 그 철학의 특징은 "체용일여"(體用一如), "본말불이"(本末不二)를 사용하여 "무"(無, 본체)와 "유"(有, 功用, 現象)의 관계를 논증하는데 "무로써 근본이 된다"(以無爲本)는 현학사상체계를 건립한 것이다.[36]

우리는 아래에서 왕필의 귀무론/본무론을 언의지변(言意之辨), 유무지변(有無之辨), 숭본식말(崇本息末) 등으로 나누어 살펴보기로 한다. 그렇지만 또 이 셋은 서로 밀접한 관계가 있다. 왕필의 현학사상에서 하나로 관통하고 있다.

1) 언의지변

위진 현학에서 언의지변은 선진시대 『노자』의 "큰 형상은 형체가 없다"(大象無形), 『장자』의 "뜻을 얻으면 말은 잊는다"(得意忘言)와 『주역』의 "말은 뜻을 온전히 할 수 없다"(言不盡意)와 "상을 세워 뜻을 온전히 한다"(立象盡意)에서 연원한다.[37] 이것은 유가적 방법과 도가적 방법을 융합한 것이다.

위진시대 때 말[言]과 뜻[意]의 관계에 대한 입장은 세 가지 분파가

---

35) 일반적으로 왕필 철학을 '貴無論'으로 이해한다. 그런데 이재권은 왕필은 '貴無論'者가 아니라 '本無論'者라고 말한다. 이에 관한 자세한 내용은 이재권의 「왕필의 본무론」(한국동서철학회, 『동서철학연구』 제72호, 2014)과 「왕필 본말론의 성격」(새한철학회, 『철학논총』 78, 2014)을 참조하라.

36) 湯一介, 『郭象與魏晉玄學』, 43쪽.

37) 韓强, 『王弼與中國文化』, 貴州人民出版社, 2001, 4쪽; 胡孚琛·呂錫琛, 『道學通論-道家·道敎·丹道』, 社會科學文獻出版社, 2004, 184쪽.

있었다. 첫째, 언부진의파(言不盡意派)이다. 장한(張韓)은 『불용설론』(不
用舌論)에서 언어는 무용하다고 주장한다. 둘째, 언진의파(言盡意派)이
다. 구양건(歐陽建)은 『언진의론』(言盡意論)에서 말은 뜻을 온전히 표현
할 수 있다고 주장하였다. 셋째, 득의망언파(得意忘言派)이다. 왕필·곽
상·혜강 등이 모두 이 파에 속한다.38)
　왕필의 득의망언은 『장자』에서 연원한다. 「외물」(外物)편에서 말하였
다.

　　통발은 물고기를 잡기 위한 것으로 물고기를 잡으면 통발은 잊는 것이
　다. 올가미는 토끼를 잡기 위한 것으로 토끼를 잡으면 올가미는 잊는다. 말
　[言]이란 뜻[意]을 얻기 위한 것으로 뜻을 얻으면 말을 잊는다.39)

　왕필은 득의망언에 대해 상(象)·언(言)·의(意)의 관계로 설명한다.

　　무릇 상(象)이란 뜻[意]을 나타낸 것이고, 언어[言]란 상을 밝히는 것이다.
　뜻을 온전히 나타내는 것으로 상만 한 것이 없고 상을 온전히 나타내는 것
　으로 언어만 한 것이 없다. 언어는 상에서 생기기 때문에 언어를 좇아 상
　을 살필 수 있으며, 상은 뜻에서 생기기 때문에 상을 좇아 뜻을 살필 수
　있다. 뜻은 상으로써 다할 수 있고, 상은 언어로써 드러난다. 그런 까닭에
　언어는 상을 밝히는 수단으로 상을 얻으면 언어를 잊고, 상이란 뜻을 보존
　하는 수단으로 뜻을 얻으면 상을 잊는다. ……말을 붙잡은 자는 상을 얻은
　자가 아니다. 상을 붙잡은 자는 뜻을 얻은 자가 아니다. 상이 뜻에서 생겨
　났기에 상을 살피지만 그 살피는 것은 그 상이 아니다. 언어는 상에서 생

───────────

38) 湯一介, 『郭象與魏晉玄學』, 5쪽.
39) 『莊子』「外物」: "筌者所以在魚, 得魚而忘筌; 蹄者所以在兔, 得兔而忘蹄; 言者
　　所以在意, 得意而忘言."

겨났기에 언어를 살피지만 그 살피는 것은 그 언어가 아니다. 그러므로 상을 잊어야 뜻을 얻는다. 언어를 잊어야 상을 얻는다.[40)]

왕필의 언의지변은 이처럼 상·언·의라는 세 가지 사이의 관계를 통해 논의되고 있다. '언'은 언어를 가리키고 '의'는 언어를 사용하여 표현한 사상을 가리킨다.[41)] 그런데 상과 언어는 뜻을 표현하는 수단이다. 그런 까닭에 수단에 불과한 상과 언어는 목적인 뜻을 온전히 표현할 수 없다.

왕필은 『노자』 제1장 "도를 도라고 말하면 영원한 도가 아니고, 이름을 이름이라고 말하면 영원한 이름이 아니다"(道可道, 非常道; 名可名, 非常名)의 주에서 이렇게 말하였다.

말할 수 있는 도(道)와 이름을 부를 수 있는 명(名)은 구체적인 일과 형상을 가리키는 것으로 항상된 것이 아니다. 그러므로 도는 말할 수 없고 이름을 붙일 수 없다.[42)]

왕필에 의하면 언어로 표현할 수 있는 것은 '구체적인 일과 형상을 가리키는 것이다. 즉 언어는 현상을 표현할 수 있지만 본체 그 자체를

---

40) 『周易略例』「明象」: "夫象者, 出意者也; 言者, 明象者也. 盡意莫若象, 盡象莫若言. 言生於象, 故可尋言以觀象; 象生於意, 故可尋象以觀意. 意以象盡, 象以言著, 故言者所以明象, 得象而忘言; 象者所以存意, 得意而忘象. ……存言者, 非得象者也; 存象者, 非得意者也. 象生於意而存象焉, 則所存者乃非其象也; 言生於象而存言焉, 則所存者乃非其言也. 然則, 忘象者, 乃得意者也; 忘言者, 乃得象者也."
41) 王曉毅, 『王弼評傳』, 南京大學出版社, 1996, 211쪽.
42) 『老子注』 제1장 주: "可道之道, 可名之名, 指事造形, 非其常也. 故不可道, 不可名也."

온전히 표현할 수는 없다. 따라서 도는 언어로 말할 수 없다.

왕필은 또 『노자』 제25장의 "나는 그 이름을 알지 못한다"(吾不知其名)의 주에서 말하였다.

이름으로 형상을 규정하는 것이다. 뒤섞여 이루어져 형상이 없으므로 규정할 수 없기 때문에 "그 이름을 알지 못한다"고 말한 것이다.[43]

왕필에 의하면 "도는 어떤 것을 가리키는 이름이 아니다. 왜냐하면 그것이 이름하고자 하는 것은 어떤 형체가 없기 때문이다."[44] 그런데 문제는 우리가 도를 표현을 할 때 기본적으로 언어를 떠날 수 없다는 점이다. 따라서 우리는 도를 언어를 통해 표현해야 한다. 다시 말해 "우리가 비록 언어의 한계로 인하여 말은 상을 빌어서 그 뜻을 다할 수 있는 것이지만, 상을 이해하기 위해서는 말에 의존하지 않을 수가 없다."[45] 왕필에 의하면 통발·올가미가 물고기·토끼를 잡기 위한 도구에 불과한 것처럼 상·언어 역시 뜻을 얻기 위한 도구에 불과하다. 그러나 우리는 상·언어라는 이러한 도구를 떠나 뜻을 얻을 수 없다. 왕필은 우리가 상과 언어라는 도구를 사용하지 않는다면 뜻이라는 목적에 도달할 수 없다는 것이다.[46]

그렇지만 문제는 이렇다. 언어는 또 도를 직접적으로 표현할 수 없고 어디까지나 간접적으로 나타낼 수 있을 뿐이다. 그러므로 우리가

43) 같은 책, 제25장 주: "名以定形. 混成無形, 不可得而定, 故曰不知其名也."
44) 김시천, 「『노자』와 성인의 도」, 한국철학사상연구회, 『시대와 철학』 제21권 2호, 2010, 69쪽.
45) 같은 논문, 73쪽.
46) 金周昌, 「王弼 周易의 言象意 知識體系 理論 考察」, 한국중국문화학회, 『中國學論叢』16, 2003, 362쪽.

상·언어와 의미의 관계를 논의하면서 상과 언어는 의미를 나타낼 때 일정한 한계가 있으므로 그 한계를 놓쳐서는 안 된다는 점을 자각해야 한다. 그런데 또 이와 반대로 상과 언어가 비록 한계가 있지만 역시 의미를 일정하게 반영하고 있다는 점도 고려해야 한다. 그렇지만 앞에서 말한 '언진의파'와 '언부진의파'는 모두 이 두 측면을 놓치고 있는 양 극단의 입장이다.

왕필의 언의지변은 달리 말하면 '본체는 현상을 떠날 수 없고, 현상은 본체를 떠날 수 없다'는 의미이기도 하다. 이러한 논리는 왕필의 유무지변에서도 일관되게 나타난다.

2) 유무지변

왕필의 유(有)와 무(無)의 관계에 대한 논변은 우주생성론이 아닌 본체론적 사유를 발휘한 것이다.

왕필은 온갖 다양한 모습의 개별적 사물 현상은 '말단'[末]이고, 우주의 본체는 '무'(無)라고 생각하였다. 즉 도(道)·무(無)는 물(物)·유(有)의 존재근거이다.[47] 그는 우주의 개별적인 사물은 우주의 본체 '무'의 외적 표현이라고 하였다.[48] 그런 까닭에 그는 '본무'(本無)와 '말유'(末有)는 일체이고 '말유'를 떠나서 '본무'는 독립적으로 존재할 수 없다고 보았다.[49] 따라서 '본무'는 '말유'를 통해 파악할 수밖에 없다.

---

47) 이권, 「老子와 王弼에서의 '一'과 '多'의 문제」, 한국도교문화학회, 『도교문화연구』21, 2004, 263쪽.
48) 許抗生·李中華·陳戰國·那薇, 『위진현학사』(상), 4-5쪽.
49) 같은 책, 193쪽.

무릇 무는 무로써 밝힐 수 없는 것이니 반드시 유에 따라서 밝혀야 한다. 그러므로 항상 유물(有物)의 궁극에서 반드시 그 말미암는 근본[宗]을 밝혀야 한다.50)

도와 사물이 구별되기는 하지만 이 둘은 떨어지지 않는다.51) 그리고 우리에게 직접적으로 주어진 것은 '말유'뿐이다. 우리가 만약 '말유'를 떠나서 '본무'를 파악하고자 한다면 그것은 실패할 수밖에 없다. 왜냐하면 우리에게 주어진 것은 일차적으로 '말유'이고, 또 '본무'는 '말유'를 떠날 수 없기 때문이다.

무(無)는 일(一)에 있지만 그것을 무리[衆]에서 구한다.52)

여기에서 '구한다'(求)는 '살핀다', '얻는다'는 의미이다. 즉 '본무'를 '말유'에서 살핀다, 구한다는 것이다. 그 까닭은 무엇인가?

사상(四象)이 나타나지 않으면 대상(大象)이 펼 수 없고, 오음(五音)이 소리가 나지 않으면 대음(大音)이 이를 수 없다.53)

그렇지만 왕필이 '말유'에서 '무', '일'을 살핀다고 말한 의도는 언의 지변에서 말한 것처럼 '상'(象)·'언어'(言)와 같은 '말유'를 살핀다, 구

50) 『大衍義』: "夫無不可以無明, 必因於有, 故常於有物之極, 而必明其所由之宗也."
51) 이권,「老子와 王弼에서의 '一'과 '多'의 문제」, 264쪽.
52) 『老子注』제47장 주: "無在於一, 而求之於衆也."
53) 『老子指略』: "四象不形, 則大象無以暢; 五音不聲, 則大音無以至."

한다는 의미가 아니라 '상'과 '언어'를 통해 표현된 '의미', 즉 '본'
(本), '무'(無)를 살핀다, 구한다는 것이다.

　(일정한) 형상[象]으로 하여 모양[形]이 된 것은 대상(大象)이 아니고, (일
　정한) 음(音)으로 하여 소리[聲]가 된 것은 대음(大音)이 아니다.54)

'형상으로 하여 모양이 된 것'(象而形)과 '음(音)으로 하여 소리가 된
것'(音而聲)은 현상으로 '말유'에 해당한다. 즉 '대상'(大象)·'대음'(大音)
이라는 '본무'가 아니다.
　왕필은 이 '무'(본체)와 '유'(현상)의 관계를 '일'(一)과 '다'(多)의 관
계로 설명한다.

　일(一)은 숫자의 시작이고 만물의 궁극이다.55)
　궁극은 일에 있다.56)
　만물은 만 가지의 형체를 가지고 있는데 ……많을수록 (도에서) 멀어진
다.57)

　여기에서 '일'은 '도'(道)·'무'(無)이고 '다'는 물(物)·'유'(有)이다. 왕
필 현학에 나타난 이러한 논리는 '도'·'무'·'일'[본체]과 '물'·'유'·'다'
[현상]는 서로 떨어질 수 없음을 말한다. 왕필의 "무를 근본으로 한다"
는 사상의 특징은 본체의 '무'를 '만유'밖에 존재하는 것이 아닌 "체용

---

54) 같은 책: "故象而形者, 非大象也; 音而聲者, 非大音也."
55) 『老子注』 제39장 주: "一, 數之始而物之極也."
56) 같은 책, 제81장 주: "極在一也."
57) 같은 책, 제42장 주: "萬物萬形……愈多愈遠."

일여", "본말불이"로 파악한다는 점이다.58) 다시 말해'일'은 '다'의 본체·본원·근원·본질로서 '다'와 구별되지만 '다'를 떠나 존재하는 실체가 아니라는 의미이다.59) 왕필에 의하면 우리에게 주어진 것은 '유'뿐이다. 또 궁극적인 '무'는 언어로 파악할 수 없다. 따라서 필연적으로 '유'를 통해 드러낼 수밖에 없다.60) 그러므로 만약 '도'·'본'·'무'·'일'과 '물'·'말'·'유'·'다'가 서로 떨어져 존재할 수 있다면 우리는 본체를 파악할 방법이 없게 된다.

3) 숭본식말

왕필은 노자 철학의 핵심은 "근본을 높여 말단을 쉬게 한다"(崇本息末), "근본을 높여 말단을 일으킨다"(崇本以擧末), "근본을 들어 말단을 통어한다"(擧本統末)는 것이라고 말한다. 그는 노자 철학의 요지를 이렇게 정리하였다.

> 『노자』의 글 한마디로 요약할 수 있다. 아! 근본을 높이고 말단을 그치게 하는 것일 뿐이로다! 그 말미암는 바를 관찰하고, 그 돌아가는 바를 살펴보니 말은 종지(宗旨)에서 멀지 않고, 일은 종주(宗主)를 잃지 않는다.61)

---

58) 湯一介, 『郭象與魏晉玄學』, 44쪽.
59) 이권, 「老子와 王弼에서의 '一'과 '多'의 문제」, 265쪽.
60) 김시천, 「『노자』와 성인의 도」, 73쪽.
61) 『老子指略』: "老子之書, 其幾乎可一言而蔽之. 噫! 崇本息末而已矣. 觀其所由, 尋其所歸, 言不遠宗, 事不失主."

그는 또 이렇게 말하였다.

　　근본을 높여 그 말단을 일으키니 형체[形]와 이름[名]이 함께 있어도 잘
못된 일이 생기지 않는다.62)

　　근본을 버리고 말단을 다스리려고 하면 비록 성스러운 지혜[聖智]를 다하
더라도 이러한 재앙에 이르게 된다.63)

　'본말'(本末)은 '본'과 '말'·'일'(一)과 '다'(多)로 일체의 만물을 구분하
는 것으로 두 가지 대립·통일의 층위로 설명하는 것이다.64) 다시 말
해 왕필에 의하면 '본무'와 '말유'는 일체이고, '말유'를 떠나 '본체'가
독립적으로 존재할 수 없다는 것이다.65) 여기에서 '본'은 "천지의 시
작, 온갖 사물의 어미, 개별 사물의 근원"을 의미한다.66) 왕필은 이러
한 학술 방법을 이용하여 노자의 '도'와 '만물'의 관계를 '본'과 '말'의
관계로 개괄하였는데 그는 무형·무명의 '도'가 본체가 되어 만사만물
가운데 존재하여 결정적 작용을 한다고 생각하였다.67)

　왕필은 이 '본'을 '무'(無)로 나타냈다. 그러므로 왕필의 '숭본식말'
은 '무'를 근본으로 하고 '유'(有)를 말단으로 삼는 우주본체론의 학설
이다.68)

---

62)『老子注』제38장 주: "崇本以擧末, 則形名俱有而邪不生."
63)『老子指略』: "蓋舍本而攻末, 雖極聖智, 愈致斯災."
64) 王曉毅,『王弼評傳』, 228쪽.
65) 許抗生·李中華·陳戰國·那薇,『위진현학사』(상), 193쪽.
66) 林麗眞,『王弼의 철학』, 김백희 옮김, 청계, 1999, 8쪽.
67) 王曉毅,『王弼評傳』, 230쪽.
68) 許抗生·李中華·陳戰國·那薇,『위진현학사』(상), 9쪽. 그런데 임채우는 왕필
　　의 현학사상은 貴無論이 아니라 '貴用論', '有體無用의 用體論'이라고 말한
　　다. 자세한 내용은「王弼 體用개념에 대한 오해와 辨正-有體無用의 用體論

무릇 사물[物]이 생겨나는 원인과 공(功)이 이루어지는 원인은 반드시 무형(無形)으로부터 생겨나고, 무명(無名)으로부터 말미암는다. 무형·무명은 만물의 근본[宗]이다.[69]

이것은 유형·유명의 만물(萬物: 有, 末)은 무형·무명의 '무'를 근본으로 한다는 의미이다. '무형'은 구체적 형상이 없기 때문에 감각으로 포착할 수 없다. '무명'은 특정한 대상성을 갖지 않기 때문에 개념으로 지칭할 수 없다는 의미이다.[70]

사물이 그것으로 이루어지기는 하지만 그 형체를 볼 수가 없으므로 이름이 없다.[71]

그렇지만 유형·유명의 '유'를 온전히 파악하기 위해서는 무형·무명의 '무'로 돌아가야만 한다. 『노자주』제40장 주에서 말하였다.

천하의 만물은 모두 유(有)로써 생겨나지만 유의 시작은 무(無)를 근본으로 한다. 유를 온전히 하려면 반드시 무로 돌아가야 한다.[72]

이란 측면을 중심으로」(한국동양철학회, 『東洋哲學』7, 1996)와 「왕필 현학 사상의 오해 비판」(한국도교문화학회, 『도교문화연구』14집, 2000)을 참조하라.

69) 『老子指略』: "夫物之所以生, 功之所以成, 必生乎無形, 由乎無名. 無形·無名者, 萬物之宗也."
70) 林麗眞, 『王弼의 철학』, 79쪽.
71) 『老子注』제41장 주: "物以之成, 而不見其形, 故隱而無名也."
72) 같은 책, 제40장 주: "天下之物, 皆以有爲生. 有之所始, 以無爲本. 將欲全有, 必反於無也."

다시 말해 '무'는 구체적 형상이 없어 감각되지 않고, 그런 까닭에 개념으로 지칭할 수 없다는 것이다. 그러나 만물은 그 무형·무명의 도에 의해 존재하게 된다. 그러므로 '무'는 '유'의 근본이 된다.

왕필의 현학은 무형·무명의 본체를 높여 유형·유명의 말단을 해결하려고 하였다. 왕필의 귀무론/본무론은 철학적으로는 체용론을 통해 본체와 현상의 관계 문제를 해결하려고 하였지만, 현실적으로는 유형·유명의'말단'에 빠진 혼란한 현실 문제를 해결하려고 한 것이다.

대개 근본을 버리고 말단을 다스리려고 한다면 비록 성스러움과 지혜를 지극히 한다고 하더라도 갈수록 재앙을 초래하게 될 것인데 하물며 이보다 못한 방법[術]에 있어서랴!73)

왕필의 '숭본식말'을 현실 정치의 차원에서 고찰하면 '명교'와 '자연'의 관계 문제가 된다. 그는 "명교는 자연에서 나온다"(名敎出於自然)고 주장하였다. 이것은 왕필의 '무로써 본체가 된다'(以無爲本)는 형이상학적 본체론을 사회 영역에 적용한 논리적 결론이다.74) 다시 말해 왕필에 의하면 명교(사회제도)는 그 존재근거를'자연'(道·無)에서 찾아야 한다는 것이다. 왜냐하면 우주만물의 모든 법칙은 이 '자연'으로부터 나오기 때문이다. 그런 까닭에 '자연'을 버리고 '명교'를 해결하려고 한다면 결국 실패하게 된다. 사실 왕필의 귀무론/본무론 현학사상에서 언의지변, 유무지변, 숭본식말은 모두 이러한 논리로 일관하여

73) 『老子指略』: "蓋舍本而攻末, 雖極聖智, 愈致斯災, 況術之下此者乎!"
74) 胡孚琛·呂錫琛, 『道學通論-道家·道敎·丹道』, 185쪽.

전개된다.

'숭본식말'에서 '본'은 '일'이고, '말'은 '다'이다. 그렇다면 왜 근본을 숭상하여 말단을 쉬게 할 수 있는가?

만물은 형체가 다양하지만 그 돌아가는 바는 하나이다. 무엇으로 말미암아 하나가 되는가? 무로 말미암기 때문이다.75)

'일'은 만물이 존재할 수 있는 근거이다. 그런데 '말'은 '다'로 수많은 각각의 일과 사물로 이루어져 있다. 따라서 만사만물이 만사만물로 존재하는 것처럼 다양한 원인들이 존재할 수밖에 없다. 그러므로 '말'에 서서 현실 문제를 해결하려고 한다면 언제나 당면한 문제에 대해 그때그때 임시방편적인 처방만을 할 수밖에 없게 된다. 그런데 이러한 방법은 결코 '말단을 쉬게'(息末) 할 수 없다. 그런 까닭에 왕필은 그 대안으로 '근본을 높이는'(崇本) 방법을 제시한 것이다. 왕필이 제시한 방법은 어떤 사태가 발생한 뒤에 말단에서 문제를 해결하기에 급급해 할 것이 아니라 그 문제의 근본에 서서 본질적으로 해결할 수 있는 해결책을 찾으라는 의미이다. 왕필의 관점에 의하면 우리가 어떤 문제를 해결할 때 그 문제의 근본에서 해결책(本)을 제시한다면 복잡다단한 말단의 문제(末)를 좀 더 쉽게 해결할 수 있을 것이다.

왕필철학의 귀무론/본무론은 이전의 우주생성론이 아닌 본체론의 각도에서 유무의 관계를 논의한 것이다. 왕필의 현학은 허무주의가 아니라 어디까지나 치국의 문제를 중심으로 전개된 것이다. 따라서 왕필의 현학은 적극적인 정치철학이다.76)

---

75) 『老子注』 제42장 주: "萬物萬形, 其歸一也. 何由致一, 由於無也."

왕필의 현학사상은 한대 경학이 문자의 해석에 빠진 사장지학(詞章
之學)과 천인감응에 기초한 유학의 형이상학에 대해 비판적이었다. 그
는 노장철학의 형이상학 이론, 득의망언의 방법론과 유가의 의리학(義
理學)을 결합하여 귀무론/본무론의 형이상학을 완성하였다. 왕필은 그
의 현학사상을 통해 숭본식말이라는 새로운 이론 체계로 본체와 현상,
체와 용, 자연과 명교의 문제를 해결하려고 하였다. 결국 왕필의 현학
사상은 형이상학적 이론(천도)을 통해 현실문제(인사)를 풀기 위한 것
이다.

제4정 죽림 현학

죽림 현학은 제왕(齊王) 조방(曹芳)의 가평(嘉平) 연간 초 249년부터
원제(元帝) 조환(曹奐) 경원(景元) 연간 260년~263년 시기의 도가적
경향의 학문을 말한다.77) 이 시기는 조위 정권이 사마씨 정권으로 넘
어가던 때였다. 그 결과 수많은 사람이 죽임을 당하여 "명사들 가운데
온전한 사람이 드물었으며", 죽림칠현(竹林七賢)의 인물들 역시 은둔하
여 세상일에 관심을 두지 않았다.78) 그런데 사실 현실의 폭력 앞에서
인간은 무력하기만 하다. 죽림 현학에 해당하는 인물들이 살았던 이
시대는 명교(名敎)와 자연(自然)이 철저하게 분열되었던 암울한 시기였
다.

---

76) 王曉毅, 『王弼評傳』, 16쪽.
77) 許抗生·李中華·陳戰國·那薇, 『위진현학사』(상), 291쪽.
78) 같은 책, 299쪽.

죽림 현학의 대표적인 인물을 죽림칠현이라고 부르는데 완적(阮籍, 210-263), 혜강(嵇康, 223-262), 산도(山濤, 205-283), 유령(劉伶, ?-?), 완함(阮咸?-?), 상수(向秀, 227?-280?), 왕융(王戎, 234-305)이다.

죽림 현학은 정시 현학과 다른 몇 가지 특징을 가지고 있었다.

정시 연간 이후로 현학의 청담 세계에서 또한 일곱 명으로 이루어진 청담의 명사—죽림칠현이 출현하였다. 칠현(七賢)의 풍격과 사상은 모두 하안 및 왕필과 다른 점이 있었다. 하안과 왕필은 유가와 도가를 숭상하였지만 칠현은 오직 노장을 높였을 뿐이다. 하안과 왕필은 무를 본체로 삼는 것을 주로 삼았으나 칠현은 원기의 생명력을 기꺼이 불태우는 것을 제창하였다. 하안과 왕필은 무위를 주로 삼았고, 칠현(주로 阮籍)은 무군(無君)을 주로 삼았다. 하안과 왕필은 명교가 자연에 근본을 둔다고 주장하였고, 칠현은 명교를 초월하여 자연에 내어맡길 것을 제창하였다. 하안과 왕필은 정치에서 자기 이익을 간절히 바랐지만 칠현은 세속을 초탈하여 세상의 일에 힘쓰지 않았다.79)

이러한 변화는 바로 시대적 변화, 즉 당시의 정치적 상황의 변화를 의미한다. 어느 시대나 마찬가지이지만 한 시대를 살아가는 지식인의 심적 상태는 그가 살았던 시대의 시대적 상황과 깊은 관계가 있다. 다시 말해, 그들의 심적 상태는 그가 살았던 시대의 상황에 따라 '자연'과 '명교'의 관계에 대한 입장 역시 변화한다. 물론 개인적 성향 역시 영향을 주게 된다.

그렇다면 먼저 '자연'과 '명교'의 개념에 대한 고찰을 할 필요가 있

---

79) 같은 책, 289쪽.

다.

위진 현학에서 대부분 '자연'(自然)을 '본'(本)으로 보고 '명교'(名教)를 '말'(末)로 보는데, ……'자연'은 우주본체(宇宙本體), 세계본원(世界本源) 혹은 우주 만물의 모습이다. '명교'는 사람들이 만든 것을 가리키는데 사람들이 사람과 사람 사이의 관계를 조정하기 위해 설정한 등급명분(等級名分)과 교화(教化)이다.[80]

그런데 이 '자연'과 '명교'의 관계는 기본적으로 세 가지 관점으로 분류할 수 있다. ①'자연'을 강조하는 입장, ②'명교'를 강조하는 입장, ③'자연'과 '명교'의 조화를 주장하는 입장이다. 당연한 말이지만 이 세 가지 입장 가운데 '자연'과 '명교'의 조화/화해를 주장하는 입장이 가장 이상적이다. 그러나 이 세 가지 입장 가운데 어느 것을 취하는가 는 전적으로 당대의 정치적 현실에 의해 좌우된다. 그러므로 우리가 만약 어느 지식인의 심리적 상태를 이해하려면 그가 살았던 시대적 상황에 대한 이해가 필수적이다. 왜냐하면 여돈강(余敦康)이 말한 것처럼 "일종의 실체성의 문화를 건설하는데 결정적 작용을 하는 것은 문화 가치의 이상을 장악한 지식이 아니라 정치 권력을 장악한 제왕"이기 때문이다.[81]

현실과 이상 사이의 모순이 지식인의 심적 상태[心態]에 모순을 일으킨다. 유가에서 세운 예법명교(禮法名教)는 그 본래적 의미로 말하자면 천과

---

80) 湯一介, 『郭象與魏晉玄學』, 48쪽.
81) 余敦康, 「從《莊子》到郭象《莊子注》」, 『中國哲學論集』, 遼寧大學出版社, 1998, 302쪽.

인, 자연과 사회의 정체적 화해이다. 문화 가치 이상을 현실 생활에 실현하기 위하여 일종의 실체적 문화를 세우는 데 있어서 결정적인 작용을 하는 것은 문화 가치 이상을 장악한 지식인이 아니라 정치 권력을 장악한 제왕이다. 이 문화와 정치의 이원적 구조 및 모순 관계는 지식인이 심적 상태에서 느끼게 되는 이상과 현실, 자유와 필연, 무위와 유위, 천과 인의 모순의 현실적 근거이고 사회적 근원이다.[82]

그렇다면 '명교'란 무엇인가? "좁게는 인의예지(仁義禮智)와 삼강(三綱)·오륜(五倫)을 중심으로 하는 유교적 가르침을 말하며, 넓게는 유교적 사상을 기초로 형성된 유교적 지배체제와 유교적 지배이념 전체를 의미한다. 그러므로 명교는 한 시기·한 사람에 의해 만들어진 것이 아니라 오랫동안 축적되어 내려온 유학적 전통의 사회적 정화(精華)이다."[83] 그런데 "이후 유교적 이념이 형식화된 명교의 의례는 더욱 발전하여 백성의 일상생활 행동거지(行動擧止) 전체를 규제하는 상황에 이르게 된다."[84] 그러므로 명교는 전체적으로 사람들의 일상생활을 지배하는 지배 이데올로기였다.

물론 앞에서 말한 것처럼, 개인적 성향도 일정한 영향을 준다는 것 역시 사실이다. 그러나 그 근본적인 원인은 그들이 살았던 시대적 상황이 절대적이다.

죽림칠현은 매우 맑고 고상했으며 지극히 총명한 사람들이었는데 그들은 조씨 집단의 사람들이 아주 어리석은 무리로 대사를 크게 그르칠 것임을 잘

---

82) 같은 책, 302-303쪽.
83) 김백희, 「완적(阮籍): 전환기 지식인의 자아분열과 봉합」, 한국동서철학회, 『동서철학연구』제65호, 2012, 232쪽.
84) 같은 논문, 233쪽.

알고 있었으며, 사마씨의 집단에 속한 사람들이 난신적자의 무리로서 함께 일할 만하지 않다는 것을 잘 알고 있었다.85)

그렇지만 죽림칠현이라는 인물에 관한 평가는 그들의 생애를 통해 좀 더 깊게 고찰할 필요가 있다. 그들은 가평(嘉平) 원년(249년)에 있었던 '고평릉'(高平陵)의 정변 이후 점차 와해 되었는데, 그 결과 사마씨 정권에도 참여하게 되었다.

사마씨가 정권을 찬탈한 뒤에 완적은 핍박을 받아 억지로 출사하여 중랑(中郞)이 되었고, 가평(嘉平) 4년 사마의(司馬懿)가 병으로 죽었는데 하후현(夏侯玄) 등의 정변이 분쇄되면서 천하의 주인이 바뀌는 상황은 이미 정해진 형세였다. 산도(山濤), 왕융(王戎)이 선후로 하여 사마씨에게 투항하였으며(劉伶, 阮咸이 入仕한 시기는 미상이다), 죽림칠현은 점차 분화되어 그 철학적 종지는 갈라지게 되었다. 262년 혜강(嵇康)은 사마소(司馬昭)에게 피살되었고, 다음 해 완적(阮籍)은 세상을 떠났다. 상수(向秀)는 혜강이 죽은 뒤에 사마소에게 투항하였는데 죽림 현학이 와해되었음을 나타낸다. 이상의 내용에서 알 수 있는 것처럼, 죽림칠현 중에서 진정으로 시종일관 사마씨에게 협력하려고 하지 않았던 인물은 완적과 혜강 두 사람일 뿐이었는데 전자는 소극적으로 응하였고, 후자는 공개적으로 대항하였다. 그들의 사상이야말로 죽림 현학의 정화(精華)이다. ……죽림칠현의 철학은 각기 특색이 있고, 또 정치 태도, 인생 경력의 변화로 말미암아 전후로 모순되는 점이 있다.86)

85) 許抗生·李中華·陳戰國·那薇, 『위진현학사』(상), 299쪽.
86) 孫以楷 主編, 陸建華·沈順福·程宇宏·夏當英 著, 『道家與中國哲學-魏晉南北朝卷』, 65쪽.

죽림칠현의 정치 참여에 대한 평가는 조위 정권과 사마씨 정권의 정당성에 대한 평가를 통해 재평가되어야 할 문제이다. "그 당시의 사회는 명교가 필요하면서도 또한 완전한 명교화를 요구할 수도 없었고, 자연에 귀의할 것을 추구하면서도 순전히 자연에 맡길 수는 없는 상황에 놓여 있었으므로 명교와 자연 사이의 문제를 어떻게 처리할 것인가 하는 것이 당시의 가장 현실적이고 시급한 사상적 과제로 대두되었다."[87)]

1. 완적

완적의 생애에 대한 평가는 이중적이다. 긍정적, 부정적 평가가 모두 있다.[88)] 이것은 그의 정치적 태도에서 나온 것인데 왜냐하면 그가

---

87) 康中乾, 『장자와 곽상의 철학』, 황지원·정무 옮김, 예문서원, 2020, 231쪽.
88) 이 문제와 관련하여 참고할 만한 문헌으로 다음과 같은 것이 있다. 余嘉錫, 『世說新語箋疏』(中華書局, 1983); 徐公持, 『魏晉文學史』(人民文學出版社, 1999); 何啓民, 『竹林七賢研究』(學生書局, 1978); 韓理洲, 「"不貳臣論論"是誤解阮籍〈詠懷〉詩的總根源」(『人文雜志』, 1999 第4期); 顧農, 「阮籍的政治態度及其作品」(『山東師範大學報』1998 第3期); 김준석, 「阮籍 정치태도의 再照明 -司馬氏와의 관계를 중심으로」(中國語文學會, 『中國語文學會誌』 제47집, 2014); 孫明君, 『漢魏文學與政治』(商務印書館, 2003); 陳伯君, 『阮籍集校注』(中華書局, 1987); 김백희, 「완적(阮籍): 전환기 지식인의 자아분열과 봉합」(한국동서철학회, 『동서철학연구』 제65호, 2012) 이상의 내용은 김준석의 「阮籍 정치태도의 再照明-司馬氏와의 관계를 중심으로」를 참조하였다. 그리고 김준석은 완적에 대해 이렇게 말하였다. "그동안 많은 이들이 제시해왔던 명확한 근거와 합리적 결론은 '특수한', '소극적'과 같은 모호한 단어의 보호막에 가려졌다. 완적이 사마씨 집단에 의탁했던 것은 부정할 수 없는 사실임에 반해, 조위에 대한 완적의 충심을 증명할 만한 합리적 근거는 여전히 제시되지 않고 있음에도 말이다. 이는 완적의 작품을 통해서도 여실

"曹魏와 司馬氏 정권에서 모두 벼슬을 하며 자신의 안전을 지켰다는 사실에서 기인한다."[89] 그렇지만 죽림칠현 가운데 조위 정권과 사마씨 정권에서 모두 정치에 종사한 인물은 완적 한 사람만이 아니었다.

(1) 생애

완적은 자(字)가 사종(嗣宗)으로 진류(陳留)의 위씨(尉氏) 사람이다. 그는 한나라 건안(建安) 15년(210년)에 태어나 위나라 원제(元帝) 경원(景元) 4년(263년)에 죽었다. 향년 54세이다.

완적의 일생은 조위 정권이 사마씨 정권으로 변화하는 정변(政變)이 일어났던, 즉 정치적으로 매우 혼란한 시대적 상황 속에서 살았다. 그런 까닭에 그는 진퇴양난의 고통 속에서 일생을 살 수밖에 없었다. 그렇지만 그는 본래 다른 사대부들과 마찬가지로 출사의 뜻이 있었다.

완적은 본래 세상을 제도할 뜻이 있었지만, 위진 교체기 시대를 살면서 천하에 변고가 많아 (생명을) 온전히 보존한 선비가 적었기 때문에 세상일에 간여하지 않았다. 완적은 이러한 상황으로 말미암아 언제나 술을 마시는 일에 빠져 살았다.[90]

히 드러나는데, 현존하는 그의 작품 중 조위에 대한 충정과 찬양을 내보이는 작품은 찾아볼 수 없는 반면, 사마씨 집단을 찬양하는 작품은 다수가 발견된다."(12쪽.) 그런데 이것은 당시의 조위 정권과 사마씨 정권의 정당성 문제를 논의해야만 해결점을 찾을 수 있을 것이다.

89) 김준석, 「阮籍 정치태도의 再照明-司馬氏와의 관계를 중심으로」, 中國語文學會, 『中國語文學會誌』 제47집, 2014, 7쪽.
90) 『晉書』 「阮籍傳」: "籍本有濟世志, 屬魏晉之際, 天下多故, 名士少有全者,. 籍由是不與世事, 遂酣飮爲常."

그렇지만 그가 마주한 시대적 상황은 그를 결코 현실에 안주할 수 있도록 내버려 두지 않았다. 그러므로 완적은 "유가와 도가의 사상을 중심으로 치국안민(治國安民)을 근심하며 고뇌하던 지식인의 모습과 소요자재(逍遙自在)의 초탈적 자유인의 모습을 동시에 지니고 있던 대표적 죽림(竹林) 시기의 현학자이다."[91] 따라서 그는 "유학에 기반을 둔 명교(名敎)의 사회적 통합성에 대한 신념을 굳건히 지키면서 국가와 백성의 안정된 발전을 도모하고자 했던 유학적 지식인과 노장(老莊)에 기반을 둔 자유로운 초탈적 지식인의 양면성을 지닌 전환기 지식인"이었다.[92] 이처럼 그는 '고뇌하는 지식인의 모습'과 '초탈적 자유인의 모습', '유학적 지식인'과 '자유로운 초탈적 지식인'이라는 양면적 특성을 모두 간직한 인물이었다. 사실 이러한 양면적 입장은 그 당시 지식인이 처했던 일반적 정황이었다.

완적의 관직 경력을 살펴보면, 정시(正始) 3년(242년) 그의 33세 때 태위(太尉) 장제(蔣濟)의 태위부(太尉部), 39세 때 조상(曹爽)의 상서부(尙書部)에서 일하였다. 다음해 고평릉의 정변이 일어난 뒤에는 사마의(司馬懿)에 의해 종사중랑(從事中郞), 가평(嘉平) 4년(252년) 43세 때 사마사(司馬師)의 속관 종사중랑, 가평 6년, 즉 정원(正元) 원년(254년) 관배후(關內侯), 동평상(東平相)에 지원하였고 다시 대장군 종사중랑, 이 되었으며, 경원(景元) 3년(262년) 53세 때 보병교위(步兵校尉)에 자원하여 교위(校尉)가 되었다. 그리고 다음 해 54세의 나이로 죽었다.[93] 즉 완적은 조위 정권과 사마씨 정권에서 모두 벼슬을 하였다.

---

91) 김백희, 「완적(阮籍): 전환기 지식인의 자아분열과 봉합」, 230-231쪽.
92) 같은 논문, 231쪽.

그런 까닭에 "여기서 쟁점이 되는 것은 완적과 사마씨 집단과의 정치적 관계이다."[94] 이 문제를 어떻게 이해하는가에 따라 완적에 대한 평가 역시 달라질 수밖에 없다.

완적의 저작으로 「악론」(樂論), 「통역론」(通易論), 「달장론」(達莊論), 「통로론」(通老論), 「대인선생전」(大人先生傳) 등이 유명하다. 한글본으로는 심규호(沈揆昊)가 역주를 한 『완적집』(阮籍集)(東文選, 2012)이 있다. 여기에서 인용한 완적의 한글 번역은 모두 심규호의 역주본을 참조하였다. 필요한 경우 부분적으로 수정하였다.

(2) 철학

완적의 철학을 전기와 후기로 구분하기도 한다.[95] 초기에는 '자연'과 '명교'의 조화로운 결합을 시도하였고, 후기에 '자연'과 '명교'의 관계를 적대적으로 보았다는 것이다. 이 과정에서 핵심적인 원인은 당연히 조위 정권이 사마씨의 쿠데타로 정권이 바뀌는 정치적 변화 때문이다.

김백희는 완적의 주요 저작 시기를 말하였는데 그것을 도표로 나타내면 다음과 같다.[96]

[11-1] 완적의 주요 저작 연표

---

93) 김준석, 「지식인의 이상과 실천-嵇康과 阮籍의 비극을 통해」, 중국어문학회, 『중국어문학회지』 제50집, 2015, 28쪽.
94) 위와 같음.
95) 원정근, 「예교에 대한 완전阮籍의 양가적 태도」, 중국철학회, 『중국철학』 7, 2000, 144-145쪽.
96) 김백희, 「완적(阮籍): 전환기 지식인의 자아분열과 봉합」, 236쪽.

	시기	목록	주요 내용
1	위(魏)나라 명제(明帝) 시기 [청룡(青龍) 4년(236년)~경초(景初) 3년(239년)]	『악론』(樂論)97)	예제와 음악을 짓는 것이 풍속을 아름답게 바꿀 수 있다. 완적의 젊은 시절 글이다.
2	정시(正始) 연간 (240년~249년)	『통로론』(通老論), 『통역론』(通易論)98)	유가를 기준으로 도가를 해석하는 입장이 반영되었다.
3	위나라 고귀향공(高貴鄉公) 시기 [감로(甘露) 2년(257년) 무렵]	『달장론』(達莊論), 『대인선생전』(大人先生傳)99)	완적이 만년 작품으로 탈속적인 사상을 알 수 있다.

---

97) 沈揆昊 譯註, 『阮籍集』, 東文選, 2012, 171쪽. 그는 이 글의 저작 시기를 241년으로 보았다. "《진서·완적전》에는 〈악론〉에 관한 언급이 전혀 없어 정확하게 언제 지어졌는지 알 수 없다. 진백군의 《삼국지·위지(魏志)·고귀향공모기(高貴鄉公髦記)》에서 '감로 원년(256년) 하(夏) 4월 병진(丙辰)일에 황제가 태학에 가서 여러 유자에게 물었다. ……이에 명을 받들어 예기(禮記)를 강론하였다'라고 말한 것에 근거하여 〈악론〉이 완적이 《예기》를 강론하거나 여러 유자들과 쟁론할 당시에 지은 것이라고 하였다. 그러나 고신양(高晨陽)의 《완적평전》을 비롯한 여러 전적에 따르면, 정시 2년(241년) 완적의 나이 32세 때 지은 것으로 보인다." 그렇다면 그 저작 시기는 위의 도표에서 두 번째에 해당하는 시기의 시대적 변화를 반영할 것이다; 許抗生·李中華·陳戰國·那薇, 『위진현학사』(상), 329쪽. "「악론」(樂論)은 완적의 젊은 시절에 지은 것으로서, 이 글은 대략 위나라 청룡 4년(236)에서 경초 3년(239)에 이르는 사이에 쓰였다."
98) 같은 책, 211쪽. "《통역론》이 구체적으로 언제 저술되었는지는 정확하지 않다. 진백군은 《삼국지·위지·고귀향공모(高貴鄉公髦)》에서 감로(甘露) 원년(256년) 여름 4월 병진(丙辰)에 천자가 태학에서 여러 유학자에게 《역》에 대해 하문한 적이 있다는 사실에 근거하여 256년 즈음에 지은 것으로 보고 있다. 그러나 《완적평전》을 지은 고신양은 정시 5년(244년)에 지은 것이라고 했다. 역자가 생각하기에 256년에는 이미 도가나 신사상에 깊이 매료된 상태였기 때문에 아마도 그 이전에 지은 것인 듯하다."; 許抗生·李中華·陳戰國·那薇, 『위진현학사』(상), 330-331쪽. "완적의 이 두 편의 글은

임형석은 전기의 명교파 완적의 작품으로 「악론」, 「통역론」, 「통로론」, 후기 죽림파 완적의 작품으로 「달장론」, 「대인선생전」, 「노자찬」(老子贊), 「공자뢰」(孔子誄)를 말하였다.100)

이것을 근거로 살펴보면, 완적의 사상적 변화는 유가에서 유가와 도가의 결합, 그리고 도가로 나아가는 과정이었다는 것을 알 수 있다. 이것은 달리 말하면 '명교'의 가능성에 대한 긍정에서 '명교'에 대한 '자연'의 해석, 즉 '명교'와 '자연'의 결합, 그리고 '명교'의 부정과 '자연'에 대한 긍정으로 전환하는 과정이다.

그런데 정세근은 완적의 철학사상을 전기의 명교파 완적과 후기의 죽림파 완적으로 구분한다.101) 원정근 역시 완적의 철학사상을 전기와 후기로 구분한다. 그리고 "완적의 후기 사상이 전기 사상과 대립적 관계에 있으면서도 연속적 관계를 지니고 있다는 점"을 강조하였다.102) 진백군(陳伯君)은 『완적집교주』(阮籍集校注) 「서」(序)에서 이렇게 지적하였다.

그는 한편으로 "역"과 "악"을 논했고, 한편으로 "장자와 노자를 특히 좋아했는데" 두 가지는 동시에 병존하지 않았고, 시기의 선후가 있는 것이 분명하다. 그의 사상은 "유가"에서 시작하여 "도가"로 들어갔다고 말할 수 있

유가를 가지고 도가를 해석하는 것이며 입각점은 여전히 유가에 있다."(331쪽.)

99) 許抗生·李中華·陳戰國·那薇, 『위진현학사』(상), 331쪽. "「대인선생전」은 대략 감로 2년(257)에 지어졌는데 본전은 이에 대하여 설명하고 있다. 「달장론」(達莊論)은 「대인선생전」의 자매편이며 대개 이 시기의 작품이다."
100) 임형석, 「완적의 대인 대망론-「통역론」의 새로운 독법-」, 164쪽.
101) 같은 논문, 162쪽.
102) 원정근, 「예교에 대한 완적阮籍의 양가적 태도」, 145쪽.

다. ……그러나 ……"시대를 구제하려는 의지를 가진" 데서 시작하여 "공허로 도피하는" 데로 전환한 것은 그저 자신을 지키려는 꾀에서 나온 것일 뿐이지 사상과 인식의 변화는 결코 아니다. 그래서 이런 전환은 철저할 수 없었다. ……그래서 그의 사상에는 모순이 있었다. ……이것은 그의 내면적 모순을 더욱 증가시켰다.[103]

아래에서는 이것을 기준으로 완적의 철학사상이 어떻게 변화하였는지 살펴보기로 한다.

중국철학의 그 핵심에 정치철학이 있다는 점을 고려하면 사실 '자연'과 '명교'의 관계란 어떤 시대의 중국철학이라도 마찬가지로 핵심 주제였다. 따라서 '자연'을 강조하거나 '명교'를 강조하는 정치적 입장의 차이가 발생하는 그 궁극적 원인은 정치적 현실의 안정과 혼란에서 나온다. 사회가 비교적 안정적이면 당연히 유학적 질서가 정당성을 얻었지만, 만약 사회적 질서가 혼란을 겪게 되면 유가적 질서는 부정될 수밖에 없다. 이것은 너무도 현실적이고 또 상식적인 반응이었다.

앞에서 살펴본 것처럼, 완적은 초기에 출사의 뜻을 두고 있었던 인물이다. 그는 처음에 현실의 정치적 질서에 대한 믿음을 잃지 않았다.

무릇 음악이란 천지의 본체이자 만물의 품성입니다. 그 본체와 부합하여 만물의 본성을 얻게 되면 그 소리가 조화롭고, 본체에서 벗어나 만물의 본성을 잃으면 그 소리가 어그러져 들을 수 없습니다. 옛날에 성인이 음악을 만든 것은 장차 천지의 본체에 순응하고 만물의 본성을 이루고자 함이었습니다.[104]

---

103) 陳伯君,「序」『阮籍集校注』, 中華書局, 1987, 1-5쪽. (임형석,「완적의 대인 대망론-「통역론」의 새로운 독법-」, 162쪽. 재인용.)

그는 또 음악의 기능에 대해서도 긍정하였다.

　천지가 간이(簡易)한 까닭에 정악(正樂)은 번잡하지 않고, 도덕은 평담하기 때문에 궁·상·각·치·우 오성(五聲)은 무미(無味)합니다. 번잡하지 않기 때문에 음양이 저절로 통하고, 무미(無味)하기 때문에 만물은 저절로 즐거우며, 사람들이 나날이 선량함으로 나아가 교화되면서도 스스로 전혀 알지 못하며, 풍속도 올바르게 변화하여 이러한 정악에 동화합니다. 이것은 저절로 그러한 자연의 도이자 성인이 음악을 만드신 처음 생각입니다.105)

　그의 이러한 관점은 유학에서 예악을 강조했던 사상과 일치한다. 물론 몇 개의 용어는 도가적인 것이 보인다.

　선한 음악으로 이끌고, 조화로운 소리로 백성을 편안하게 하며, 충정(衷情)으로 백성을 수호하고, 항심(恒心)으로 백성을 유지하며, 민간의 오합지중(烏合之衆)을 소개(疏開)하고, 민간에 예절과 의식 등 예악 문물을 배치하며, 사람들이 요절(夭折)하지 않도록 하고, 장수할 수 있도록 도우며, 백성이 풍속의 편벽된 누습(陋習)을 버리고 성왕의 위대한 교화로 돌아올 수 있도록 하는 것입니다.106)

---

104) 『樂論』: "夫樂者, 天地之體, 萬物之性也. 合其體, 得其性, 則和; 離其體, 失其性, 則乖. 昔者姓人之作樂也, 將以順天地之性, 體萬物之性也."
105) 위와 같음: "乾坤易簡, 故雅樂不煩, 道德平淡, 故五聲無味. 不煩則陰陽自通, 無味則百物自樂, 日遷善成化而不自知, 風俗移易而同於是樂, 此自然之道, 樂之所始也."
106) 위와 같음: "導之以善, 綏之以和, 守之以衷, 持之以久. 散其群, 比其文, 扶其夭, 助其壽, 使去風俗之偏習, 歸聖王之大化."

또 이렇게 말하였다.

    옛날의 성왕이 음악을 반든 것은 이것을 통해 만물의 성정을 안정시키고,
천하의 모든 사람의 뜻을 통일하기 위함입니다.…… 무릇 정악이라고 한 것
은 음란한 소리를 물리치는 까닭입니다. 그렇기 때문에 정악이 폐지되면 음
란한 소리가 일어납니다. ……형벌과 교화는 긴밀하게 연계된 하나의 총체
이며, 예(禮)와 악(樂)은 표리가 상응하는 두 가지입니다. 형벌이 느슨해지면
교화가 홀로 행해질 수 없고, 예가 폐지되면 악은 설 근거를 잃게 됩니다.
존귀함과 비천함에 각기 명분을 부여하고, 상급과 하급에 등급을 마련하는
것이 이른바 예이고, 사람들이 삶에 안주하면서 정감에 지나친 애상(哀傷)이
없는 것을 악이라고 합니다. ……예를 행할 때 규정된 제도를 초과하면 존
비의 등급이 어그러지고, 악을 연주하는데 상하의 질서를 잃으면 친소(親疏)
관계가 어지러워집니다. 예는 인간의 표상을 규정하고, 악은 인간의 마음을
편안하게 합니다. 예는 백성의 외적 형태를 다스리고, 악은 백성의 내적 마
음을 감화시키는 것이기에 예악이 바르면 천하가 태평합니다.107)

    이처럼 완적은 유가에서 말하는 '예악', 즉 '명교'를 정대 긍정하였
다. "유가나 완적의 악론은 모두 반복해서 '화'를 주장하고 있기는 하
지만 유가는 주로 정치·윤리·도덕의 입장에서 말한 것이고, 완적은 '화'
를 인류가 마땅히 도달해야 할 '자연 일체', '만물 일체'의 경계로 격
상시켜 말한 것이다. 이런 면에서 볼 때, 완적의 〈악론〉은 ……당시

---

107) 위와 같음: "先王之爲樂也, 將以定萬物之情, 一天下之意也.…… 夫正樂者,
所以屛淫聲也, 故樂廢則淫聲作. ……刑敎一體, 禮樂, 內外也. 刑弛則敎不獨行,
禮廢則樂無所立. 尊卑有分, 上下有等, 謂之禮, 人安其生, 情意無哀, 謂之樂.
……禮踰其制則尊卑乖, 樂失其序則親疏亂. 禮定其象, 樂平其心; 禮治其外, 樂
化其內. 禮樂正而天下平."

현학의 주제인 이상 인격의 본체론과 내적으로 연계되고 있음이 분명
하다."108)

그러지만 이처럼 '명교'에 대한 절대적 긍정은 그리 오래가지 못하
였다. 이것은 그가 살았던 시대의 정치적 변화를 반영한다. 그런 까닭
에 그는 '명교'에 대한 비판을 '자연'을 통해 나타냈다. 바꾸어 말해서
그는 '명교'의 정당성을 '자연'에서 찾았다. 그는 "인간 사회의 예교
질서를 우주 만물의 자연 질서에 입각하여 새롭게 정초할 수 있다는
확고한 신념을 갖고 있었다."109) 그렇지만 불행하게도 그런 희망 역시
좌절되었다.

우리는 완적의 그러한 사상적 변화를 그가 『통역론』(通易論과 『대인
선생전』(大人先生轉))에 보이는 역사관을 통해서도 알 수 있다.

선왕이 천하를 다스릴 때는 혹형(酷刑)을 마련하였으나 이에 저촉하는 이
가 없었고, 중벌(重罰)을 분명하게 드러냈지만 시행할 필요가 없었다. 비록
겹겹으로 험난한 일에 봉착하였으나 강건하고 중정(中正)하여 마음으로 형통
하였다. 그래서 군왕은 능히 자신의 품덕을 단정히 하고, 공후(公侯)는 자신
의 직분을 고수하여 상하가 서로 의심하지 않았으며, 신하와 군주가 모두
의혹이 없었다.110)

옛날 천지가 개벽하던 처음에 만물이 함께 생겨났는데 큰 것은 자신의
성정에 따라 고요하고 작은 것은 자신의 모양에 맞게 조용하였다. ……총명
한 사람이라고 하여 자신의 지혜로 남을 이기지 않았고, 어리석은 사람이라
고 하여 자신의 우둔함으로 인해 실패하지 않았다. ……군주가 없어도 만물

108) 沈揆昊 譯註, 『阮籍集』, 170쪽.
109) 원정근, 「예교에 대한 완전阮籍의 양가적 태도」, 147쪽.
110) 『通易論』: "先王之馭世也, 刑設而不犯, 罰著而不施. 習坎剛中, 惟以心亨, 王
正其德, 公守厥職, 上下不疑, 臣主無惑."

이 안정되고, 신하가 없어도 모든 일이 잘 다스려졌으며, 만물은 각기 자신의 몸을 보존하고 본성을 수양하는데 각기 자연의 실서를 어기지 않았다. 그런 까닭에 모든 만물이 능히 오랫동안 번성할 수 있었다.111)

이것은 고대의 통치가 잘 이루어지던 시대의 분위기이다. 그러나 후대에는 그렇지 않다.

군주가 옹립되자 포악한 정치가 뒤를 이어 흥기하고, 신하가 생겨나자 백성을 해치는 일이 따라서 생겨났다. 그대들은 단정하게 앉아 궁리하며 예법을 만들어 아래의 백성을 속박하고, 어리석고 우둔한 이들을 속이며, 자신의 지혜가 훌륭하다고 여기고 자신의 신통함을 뽐낸다. 그리하여 강한 사람은 성난 눈매로 째려보면서 타인을 능멸하고, 약한 사람은 초췌한 모습으로 두려워하며 다른 사람을 섬긴다.112)

그의 이러한 역사관은 철저하게 퇴보 사관이다. "그러나 《역》을 통해 발휘되고 있는 완적의 유가적 관념은 현실과 직면하면서 여지없이 깨지고 만다. 현실은 그가 추구하듯이 천지 만물과 마찬가지로 자연스럽고 조화로운 것이 아니기 때문이다. 그가 점차 유가적 세계관을 포기하고 노장 학설이나 신선 사상에 몰입한 것은 바로 이 때문일 것이다."113) 그 결과 완적은 이제 '명교'를 철저하게 부정하였다.

---

111) 『大人先生傳』: "昔者天地開闢, 萬物竝生, 大者恬其性, 細者靜其形. ……明者不以智勝, 闇者不以愚敗. ……蓋無君而庶物定, 無臣而萬事理, 保身修性, 不違其紀, 惟茲若然, 故能長久."
112) 위와 같음: "君立而虐興, 臣設而賊生, 坐制禮法, 束縛下民, 欺愚誑拙, 藏智自神, 强者睽眡而凌暴, 弱者憔悴而事人."
113) 沈揆昊 譯註, 『阮籍集』, 210쪽.

그대 군자들의 예법이란 진실로 천하를 잔혹하고 포악하게 만들고, 어지럽고 위태롭게 만들어 결국 죽음으로 몰고 가는 술수일 따름이다.114)

그러나 당시의 정치적 현실은 그를 내버려 두지 않았다. 정치적 현실의 모순은 지식인에게 취사선택을 강요한다. 이러한 정치적 상황은 지식인의 심리적 상태에 큰 영향을 주게 되었다. 완적 역시 마찬가지였다. 그러나 정치적 상황의 변화는 그의 이러한 생각을 일순간에 잃게 하였다.

그대들이 말하는 육경(六經)의 말은 천지 만물을 분별하여 처리하는 가르침이다.115)

또 이렇게 말하였다.

무릇 존귀한 사람[貴]이 없으면 비천한 사람이 원한을 품지 않고, 부유한 사람[富]이 없으면 가난한 사람이 재물을 다투지 않게 되어 사람들이 각기 자신의 처지에 만족하면서 구하는 것이 없게 된다.116)

그는 '명교'를 초월하여 '자연'에 임한다(越名教而任自然)는 입장에서서 그 가능성을 긍정하였다.

---

114) 『大人先生傳』: "汝君子之禮法, 誠天下殘賊亂危死亡之術耳."
115) 『達莊論』: "彼六經之言, 分處之教也."
116) 『大人先生傳』: "夫無貴則賤者不怨, 無富則貧者不爭, 各足於身而無所求也."

지인(至人)은 삶에 대해 담담한 태도를 취하고, 죽음에 임할 때도 고요하다. 삶에 담담하니 감정에 미혹됨이 없고, 죽음 앞에서 고요하니 정신이 이탈하지 않는다. 그래서 능히 음양의 변화와 더불어 본성이 바뀌지 않을 수 있으며, 천지의 변화를 좇아 옮겨지지 않을 수 있다. 살아서 자연이 준수명을 완성하고, 죽을 때에 적절한 귀의처를 따른다면 심기가 평안하게 다스려지니 성쇠의 변화가 어그러지지 않게 된다.117)

그러나 그것 역시 어떤 면에서 불가능한 일이었다. 완적은 자신의 답답한 심정을 시에서 이렇게 말하였다.

깊은 밤, 잠 못 이루어
일어나 거문고를 뜯는다.
얇은 휘장 사이로 밝은 달 비추고
맑은 바람 내 옷소매를 스치는구나.
외로운 기러기 밖 들판에서 울어대고
날아오른 새 북쪽 숲에서 우짖는다.
서성거린들 무엇이 보이겠는가?
우환에 젖어 홀로 상심하거늘.118)

또 이렇게 말하였다.

번화(繁華)하면 분명 쇠퇴할 때가 있고

---

117) 『達莊論』: "至人者, 恬於生而靜於死. 生恬, 則情不惑; 死靜, 則神不離. 故能 與陰陽化而不易, 從天地變而不移, 生究其壽, 死循其宜, 心氣平治, 消息不虧."
118) 『詠懷詩』: "夜中不能寐, 起坐彈鳴琴. 薄帷鑒明月, 清風吹我襟. 孤鴻號外野, 翔鳥鳴北林. 徘徊將何見, 憂思獨傷心."

전당(殿堂) 위에도 가시덤불이 날 때가 있으리.
수레를 몰아 멀리 떠나
수양산 기슭으로 가고 싶어라.
내 한 몸도 간수하지 못하는데
어찌 처자식을 돌볼 수 있으랴.119)

　완적의 삶은 당시 죽림칠현이라는 지식인들이 처했던 시대적 운명의 한 전형적인 형태였다. 그의 정치적 입장에 대한 몇 가지 평가를 살펴보면 다음과 같다.
　김백희의 평가이다.

　죽림 현학의 사상가로서 완적은 명교에 대하여 강한 부정적 소회를 품고서도 감히 명교에 대항하지 못하고, 현실적인 암흑의 세상을 목도하면서도 무기력하게 몸을 돌렸다. 사상적으로 그는 명교의 옹호자로 출발했으나, 정치 현실의 질곡과 허위를 목도하고 나서 노장의 사유세계로 전회하였다. 그러나 현실적 삶에서는 어쩔 수 없는 인간으로서 속세의 번민과 이상적 초탈, 그리고 현실과 이상, 명교와 자연 속에서 갈피를 잡지 못하고 방황하였다.120)

　임형석의 평가이다.

　완적의 전후기 사상 변화에서 장자(莊子) 사상이 결정적이었다는 점은 모두 공유하는 사실이지만, '명교를 초월하여 자연에 맡긴다'(越名敎而任自然)

---

119) 위와 같음: "繁華有憔悴, 堂上生荊杞. 驅馬舍之去, 去上西山趾. 一身不自保, 何況戀妻子."
120) 김백희, 「완적(阮籍): 전환기 지식인의 자아분열과 봉합」, 252쪽.

는 죽림파의 명제에서 혜강과 완적 사이에 틈이 있음도 고려해야 한다. 죽림파의 이 명제는 물론 혜강에게나 해당하는 것이라고 해야 하고, 완적은 여전히 명교와 자연 사이에서 흔들리고 있었기 때문이다. 완적은 끝내 자연과 명교의 일치를 꾀한 명교파의 유산을 완전히 버리지 않았다.121)

변성규는 완적의 입장을 '육침'(陸沈)으로 설명하였다.

필자는 그 내적인 논리를 갖춘 모순으로, 은일의 방식의 하나로 인정되는 陸沈이야 말로 阮籍의 삶의 방식을 설명할 수 있는 해석의 열쇠가 된다고 생각한다. 漢代 初부터 발전되어 온 陸沈은 간단히 말해 몸은 世俗(政治)의 와중에 있으면서 실질적으로는 隱遁하는 것이다. ……그런데 이 陸沈에서 가장 중요한 것은 생명의 보존이며 기본적으로 이것은 魏·晉時代에 들어서부터 새롭게 조명받기 시작한 新道家(Neo-Taoist)의 사유방식과 깊은 연관이 있다. 신도가적 사유방식에 충실했던 魏·晉人들은 세속은 혐오했지만 삶 자체는 혐오하지 않았다. 즉 인생의 의미는 부정했지만 삶의 의미는 결코 부정하지 않았던 것이다.122)

사실 완적이 처한 진퇴양난의 처지는 난세에 처한 지식인이라면 누구나 겪을 수밖에 없는 실존적 선택의 상황이다.

2. 혜강

---

121) 임형석, 「완적의 대인 대망론-「통역론」의 새로운 독법-」, 163-164쪽.
122) 邊成圭, 「阮籍의 삶의 방식」, 한국중국어문학회, 『중국문학』 18, 1990, 7-8쪽.

혜강 역시 죽림칠현의 한 사람이었지만 그는 완적과 달리 위나라 종실의 사위였다. 그러므로 그의 정치적 입장은 이미 조위 정권과 함께할 수밖에 없었다.

(1) 생애

혜강 역시 죽림 현학의 인물이다. 그런 까닭에 그의 정치적 입장 역시 다른 죽림 현학의 인물과 크게 다르지 않다. 그는 자가 숙야(叔夜)이다. 위(魏)나라 문제(文帝) 황초(黃初) 4년(223년) 태어나 경원(景元) 3년(262년)에 사마씨에 의해 피살되었다. 그때 그의 나이는 겨우 40세였다.

그에 관한 기록은 『위지』(魏志)에 보인다.

당시에 또 초군(譙郡) 땅에 혜강(嵇康)이라는 인물이 있었는데 그의 문사(文辭)가 웅장하고 아름다웠으며, 노장(老莊)을 말하기 좋아하였다. 기이한 것을 숭상하고 의협심이 있었다. 경원(景元) 연간의 어떤 일에 연루되어 주살되었다.[123]

그 밖에 문헌으로 『진서』(晉書) 「혜강전」(嵇康傳), 『세실신어』(世說新語) 「덕행」(德行)편, 『태평어람』(太平御覽) 등이 있다.

혜강은 "어려서부터 정신이 해이하고 제멋대로 구는 괴팍한 성격으

---

123) 『魏志』권21 「王粲傳」: "時又有譙郡嵇康, 文辭壯麗, 好言老莊, 而尙奇任俠. 至景元中, 坐事誅."

로 자랐고, 경전을 읽고 예의를 존중하는 데 뜻을 두지 않았다"고 한다.124) 이것은 그의 본래 기질이 매우 자유분방했음을 보여준다. 그런데 그는 또 "성격이 강직하고 악을 미워하는 의협심이 두터우며, 그 호오가 겉으로 드러났다."125) 그의 이러한 성격은 위진 교체기라는 난세에는 매우 위험한 것이었다.

앞에서 말한 것처럼, 혜강은 위나라 종실의 사위였다. 이것은 당시의 정치적 상황으로 볼 때 이중적인 의미를 갖는다. 왜냐하면 한편으로 당연히 조위 정권과 입장을 함께 하였다는 것을 의미하고, 다른 한편으로 사마씨 집단과 적대적 관계에 있었다는 것을 의미하기 때문이다. 그렇지만 그는 조위 집단과 사마씨 잡단 사이의 정치투쟁에는 직접 개입하지 않았다. 그러나 위나라 종실의 사위라는 그의 신분은 위진 교체기라는 정치적 혼란 시대를 살았던 그의 삶에 이미 비극적 씨앗을 잉태하고 있었다.

완적은 자신이 처한 진퇴양난의 상황을 「복의집」(卜疑集)에서 굉달(宏達) 선생이라는 인물을 통해 이렇게 말하였다.

저는 마음에 품은 생각을 진솔하게 모두 말하며, 황제 앞에서도 바른말을 거리낌 없이 하며 왕공(王公)들에게 굽실거리지 않아야 합니까? 아니면 비겁하고 나약한 모습으로 유순하게 왕공의 뜻에 영합하면서 웃는 낯으로 순순히 그들에게 순종해야 합니까? ……126)

---

124) 혜강, 『혜강집』, 한흥섭 옮김, 소명출판, 2006, 310쪽.
125) 김준석, 「지식인의 이상과 실천-嵇康과 阮籍의 비극을 통해」, 14쪽.
126) 「卜疑集」: "先生曰: '吾寧發憤陳誠, 讜言帝庭, 不屈王公乎? 將卑懦委隨, 承旨倚靡, 爲面從乎? ……'"

그는 이렇게 진퇴양난에 처한 자신의 상황을 상반되는 질문을 통해 묻고 있다. 그러나 사실 그가 어떤 선택을 하든 그 결과는 결코 그에게 최선의 답이 될 수 없었다. 그가 만약 자신의 지조를 지킨다면 그것은 죽음으로 귀결될 것이었고, 그가 만약 순종을 선택한다면 그것은 그에게 자신의 존재 의미를 부정하는 것이었기 때문이다. 이것은 결국 그가 '명교'와 '자연' 사이에서 배회했다는 것을 의미한다.

그의 출사 경력을 살펴보면 낭중(郎中)으로 있었고, 뒤에 중산대부(中散大夫)가 되었다. 가평(嘉平) 원년(249년) 조상과 하안 등 8대 거족이 몰살당하자 정치 무대에서 물러나려고 하였다. 감로(甘露) 3년(258년) 그의 나이 36세 때 대장군 사마소(司馬昭)가 그를 박사로 삼았지만 나가지 않았다. 그는 결국 경원(景元) 3년(262년) 여안(呂安)과 관련한 사건에 연루되었는데 사마소는 그 사건을 구실로 그를 죽였다.

혜강은 "阮籍과 더불어 竹林七賢의 성격을 추론해 볼 수 있는 가장 실존적인 인물"이었다. 그는 "기존의 名敎의 가식과 형식을 부정하고 호방하며 자유로운 인간의 性情을 발현함으로써 위진시대는 물론 특히 남조시대 사대부 계층의 정체성에 큰 영향을 준 인물"이었다.[127] 그런 만큼 그의 일생 역시 불우했다고 말할 수 있다.

혜강의 저작으로 「양생론」(養生論), 「답상자기난양생론」(答向子期難養生論), 「명담론」(明膽論), 「난자연호학론」(難自然好學論) 등이 있다. 이러한 글은 모두 『혜강집』(嵇康集)에 수록하였다. 오늘날 전하는 『혜강집』은 명대(明代) 이후의 여러 판본이 있다. 그렇지만 이 판본에는 이미 유실된 내용이 많다. 한글 번역은 한흥섭의 『혜강집』(소명출판,

---

127) 이성원, 「위진사대부의 청담 문화와 '유지'론」, 한국중국학회, 『중국학보』 제67집, 2013, 109쪽.

2006)이 있다.

(2) 철학

혜강은 "개체 심신의 초탈을 추구하였다." 그런데 그가 말하는 이 "이상적 인격체"는 "독립자존, 절대자유라는 현학적 특성 또한 무한초월에 도달하려는 인격체"를 의미한다.[128] 이것은 당연히 '명교'와 '자연'의 관계 문제에서 발생한 모순과 충돌에서 도출한 결과이다.

혜강은 이 세계의 존재 형식에 대해 전통 중국인의 세계관을 나타냈다.

무릇 하늘과 땅의 두 기(氣)가 합쳐지자 만물이 이것을 바탕으로 생겨나고, 추위와 더위가 차례로 바뀌었는데 그로 인하여 오행(五行)이 생겨났으며, 오행은 또 오색(五色)으로 드러났고, 오음(五音)으로 표현되었습니다.[129]

또 인류의 탄생에 대해 이렇게 말하였다.

넓고 넓은 태소(太素) 속에서 양기가 빛을 발하고 음기가 응결하면서 하늘과 조화를 이루어 인류가 비로소 생겨났습니다.[130]

---

128) 김용범, 「嵇康의 意識構造에 관한 考察-내·외적 도덕개념을 중심으로-」, 한국동서철학회, 『동서철학연구』 제70호,2013, 187쪽.
129) 「聲無哀樂論」: "夫天地合德, 萬物資生, 寒暑代往, 五行以成, 章爲五色, 發爲五音."
130) 「太師箴」: "浩浩太素, 陽曜陰凝; 二儀陶化, 人倫肇興."

또 다음과 같이 말하였다.

무릇 원기(元氣)가 생성 작용을 하면 모든 생명은 그것을 부여받아 생겨 납니다.131)

그런데 그는 인간의 재능 역시 서로 다른 것이라고 말한다.

부여받음의 많고 적음의 차이가 있어 그 재질과 본성에도 우매함과 명석 함의 차이가 있습니다. 오직 지인(至人)만이 모든 순수한 아름다움을 모아 받아 내외를 두루 겸하여 완전하게 갖추지 않은 것이 없습니다. 그러나 지 인 아래의 단계로 내려가면 대개 부족한 부분이 있어 어떤 사람은 사물(사 태)을 파악하는 데에 밝고, 어떤 사람은 결단을 내리는 데에 용감합니다. 인 정(人情)은 탐욕스러움도 있고 청렴함도 있는데, [사람에 따라] 각기 머무르 는 바가 있습니다.132)

이것은 독법에 따라 다른 결론에 도달할 수 있다. 부정적으로 보면 인간의 능력 차이를 당연한 것으로 받아들이는 것이 된다. 그러나 긍 정적으로 보면 인간의 다양성을 긍정하는 것이 된다.

그러나 그의 이러한 논의는 매우 단편적이다. 그것은 그가 처했던 시대적 상황이 이러한 논의에 대한 관심보다는 현실적 폭력의 위험성 에 대해 더 민감하게 반응하도록 만들었기 때문으로 보인다.

그는 이상적 정치가 실행되었던 고대 사회의 모습을 이렇게 그렸다.

---

131)「明膽論」: "夫元氣陶鑠, 衆生稟焉."
132) 위와 같음: "賦受有多少, 故才性有昏明. 唯至人特種純美, 兼周外內, 無不畢 備. 降此已往, 蓋厥如也. 或明於見物, 或勇於決斷. 人情貪廉, 各有所止."

옛날의 왕은 청정무위(淸靜無爲)한 도(道)를 이어받아 만사만물을 다스리고, 반드시 간단하고 쉬운 교화(敎化)를 숭상하여 무위(無爲)의 정치를 다스렸습니다. 즉 군주는 위에서 조용히 있고, 신하는 아래에서 순종하니, 오묘한 교화가 말없이 이루어져 하늘과 인간이 교합하여 평안해졌습니다. [그리고 그 오묘한 교화는 마치] 메마른 만물에 윤기와 생기를 주는 단비가 스며들고, 드넓은 천하가 모두 따스한 흐름에 목욕하여 더러움을 씻어내는 것과 같(이 자연스럽)습니다. 그리하여 백성들은 편안하고 한가하며 스스로 많은 복을 받아서 아무 말 없이 도(道)에 따라 행동하고 충(忠)과 의(義)를 가슴에 품었어도 모든 게 저절로 그렇게 되어 그 까닭을 알지 못할 정도입니다.133)

혜강 역시 다른 죽림 현학자와 마찬가지로 고대 사회를 도가적 이상 사회로 그리고 있다. 그리고 이것을 기준으로 세속적 시비를 초월한 행위의 가능성을 긍정하였다.

군자가 어진 일을 행할 때는 법도가 있고 없음을 살핀 뒤에야 행하는 것이 아닙니다. 마음(본심)에 맡겨 사악함이 없으므로 선(善)을 헤아린 뒤에 바로잡는 것이 아닙니다. 감정을 드러낼 때는 시비를 마음에 두지 않으므로 옳고 그름을 따진 뒤에 행하는 것이 아닙니다. 그러므로 고결한 모습으로 자신이 어진 일을 행하는 것을 잊지만, 어진 행동은 법도와 저절로 들어맞게 됩니다. 홀연히 마음 가는 대로 맡겨두지만 마음은 선함과 만나게 되며, 무심하게 시비에 얽매임이 없지만 행하는 일은 모두 올바름에 맞게 되는 것입니다.134)

---

133)「聲無哀樂論」: "古之王者承天里物, 必崇簡易之敎, 御無爲之治, 君靜於上, 臣順於下; 玄化潛通, 天人交泰, 枯槁之類, 浸育靈液, 六合之內, 沐浴鴻流, 蕩滌塵垢, 群生安逸, 自求多福; 默然從道, 懷忠抱義, 而不覺其所以然也."

또 이렇게 말하였다.

　태고의 시대[洪荒之世]에는 모두 질박함이 아직 어그러지지 않았는데 군주는 위에서 인위적 꾸밈의 정치가 없었고, 백성들은 아래에서 다투지 않았으며, 사물은 온전히 어치에 순응하여 스스로 얻지 않음이 없었습니다. [그때의 사람들은] 배부르면 편안히 자고 배고프면 음식을 구했으며, 즐겁게 배를 두드리고 노래를 부르면서도 '지극한 덕이 베풀어진 세상'[至德之世]이라는 것을 알지 못했습니다.135)

여기에서 말한 '지극한 덕이 베풀어진 세상'[至德之世]이라는 것은 장자가 말한 그의 이상적 세계이다. 그러므로 그 당시 사람들 역시 단순하고 소박하였다.

　그 처음 사람들은 생각이 그윽하고 어두웠지만 깊이 생각하지 않아도 혼란스럽지 않았습니다.136)

이것은 상고시대에 해당한다. 그런데 "혜강이 말하는 至人이나 聖人은 儒家에서 말하는 도덕적 인격 완성체가 아니라, 大道를 실현할 도덕적 완성자로, 自然之性에 통달하여 無爲之治를 실현하는 이상적 통

---

134) 「釋私論」: "君子之行賢也, 不察於有度而後行也; 任心無邪, 不議於善而後正也; 顯情無措, 不論於是而後爲也. 是故傲然忘賢, 而賢與度會; 忽然任心, 而心與善遇; 儻然無措, 而事與是俱也."
135) 「難自然好學論」: "昔洪荒之世, 大朴未虧, 君無文於上, 民無競於下, 物全理順, 莫不自得; 飽則安寢, 饑則求食, 怡然鼓腹, 不知爲至德之世也."
136) 「太師箴」: "厥初冥昧, 不慮不營."

치자를 뜻한다."137)

그런데 후대로 내려오면서 그러한 이상적 사회의 조화는 파괴되었
다.

[그 나중 사람들은] 외물로 인하여 욕심이 생겨나고 여러 일로 환난이 형
성되었습니다. 기지(機智)를 범하여 해악을 촉발하니 지력(智力)은 더 이상
생명을 구제할 수 없게 되었는데 어른을 섬기고 인(仁)으로 돌아가는 것이
자연스러운 실정이 되었습니다. 그러므로 군주의 도[君道] 역시 이러한 실정
에 따라 반드시 현명한 자에게 의탁하였지만, 아주 오랜 옛날에는 누구도
편안하지 않은 자가 하나도 없었습니다.138)

이것은 중고시대에 해당한다. 이러한 경향은 후대로 내려갈수록 더
욱 심해졌다.

그러나 훗날 덕이 쇠미해지는 때에 이르러 대도(大道)는 줄어들게 되고,
교활한 지력은 일상적으로 쓰이게 되면서 [천자는] 점점 자기 친한 이들만
사사로이 아끼게 되었습니다. 그래서 행여 다른 사람이 자기 뜻을 거스를까
두려워하여 팔을 걷어붙이며 억지로 '어짊'[仁]을 내세웠습니다. 그로 인해
오히려 탐욕과 교활함이 더욱 기승을 부리고 번다한 예법이 거듭 제정되었
으며, 형벌과 억지 교화가 다투어 시행되어 결국에는 백성의 타고난 본성과
천진함이 상실되고 말았습니다.139)

---

137) 김용범, 「嵇康의 政治思想」, 한국동서철학회, 『동서철학연구』 제64호,
2012, 185쪽.
138)「太師箴」: "欲以物開, 患以事成. 犯機觸害, 智不救生; 宗長歸仁, 自然之情.
故君道因然, 必託賢明; 茫茫在昔, 罔或不寧."
139) 위와 같음: "下逮德衰, 大道沈淪; 智惠日用, 漸私其親, 懼物乖離, 擧臂立仁;
利巧愈競, 繁禮屢陳; 刑教爭施, 天性喪眞."

다음은 말세의 시대이다.

말세에 이르러 도가 점차 쇠퇴해지자 천자는 적자(嫡子)에게만 왕위를 계승하고 천하의 유용한 것을 물려주었으며, 존귀한 왕위를 뽐내고 위세를 자랑하면서 좋은 벗도 사귀지 않고 훌륭한 스승도 섬기지 않았습니다. 그러면서 천하를 제멋대로 쪼개어 자기 한 몸을 떠받드는 데에만 썼습니다. 그러니 군주의 자리는 갈수록 사치스러워지고 신하들은 그 직분에서 사악한 마음을 만들어내며, 온갖 지력을 다하여 나라를 훔칠 역모를 꾸미면서 온몸이 재처럼 흩어지는 것도 애석해하지 않으니, 이런 상태에서는 비록 상과 벌이 있다고 해도 선행을 권면할 수도 없고 악행을 금지할 수도 없습니다.140)

이 말세의 시대는 당연히 혜강 자신이 살았던 때를 가리킨다. 그는 "上古 이래 천하 분란의 중요한 원인으로 전제군주제를 지적했다."141) 혜강이 처했던 시대는 '명교'의 붕괴, 즉 허울뿐인 '명교'가 지배 이데올로기였던 난세였다. 그러므로 그는 '육경'(六經)과 '인의'(仁義)로 대표하는 유학의 '명교'를 잘못된 것이라고 비판하였다.

그 근원을 고찰하면 육경(六經)은 억제하여 이끄는 것을 위주로 하고, 사람의 본성은 욕망에 따르는 것을 즐겁게 여깁니다. 따라서 억제하여 이끌면 그 원하는 바에 어긋나고, 욕망에 따르면 자연스러움을 얻습니다. 그러므로 자연스러움을 얻음은 억제하여 이끄는 육경에서 비롯되는 것이 아니며, 본성을 온전하게 하는 근본은 인정에 어긋나는 예법[禮律]에 있는 것이아닙니

---

140) 위와 같음: "季世陵遲, 繼體承資; 憑尊恃勢, 不友不師; 宰割天下, 以奉其私. 故君位益侈, 臣路生心; 竭智謀國, 不吝灰沈; 賞罰雖存, 莫勸莫禁."
141) 김용범, 「嵇康의 政治思想」, 189쪽.

다. 그러므로 인의(仁義)라는 인위적 규범은 진실함을 기르는 묘책이 아니고, 청렴과 사양은 쟁탈 속에서 나오는 것이지 저절로 생겨나는 것이 아닙니다.142)

왜냐하면 '육경'(六經)은 인간의 자연스러운 욕망을 부정하고 인간을 얽어매는 것이기 때문이다. 그는 "인의 예의 육경 등의 명교적 가치를 인간을 외부적 속박에 얽매이게 하여 天性의 自然 本性을 억압하고 부정하는 질곡으로 치부하며", "예법의 틀 속에 구속되는 것을 배격하는 자유롭고 개방적이며 비판적인 현학정신의 사유 방식"을 제시하였는데 이것은 "청정무위와 자연에 순응하는 治道로 나라를 다스려야 한다는 통치법이다."143)

혜강의 입장은 이러한 허울뿐인 '명교'의 지배 이데올로기가 만들어 낸 현실적 폭력에서 벗어나는 것이 무엇보다도 절박한 문제였다. 그런 까닭에 그는 '명교'가 아닌 '자연'에 더 많은 관심을 가질 수밖에 없었다.

그는 죽림 현학의 핵심 주장이었던 '명교를 초월하여 자연에 임한다'(越名教而任自然)는 것이 가능함을 주장하였다.

무릇 군자(君子)는 마음이 시비(是非)에 얽매이지 않고 행실이 도(道)에 어긋나지 않는 사람입니다. 어째서 그렇게 말하는 것입니까? 무릇 기품이 고요하고 정신이 허정(虛靜)한 사람은 자신을 자랑하고 높이는 일에 마음을

---

142) 「難自然好學論」: "推其原也, 六經以抑引爲主, 人性以從欲爲歡; 抑引則違其願, 從欲則得自然. 然則自然之得, 不由抑引之六經; 全性之本, 不須犯情之禮律. 故仁義務於理僞, 非養眞之要術; 廉讓生於爭奪, 非自然之所出也."
143) 김용범, 「嵇康의 政治思想」, 191쪽.

두지 않으며, 덕성이 밝고 마음이 탁 트인 사람은 감정이 욕망에 매이지 않
습니다. 자신을 자랑하고 높이는 일에 마음을 두지 않기 때문에 명교(名敎)
를 초월하여 자연(自然)에 맡길 수 있으며, 감정이 욕망에 매이지 않기 때문
에 귀천(貴賤)을 밝게 살펴서 만물의 실정에 통달할 수 있는 것입니다. 만물
의 실정에 제대로 통달할 수 있기 때문에 큰 도에 어긋남이 없으며, 명교를
초월하여 본심에 맡기기 때문에 시비를 마음에 두지 않습니다.144)

이 단락에서 혜강은 '명교'(현실)를 초월하여 '자연'(이상)에 임한다
는 것이 가능하다는 것을 강조하였다. 그리고 그러한 관심의 표현이
바로 '장생'에 관한 관심이었다. 그런데 이 장생의 문제는 본래 불로
장생한다는 신선 사상이 그 핵심이었다.

무릇 신선은 비록 직접 눈으로 볼 수는 없지만, 서적에는 기록되어 있고
과거의 역사에 전해져오고 있습니다. 이것을 대략 정리해 말하자면, 신선이
존재했다는 것은 틀림없는 사실입니다! 그러나 신선은 홀로 특이한 기(氣)를
품수 받았고, 그것은 자연에서 품부 받은 것 같으니 배움을 쌓아 이를 수
있는 게 아닙니다.145)

그렇지만 그는 비록 신선이 존재한다고 긍정하였지만, 신선이 되는
사람은 자연에서 특이한 기[異氣]를 품부 받은 사람만이 가능하다고
생각하였다. 즉 그는 신선이 될 수 있는 사람은 보통 사람과는 다르게

---

144)「釋私論」: "夫稱君子者, 心無措乎是非, 而行不違乎道者也, 何以言之? 夫氣
　　靜神虛者, 心不存於矜尙; 體亮心達者, 情不繫於所欲, 矜尙不存乎心, 故能越名
　　敎而任自然; 情不繫於所欲, 故能審貴賤而通物情. 物情順通, 故大道無違; 越名
　　敎任心, 故是非無措也."
145)「養生論」: "夫神仙雖不目見, 然記籍所載, 前史所傳, 較而論之, 其有必矣! 似
　　特受異氣, 稟之自然, 非積學所能致也."

태어난 사람이라고 하였다. 그렇기는 하지만, 그는 또 양생을 통해 장수할 수는 있다고 긍정하였다.

> 그렇지만 합당하게 양생(養生)하여 성명(性命)을 다함에 이르게 되면, 많게는 천 살을 살 수 있고, 적어도 수백 살을 살 수 있다는 것은 가능한 일입니다. 그러나 세상 사람들은 모두 [양생법에] 정통하지 못하기 때문에 그렇게 할 수 없는 것입니다.146)

이처럼 그는 신선이 되는 것은 특별한 사람만이 할 수 있는 것이라고 말한 것이다. 그런 까닭에 그는 단지 양생을 통해 장수할 수 있다는 점을 긍정할 뿐 불로장생하여 영원히 산다는 것은 부정하였다. 이것은 달리 말하면 그가 '자연'에서도 안심입명(安心立命)할 수 있는 길을 찾지 못했다는 것을 의미한다.

김용범의 말이다.

> 혜강의 이상은 이해와 득실, 현실적 계산을 따지지 않고 세속적 속박에서 초월하여 유유자적하며 자연과 하나되는 삶속에서 청정무위의 정신을 추구하며 이상향의 초월적 세계에 도달하는 것이었다. 진정한 부귀는 현실적 富貴榮華가 아니라 뜻의 만족함을 얻는 意足이라는 그의 년학적 가치관의 반영이다. 다만 청정무위의 隱逸的 仙界의 삶을 추구하며 현세를 강하게 비판하고 부정하지만, 그 내면에는 인간의 가치, 생명존중, 감성의 정취가 스며있고 또한 현실의 끈을 완전히 놓을 수 없던 情理를 간과해서는 안 된다.147)

---

146) 위와 같음: "至於導養得理, 以盡性命, 上獲千餘歲, 下可數百年, 可有之耳. 而世皆不精, 故莫能得之."
147) 김용범, 「稽康의 意識構造에 관한 考察-내·외적 도덕개념을 중심으로-」,

그렇지만 결론적으로 말해서, 혜강은 이 '명교'와 '자연'이라는 두 가지 서로 다른 삶의 형식에서 어느 것 하나 완전히 벗어나지 못하였다. 그것은 달리 말해 그가 「복의집」에서 질문했던 것처럼 이 둘 사이에서 어느 하나를 온전히 선택하지 못하고 그 '사이'에서 방황했다는 것이다. 그 결말이 그의 불행한 죽음이었다. 물론 그러한 선택은 전적으로 혜강에게 달린 문제는 아니었다.

혜강은 「가계」(家誡)에서 다음과 같이 말하였다.

사람이 뜻이 없다면 사람이라 할 수 없다. 다만 군자가 마음을 쓰는 데 있어 하고 싶은 바를 법도에 따라 행하려면 마땅히 스스로 그 선함을 헤아리고 반드시 깊이 숙고한 후에 행동으로 옮겨야 한다. 만약에 뜻이 지향하는 것이라면 말과 마음으로 맹세한 것은 죽음을 무릅쓰고라도 한결같이 지켜야 하며, 몸이 뜻에 미치지 못함을 부끄러워하면서 반드시 이루어내겠노라 기약해야 한다.148)

이것은 혜강의 내면세계를 잘 보여준다. 이 문헌은 그의 말년의 쓴 것으로 추정한다.149) 따라서 그의 내면의 솔직한 심정을 잘 보여준다고 할 수 있다. 이 「가계」는 "嵇康 개인으로서의 痛恨이 반영된 비장한 기록이기도 하였다. 즉 그것은 위진 사대부의 문화가 여실히 반영되었으며, 또한 그 문화를 통렬하게 훈계하고 있었다."150)

187쪽.
148) 「家誡」: "人無志, 非人也. 但君子用心, 所欲準行, 自當量其善者, 必擬議而後動. 若志之所之, 則口與心誓, 守死無二, 恥躬不逮, 期於必濟."
149) 이성원, 「위진사대부의 청담 문화와 '유지'론」, 111쪽. "嵇康의 『家誡』도 景元 4년(263)을 전후한 시기에 저술되었을 것으로 추측되고 있다."

위에서 우리는 죽림 현학의 대표적인 두 인물 완적과 혜강에 대해 살펴보았다. 김준석은 이 두 사람에 대해 이렇게 평가하였다.

　　강직한 성품의 혜강은 마지막까지 그 뜻을 고수하여 집권 세력과의 타협을 거부했으며, 유약한 성격의 소유자였던 완적은 끊임없이 이상과 현실 사이에서 방황해야 했다. 신념을 지켜낸 대가는 정치적 참살이었으며, 이상과 현실 사이에서의 방황한 대가는 언제 닥칠지 모를 죽음에 대한 불안과 공포였다. 두 사람의 삶은 이렇듯 모두 비극적이었던 것이다. 물론 이들 비극은 위진 교체기라는 불안한 시대가 만들어낸 필연이라 할 수도 있다. 하지만 이는 또한 개인의 선택으로 인한 機緣으로, 혜강의 비극이 이상과 실천의 합치가 만들어낸 지식인의 숭고함 그것이었다면, 지식인으로서의 의무를 실천하지 못한 자괴감, 그로 인해 작품 속에 남겨진 무수한 비애와 고통의 흔적, 그를 향해 여전히 난무하는 비난과 회의의 목소리가 바로 완적의 비극인 것이다.[151]

　이러한 평가는 정곡을 찌르는 것이다. 그런 까닭에 우리 역시 완적과 혜강 사이에서 방황하며 삶을 살아가는 것은 아닐까? 그런데 그것이 바로 우리 인간 삶의 운명이고 또 비극이다.

제5절 원강 현학

---

150) 같은 논문, 126쪽.
151) 김준석, 「지식인의 이상과 실천-嵇康과 阮籍의 비극을 통해」, 34쪽.

삼국시대는 263년 위(魏)나라가 촉(蜀)나라를 멸망시키고, 위나라를 계승한 진(晉)가 280년 오(吳나)라를 평정하면서 4세기에 걸친 삼국 분열이 마무리되었다.

249년 사마의(司馬懿)는 쿠데타를 일으켜 실권을 장악하였다. 그가 죽은 뒤 그의 아들 사마소(司馬昭)가 권력을 이어받았는데 그는 265년 죽었다. 그리고 그해 그의 아들 무제(武帝) 사마염(司馬炎)이 진(晉)나라를 세워 황제가 되었으며 연호를 태시(泰始)라 하였다. 그는 280년 오(吳)나라 정복하여 삼국을 통일하였다.152) 290년 서진(西晉) 태희(太熙) 1년에 그가 죽고, 혜제(惠帝) 사마충(司馬衷)이 제위에 올라 연호를 영희(永熙)로 하였다. 그런데 291년 연호를 영평(永平)으로 바꾸고, 같은 해 3월 다시 원강(元康)으로 고쳤다.153)

서진 왕조는 문벌 세족의 통치사회였다.154) 또 조위 정권 때 이미 실시하였던 구품중정제(九品中正制)는 관리들의 조직을 사족화하고 문벌 귀족화하는 제도가 되었다.155) 그런데 서진은 건국 초기부터 황제를 비롯한 권문세족들이 사치하였으며, 당연히 부패하였다. 그것뿐만 아니라 또 황위의 계승 문제로 위기가 찾아왔다.156)

서진 왕조는 황족 자제의 분봉제(分封制)와 음친제(蔭親制) 및 직관(職官) 제도, 그리고 구품관인법(九品官人法)과 안관품점전법(按官品占田法)을 실행하였다.157) 분봉제는 황족 자제에게 봉지를 나누어주는 것

---

152) 김종박, 『중국역사의 이해』, 도서출판 호산당, 2007, 79쪽; 中國史硏究室 編譯, 『中國歷史』(상권), 신서원, 1993, 270쪽.
153) 許抗生·李中華·陳戰國·那薇, 『위진현학사』(하), 김백희 역, 세창출판사, 2013, 3쪽.
154) 위와 같음.
155) 김종박, 『중국역사의 이해』, 81쪽.
156) 勞幹, 『魏晉南北朝史』, 金榮煥 옮김, 藝文春秋館, 1995, 46쪽.

이다. 진나라 무제는 황제권을 강화하기 위해 사마씨와 사족을 결합하고 그들의 권위를 보호하기 위해 분봉제를 실시한 것이다. 그렇지만 이러한 제도는 황위의 계승 문제에서 혼란의 위험을 주었다. 음친제는 관직을 기준으로 권속에게 음직(蔭職)을 주는 것이다. 즉 고급 사족에게 경제적 이익을 주장해 주는 제도였다. 구품관인법은 각 신분의 등급에 따라 전답을 분배하는 제도였다. 관품이 있는 자에게는 관품의 등급에 따라서 토지 소유를 제한하는 제도였다. 이러한 제도는 토지의 불평등을 낳았다. 안관품점전법은 귀족의 토지 소유를 제한하고 농민에게 일정한 토지를 소유하게 하는 제도였다.158) 점전은 토지의 점유를 규정하는 것으로 한대 이래 민간의 대토지 소유를 제한하려 했던 한전 정책을 계승하여 일반 백성의 기본적 토지 소유는 남자는 70무, 여자는 30무, 즉 1호당 100무로 제한하려는 정책이었다.159) 그렇지만 귀족들이 토지를 점유하는 것을 막을 수는 없었다.

　원강 연간에는 죽림 현학의 기풍이 더욱 극단적으로 발전하여 '광기에 이른 방달'[狂放]로 나갔다. 이러한 상황에서 일군의 학자들이 나타났는데 비교적 중요한 인물로 구양건(歐陽建), 배위(裴頠), 곽상(郭象) 등이 있다. 이 시기는 구양건의 『언진의론』(言盡意論), 배위의 『숭유론』(崇有論), 곽상의 『장자주』(莊子注)가 대표적인 작품이다.160) 그들은 모두 기본적으로 현실을 긍정하였다.

157) 許抗生·李中華·陳戰國·那薇, 『위진현학사』(하), 3-4쪽.
158) 위와 같음.
159) 김종박, 『중국역사의 이해』, 81쪽.
160) 許抗生·李中華·陳戰國·那薇, 『위진현학사』(하), 8-9쪽.

1. 배위

(1) 생애

배위는 자가 일민(逸民)으로 하동(河東)의 문희(聞喜, 지금의 山西省 絳縣) 사람이다. 그는 서진 무제 태시(泰始) 3년(267년)에 태어나 혜제 (惠帝) 사마충(司馬衷) 영강(永康) 1년(300년)에 피살되었다.

300년 조왕(趙王) 사마륜(司馬倫)과 양왕(梁王) 사마동(司馬肜)이 정권을 찬탈하고 가황후를 죽였는데 사마씨 집안 내부에서 정권 쟁탈이 일어났다. 그 결과 팔왕의 난(八王之亂)이 16년 동안 이어졌는데 그 과정에서 조왕 사마륜에게 피살되었다. 그때 그의 나이 겨우 34세였다.[161]

배위는 거대 세족 집안의 출신이다. 그 활동한 때는 대체로 혜제와 가황후(賈皇后) 정권 시기이다. 또 외척 세력의 한 사람이었다. 그렇지만 그는 황실의 친척이나 황후의 외척 세력이라는 것만으로 관리 선발을 하는 것에 반대하고 개인의 현명한 덕성으로 선발해야 한다고 하였다.[162] 진나라 무제 사마염(司馬炎)의 태강(太康) 2년(281년) 태자 중서자(太子中庶子)가 되었다. 그 뒤 산기상시(散騎常侍)로 자리를 옮겼다. 291년 혜제 사마충이 즉위하면서 국자좨주(國子祭酒) 겸 우군장군(右軍將軍) 되었다. 그리고 그 뒤에는 또 시중(侍中), 상서좌복야(尙書左僕射)로 옮겼다.[163]

---

161) 같은 책, 11, 16쪽.
162) 같은 책, 13쪽.
163) 같은 책, 11쪽.

그의 저작으로 『숭유론』(崇有論), 『귀무론』(貴無論), 『변재』(辯才)가 있다.164) 그런데 오늘날 『숭유론』만이 전해지고 있다. 그러므로 우리는 배위의 사상을 불완전하지만 『숭유론』을 통해 고찰할 수밖에 없다.

(2) 철학

배위는 왜 『숭유론』을 썼는가? 그것은 "당시 사람들 특히 지식인들이 세속을 어지럽히고 유가의 가르침을 존중하지 않았던 것이 근본 동기이다."165) 그는 먼저 정시 현학의 대표적인 인물 하안과 왕필의 귀무론을 부정하였다.

무릇 총체적으로 뒤섞인 무리의 근본이 종극의 도이다.166)

여기에서 '무리의 근본'[群本]이란 즉 종극의 도[宗極之道]라는 의미

---

164) 湯一介, 『郭象與魏晉玄學』, 150쪽. 『세설신어』(世說新語) 「문학」(文學)편 주에서 『진제공찬』(晉諸公贊)을 인용하였는데 글에서 "『숭유』이론"(『崇有』二論)이라고 말하였다. 그리고 『삼국지』(三國志) 「위지」(魏志) 「배해전」(裴楷傳)에서는 "『숭유』·『귀무』이론"(『崇有』『貴無』二論)이라 하였다. 손성(孫盛)의 『노담비대현론』(老聃非大賢論)에는 "『숭유』·『귀무』이론"(『崇有』·『貴無』二論)이라고 하였다. 그런데 『진서』(晉書) 「배위전」(裴頠傳)에서는 "『숭유』지론"(『崇有』之論)이라고 하였다. 사마광(司馬光)의 『자치통감』(資治通鑑) 권82에서도 『숭유론』만 기록하였고, 『귀무론』에 관한 기록은 보이지 않는다. 그러므로 어떤 학자는 배위의 저작에는 『귀무론』이 없었다고 말한다. 그런데 탕일개는 이 두 편의 글이 있었다고 생각한다.

165) 김태용, 「배위의 숭유론 고찰」, 한국철학사연구회, 『한국철학논집』 제36집, 2013, 271쪽.

166) 『崇有論』: "夫總混群本, 宗極之道也."

이다. 이것은 만물 자체를 의미하는 것이고, 만물 자체는 바로 세계의 근본이며, 바로 최고로 높은 궁극의 "도"(道)이다. 그러므로 만물을 떠나서 이른바 "도"는 없다. 이것은 "세계 만물 자체가 바로 자기 존재의 원인"이라는 것이다.167) 배위의 『숭유론』은 "위진 현학 내부에서의 하안과 왕필을 중심으로 하는 '귀무론' 체계를 적극적으로 비판하며, 새로운 세계관과 사회질서를 논의"한 것으로,168) 당시의 혼란한 사회 체제에 대한 새로운 정립을 의미한다.

무릇 지극한 무[至無]는 (만물을) 생겨나게 할 수 없다. 그러므로 처음 생겨난 것은 저절로 생겨난[自生] 것이다. 저절로 생겨난 것이기에 반드시 유(有)를 본체[體]로 하는데 유를 버리면 (만물이) 생겨나는 것도 없다.169)

배위는 '허무'(虛無)를 존재하지 않는 것(不存在)이라고 하였다.170) 즉 '허무'란 '유'가 없어진 것으로 '유'의 부재[不存在]일 뿐이다. 즉 세계에 실재하는 것은 '유'뿐이다.171) 그런 까닭에 그는 존재하지 않는 '허무'는 '유', 즉 만물을 낳을 수 없다고 한 것이다. 따라서 배위에 의하면 존재는 존재 자체가 낳는 원인이 된다.

배위는 노자의 "유는 무에서 생겨난다"(有生於無)는 관점을 비판/부정하였다.

---

167) 許抗生·李中華·陳戰國·那薇, 『위진현학사』(하), 34쪽.
168) 이진용, 「배위(裴頠) 숭유론(崇有論)의 존재론 연구」, 충남대학교 유학연구소, 『유학연구』 제49집, 2019, 218쪽.
169) 『崇有論』: "夫至無者, 無以能生, 故始生者, 自生也. 自生而必體有, 則有遺而生虧矣."
170) 湯一介, 『郭象與魏晉玄學』, 153쪽.
171) 김태용, 「배위의 숭유론 고찰」, 279쪽.

노자의 책을 보면 비록 넓고 그렇게 한 근거가 있지만 '유가 무에서 생겨난다'(有生於無)라고 하고 '허'(虛)를 주된 것으로 삼은 것은 편벽하게 일가(一家)의 말을 세운 것이니 어찌 '유'가 그것에 의해 존재한다고 할 수 있겠는가!172)

사실 노자의 '무'에 대해서도 학자들은 일반적으로 '공무'(空無)가 아니라고 말한다. 왜냐하면 만약 '도'가 정말로 '무', 즉 '공무'라면 그러한 '공무'가 '유', 즉 만물을 생겨나게 한다면 우리의 사유로는 전혀 이해할 수 없기 때문이다. 이러한 사유 노선에서 볼 때 배위의 천지만물의 '자생'(自生)이라는 개념 역시 정당화할 수 있다.

"유"(有)는 즉 자신의 존재 근거로 "유"의 배후(밖에, 위에) 다시 무슨 그 본체로서의 "무"(無)는 없다는 것이다.173)

그런데 『진서』(晉書) 「배위전」(裴頠傳)에서는 또 '유'와 '무'에 관해 이렇게 말하였다.

무릇 '유'(有)는 '유'가 아니고, '무'(無)에서 말하면 '무'가 아니다. (그러므로) '무'에서 말하면 '무'가 아니고, '유'에서 말하면 '유'가 아니다. ……마땅히 그것은 '무'로써 말을 한 것이지만 그 종지는 '유'를 온전히 하는 것에 있다.174)

---

172) 『崇有論』: "觀老子之書, 雖博有所經, 而云有生於無, 以虛爲主, 偏立一家之辭, 豈有以而然哉!"
173) 湯一介, 『郭象與魏晉玄學』, 153쪽.
174) 『晉書』 「裴頠傳」: "夫有非有, 於無非無; 於無非無, 有非有. ……宜其以無

이 관점은 당연히 정시 현학의 하안과 왕필의 "귀무론"(貴無論)이라
는 관점에 대한 부정이기도 하였다.

(만물이) 생겨나는 것은 유(有)가 자기 분화하는 것이니 허무(虛無)란 유가
없는 것을 말한다. 그러므로 이미 변화하여 있는 유는 무의 쓰임이 온전히
할 수 있는 것이 아니다. 이미 있는 만물을 다스리는 것은 무가 좇을 수 있
는 것이 아니다.175)

그렇지만 그는 「배위전」의 '유'와 '무'의 관계에 대한 논의에서 보이
는 것처럼 '말단'[末]과 '근본'[本]의 관계 자체를 부정하는 것은 아니
다.

말단[末]을 품고 근본[本]을 잊는다면 천리의 진실함[天理之眞]은 소멸하게
된다.176)

다시 말해 배위는 "노자가 주장한 고요함을 지키며 하나의 대도를
가슴에 품는 귀무(貴無) 사상에 대하여 확실히 긍정했다는 것이다."177)
문제의 핵심은 노자와 하안·왕필이 왜 '무'를 말하였는가 하는 그 의도
에 있다. 배위에 의하면 '무'를 말한 노자와 그것을 이어받은 '귀무론'
역시 말하고자 하는 종지는 '유'에 있다는 것이다. 사실 하안과 왕필

爲辭, 而旨在全有."
175) 『崇有論』: "生以有爲己分, 則虛無是有之所謂遺者也. 故養旣化之有, 非無用
之所能全也. 理旣有之衆, 非無爲之所能循也."
176) 위와 같음: "懷末而忘本, 則千里之眞滅."
177) 許抗生·李中華·陳戰國·那薇, 『위진현학사』(하), 33쪽.

의 '귀무론'이든 배위의 '숭유론'이든 그들이 결국 말하고자 하는 의도
는 우리가 살아가는 현실 문제에 대한 해결책을 제시하고자 한 것이
다. 만약 '귀무론'이 되었든 '숭유론'이 되었든 우리가 살아가는 이 현
실에 대한 어떤 해결책을 제시하지 못한다면 그것이 아무리 고상한
이론이라 하더라도 무의미한 논의일 뿐이다.

다음으로 '유'의 특징은 독립적으로 존재하는 사물이 아니다. '유'는
그것의 존재를 위해 다른 존재를 필요로 한다.

> '유'가 필요로 하는 바는 이른바 존재의 바탕[資]이다.178)

여기에서 말하는 '존재의 바탕'[資]은 다른 사물이다. 다시 말해 하
나의 사물은 고립적, 독립적으로 존재할 수 없고 다른 사물에 의하여
자신의 존재를 유지할 수 있다는 것이다. 이것은 매우 상식적인 말이
다. 즉 '유'로서 존재하는 개별 사물은 다른 것에 의지하여 존재한다.
그러므로 한 사물의 존재는 다른 사물의 존재에 의하여 자기 존재가
가능하게 된다.

> 무릇 만물이 각기 다른 사물[品]이 되면 (각기 성질이 다른) 종류[族]를
> 이루게 된다. 그러면 각기 품부 받은 것이 치우치게 되는데 치우치게 된 것
> 은 자족할 수 없다. 그러므로 바깥의 바탕에 의지하게 된다.179)

이처럼 '유', 즉 만물의 존재는 각기 고유의 특성/속성을 갖게 된다.

---

178) 『崇有論』: "有之所須, 所謂資也."
179) 위와 같음: "夫品而爲族, 則所稟者偏, 偏無自足, 故憑乎外資."

그것을 각 사물의 '리'(理)라고 한다.

  그러므로 생겨난 것 가운데에서 파악할 수 있는 것은 이른바 (각 사물의)
'리'(理)이다. '리'의 본체가 되는 바는 이른바 '유'(有)이다.180)

  여기에서 '리'는 각기 사물의 '리'이다. 따라서 우리가 사물을 만물
이라고 말하는 것처럼 사물의 '리' 역시 다양하다. 그리고 이처럼 만
물이 각기 고유의 특성/속성을 갖는다는 것은 그들 사이에 차이성이
존재하게 됨을 의미한다. 이상의 내용을 종합하면 만물은 각기 다른
특성/속성을 가지면서도 서로를 필요로 하는 관계에 놓여있다.
  배위가 '유'를 강조한 것은 '명교'를 부정하고 '자연'으로 도피하려
는 죽림 현학의 부정적 측면, 즉 그들의 '광달'(狂達)에 대한 비판이었
다. 다시 말해 배위가 '귀무'에 반대한 것은 대체로 "명교를 초월하여
자연에 임한다"는 사조가 만들었던 좋지 않은 사회적 풍조에 대해 말
한 것이다.181)

  그런 까닭에 학설[言]을 세움에 허무(虛無)에 근본을 두면 현묘하다고 말
한다. 관직에 있으면서 맡은 바 직무를 친히 (열심히) 하지 않으면 고상하고
원대하다고 말한다. 자신을 높게 받들고서 염치와 절조를 내버리면 밝게 통
달한 사람이라고 말한다. 그러므로 자신을 갈고 닦아 수양을 하는 풍속이
갈수록 쇠퇴하게 되었다. 방탕한 자를 이것을 기회로 삼아 길흉의 예(吉凶
之禮)를 어그러뜨리고, 행동의 (합당한) 모습을 무시하며, 장유의 질서(長幼
之序)를 더럽힌다. 심한 자는 벌거벗고 다니고, 말을 하고 웃는 것이 그 마

---

180) 위와 같음: "是以生而可尋, 所謂理也. 理之所體, 所謂有也."
181) 湯一介, 『郭象與魏晉玄學』, 152쪽.

땅함을 잊고, (사회규범을) 귀하게 여기지 않는 것을 뜻이 크다고 여긴다. (세상의 풍조가) 그러하기에 사대부[士]들은 또 (언행이) 크게 어그러졌다.182)

또 이렇게 말하였다.

'유'(有)를 천하게 여기면 반드시 형체[形, 만물 존재]를 무시하게 되고, 형체를 무시하게 되면 반드시 제도[制]를 내버리게 되고, 제도를 내버리게 되면 반드시 방비[防]를 소홀히 하게 되고, 방비를 소홀히 하게 되면 반드시 '예'(禮)를 잊게 되고, '예'와 '제도'가 있지 않으면 정치를 할 수 없게 된다.183)

배위의 이러한 비판은 정당하다. 그는 당시 세상에 "허무의 언설이 날로 세상에 널리 넘쳐나던"(虛無之言, 日以廣衍) 상황에서 '유'를 강조하는 주장을 한 것이다.184) 그러므로 그가 노자 역시 "즉 '유'를 온전히 하기 위해서 '허무'의 담론을 전개한 것이지 '유'를 끊기 위해서 '허무'를 주장한 것은 아니다"고 강조한 것 역시 합리적 해석이다.185)
물론 우리는 죽림 현학의 인물들이 현실에 대한 비관, 그리고 그 결과 비참한 현실에서 도피하고자 했던 심정은 이해할 수 있다. 그러

---

182) 『崇有論』: "是以立言藉於虛無, 謂之玄妙; 處不親所司, 謂之雅遠; 奉身散其謙操, 謂之曠達: 故砥礪之風, 彌以凌遲. 放者因斯, 或悖吉凶之禮, 而忽容止之表, 瀆棄長幼之序, 混漫貴賤之級, 其甚者至於裸程, 言笑忘宜, 以不惜爲弘, 士行又虧矣."

183) 위와 같음: "賤有則心外形, 外形則必遺制, 遺制則必忽防, 忽防則必忘禮, 禮制弗存, 則無以爲政矣."

184) 위와 같음.

185) 김태용, 「배위의 숭유론 고찰」, 267-268쪽.

나 그들 역시 현실에 대한 관심을 버릴 수는 없었을 것이다. 이것이 그들의 비극적 운명이었다.

배위는 이 세계 자체를 부정하고 이 세계를 초월한 '무'를 강조하였던 정시 현학과 광달에 빠진 죽림 현학을 부정한 것이다. 즉 "당시 귀무론자들이 '무'를 강조하고 '유'를 천시하는 이론적 경향이 실제 현실에서 예법과 도덕을 위반하고 예제를 무너뜨리게 되었고, 이는 최종적으로 현실을 운영하는 기본 정치적 맥락까지 위태롭게 하는 결과를 초래했다는 것이다."186) 그런데 우리는 여기에서 정시 현학이 되었든 죽림 현학이 되었든 그들이 '유'에 대해 이처럼 비판적 시각을 갖게 된 그 근본 원인에 대한 탐구가 있어야 한다. 온갖 모순이 발생한 현실에 대해 아무런 비판적 시각과 논의가 없다면 그것은 이미 곡학아세를 하는 것이다. 우리는 이미 역사를 통해 그런 인물들을 많이 보았다.

배위의 관점 역시 마찬가지이다. 그가 만약 정시 현학과 죽림 현학의 현학자들이 제기한 당시 정치사회의 문제에 대한 고찰이 없이 단순히 '현실'('유')을 무조건적으로 긍정하는 입장이라면 그의 철학이 아무리 뛰어난 철학이라고 하더라도 그것은 아무런 의미가 없는 '철학함'일 뿐이다.

강중건의 배위 철학에 대한 평가이다.

그래서 위진현학은 죽림현학의 '명교를 넘어 자연에 맡겨라'는 극단적 사상으로부터 다른 극단, 즉 서진 중조(中朝) 시기 배위(裵頠)의 '자연을 넘어 명교에 맡겨라'(越自然而任名敎)는 극단적 사상으로 전향하였다. 그러나 실제

---

186) 이진용, 「배위 「숭유론」의 명교와 현학」, 367쪽.

로 당시 서진 사회에서는 순전히 명교를 제창하는 주장이 실현될 수 없었
고, 더욱이 그것을 천하의 기강으로 삼는 정치사상 체계를 구축할 수도 없
었다. 그래서 명교를 숭상하고 유위(有爲)를 중시하며 현실을 추구하는 배위
도 결국 팔왕의 난으로 인한 왕실의 변란 속에서 목숨을 잃었고, 사회 명교
에 의해 잠식되어 버렸다. 이와 같은 사실은 또한 사회 명교가 초월되어야
한다는 것을 의미한다. 그렇지 않으면 명교는 사회 관계를 조절하고 정돈하
는 기능을 잃을 뿐만 아니라, 통치자들의 살인도구로 전락될 수도 있다.[187]

그 결과가 배위의 비극적인 죽음이다.

2. 곽상

(1) 생애

곽상(郭象, ?-311/312)[188]은 자가 자현(子玄)으로 하남(河南) 사람이
다. 그는 위(魏) 제왕(齊王) 방(芳) 가평(嘉平) 5년(253년)에 태어나 서
진(西晉) 회제(懷帝) 영가(永嘉) 6년(312)에 죽었다.[189]

그에 관한 기록으로 『진서』(晉書) 「곽상전」(郭象傳)이 있다.

---

187) 康中乾, 『장자와 곽상의 철학』, 231-232쪽.
188) 곽상이 죽은 해는 311과 312년 두 가시 학설이 있다. 311년 설을 주
   장하는 학자로는 王曉毅(『郭象評傳』, 南京大學出版社, 2008), 오일훈(「莊子
   序 眞僞 問題와 郭象의 『莊子』 編輯에 관한 고찰」, 한국도교문화학회, 『도
   교문화연구』 49, 2018) 등이 있다. 312년 설을 주장하는 학자로는 湯一介
   (『郭象與魏晉玄學』, 北京大學出版社, 2000), 康中乾(『장자와 곽상의 철학』,
   황지원·정무 옮김, 예문서원, 2020) 등이 있다.
189) 湯一介, 『郭象與魏晉玄學』, 127쪽.

  곽상은 자가 자현(子玄)으로 젊었을 때 재리(才理)이 있었다. 그는 『노자』
(老子)와 『장자』(莊子)를 좋아하였는데 청언(淸言)에 재능이 있었다. ……영가
(永嘉, 307-312) 말년에 세상을 떠났다.190)

  그는 관직에 나가 사도연(司徒掾), 황문시랑(黃門侍郎), 태부주부(太
傅主簿) 등을 지냈다.191) 곽상에 관한 기록은 그 밖에도 『세설신어』(世
說新語), 『태평어람』(太平御覽) 등에 보인다.
  곽상이라는 인물에 대한 평가는 역사적으로 부정/긍정 두 시각이
있다.
  부정적 평가는 두 가지 문제와 관련이 있다.
  첫째, 그의 표절 문제이다. 지금의 곽상 『장자주』 판본에 관해서는
두 가지 학설이 있다. 하나는 곽상이 상수(向秀)의 주석을 표절했다는
것이다. 다른 하나는 곽상이 상수의 주석에 기초하여 덧붙여 발전하여
이루어진 것이라고 한다.192)
  『세설신어』(世說新語) 「문학」(文學)편에서 표절을 주장하였다.

  처음에 『장자』라는 책에 주석을 한 사람이 수십 명이었지만 그 책의 요
지를 정확히 밝힌 사람이 없었다. 상수(向秀)는 옛날 주석에 해의(解義)까지
붙여 오묘한 분석을 하여 현풍(玄風)을 일으켰다. 다만 「추수」(秋水), 「지락」
(至樂) 두 편을 마치지 못하고 죽었다. 상수의 아들은 어려서 그것을 전수받
지 못하였고, 그 해의조차 잃어버려 사라지고 말았지만 다행히 별본(別本)이

---

190) 『晉書』「郭象傳」: "郭象字子玄, 少有才理, 好老莊, 能淸言. ……永嘉末, 病
    死."
191) 위와 같음.
192) 湯一介, 『郭象與魏晉玄學』, 128쪽.

남아 있었다.

곽상(郭象)은 사람됨이 행동은 경박하였지만 재주가 있었다. 상수의 『해의 본』(解義本)이 세상에 전해지지 않는 것을 보고 그것을 절취하여 자기의 주석으로 삼았다. 그리고 스스로 「추수」, 「지락」 두 편의 주석을 붙였으며, 일부를 고쳐 주를 단 것으로 「마제」(馬蹄) 한 편뿐이었다. 그 외의 편은 다만 문구애 수정을 가한 정도에 불과하였다. 그 뒤 결국 상수의 『해의본』이란 별본이 세상에 나오게 되어 지금의 『장자』 주석서는 『상수본』(向秀本)과 『곽상본』(郭象本) 두 가지가 전해지고 있지만 그 해의는 하나이다.193)

이것은 전통적인 관점으로 곽상이 상수의 『장자』에 관한 주석을 훔쳐 자신의 주석으로 삼았다는 것이다.194) 이런 전통적 관점은 그 뒤에도 여러 문헌에서 보인다.195) 그런데 이 문제와 관련하여 학계는

---

193) 『世說新語』 「文學」: "初, 注『莊子』者數十家, 莫能究其旨要. 向秀于舊注外爲 『解義』, 妙析奇致, 大暢玄風. 唯「秋水」·「至樂」二篇未竟, 而秀卒. 秀子幼, 義遂 零落, 然猶有別本. 郭象者, 爲人薄行, 有儁才; 見秀不傳於世, 遂竊以爲己注; 乃自注「秋水」·「至樂」二篇, 又易「馬蹄」一篇, 其餘衆篇, 或點定文句而已. 後秀義 別本出, 故今有『向』·『郭』二莊, 其義一也." [한글 번역은 林東錫 譯註, 『세설신 어』(1)(동서문화사, 2011) 참조. 필요한 경우 수정하였다.]

194) 오일훈, 「莊子序 眞僞 問題와 郭象의 『莊子』 編輯에 관한 고찰」, 52쪽. "곽상의 『장자주』에 지워진 剽竊과 僞作의 혐의는 크게 『장자주』 자체에 대한 표절 의혹과 「莊子序」에 대한 진위 문제로 구별될 수 있다. 먼저, 곽상의 『장자주』의 표절 의혹은 『세설신어』에 이미 보이고 있으며, 이러한 시각은 唐代에 작성된 『진서』에 그대로 받아들여져 삽입되었고, 宋·明시기까지는 거의 정론으로 인정되었다. 그러나 淸代에 이르러 『세설신어』의 기록에 대한 신빙성에 의심이 일기 시작했으며, 근래에 이르러서는 문헌학적인 성과가 축적되자 상수(227-272)의 『장자주』와의 비교 연구를 통해 곽상 『장자주』만의 독창성이 인정받게 되었으며, 『장자주』는 곽상의 저작으로 간주되고 있다."

195) 湯一介, 『郭象與魏晉玄學』, 128쪽. "당말(唐末) 신라(新羅) 학사(學士) 최치원(崔致遠)의 『법장화상전』(法藏和尙傳), 고사손(高似孫)의 『자략』(子略), 왕응린(王應麟)의 『곤학기문』(困學紀聞), 초횡(焦竑)의 『필승』(笔乘), 호응린 (胡應麟)의 『사부정와』(四部正譌), 사조제(謝肇淛)의 『문해피사』(文海披沙),

세 가지 관점이 있다.196) 첫째, 『진서』「곽상전」의 관점에 동조하는 것으로 곽상이 표절자라는 견해이다. 그 대표적인 학자는 전목(錢穆), 후외려(侯外廬), 탕용동(湯用彤)197) 등이다. 둘째, 『진서』「상수전」의 관점에 동조하는 것으로 곽상은 상수와 공동 저자라고 한다. 그 대표적인 학자는 풍우란(馮友蘭), 풍계(馮契), 임계유(任繼愈), 탕용동(湯用彤)198) 등이다. 셋째, 상수와 곽상은 각각 『장자주』를 저술하였고, 현행본 『장자주』는 오직 곽상의 저술이다. 그 대표적인 학자는 탕일개(湯一介), 소삽부(蕭箑夫), 방박(龐朴), 위정통(韋政通) 등이다.

둘째, 그의 인품에 관한 것이다.

동해왕(東海王) 사마월(司馬越)이 종신(宗臣)의 신분으로 마침내 조정의 정권을 장악하여 몇몇 간사한 자[奸佞]들을 등용하여 관직을 맡기고 간사한 무리[奸黨]를 총애하였는데 그 가운데 장사(長史) 반도(潘滔), 종사중랑(從事中郎) 필막(畢邈), 주부(主簿) 곽상(郭象) 등이 가장 대표적이었다. 그들은 황제의 권력[天權]을 농단하고 자기 마음대로 상벌을 실행하였다.199)

긍정적 평가는 그의 현학이 갖는 의미에서이다. 『진서』「상수전」(向

진계유(陳繼儒)의 『속광부지언』(續狂夫之言), 왕창(王昶)의 『춘융당집』(春融堂集), 원수정(袁守定)의 『점필종담』(占畢從談)·『사고전서총목제요』(四庫全書總目提要)·『사고간목』(司庫簡目), 육이첨(陸以湉)의 『냉려잡식』(冷廬雜識), 유종주(劉宗周)의 『인보류기』(人譜類記), 고염무(顧炎武)의 『일지록』(日知錄) 및 최근의 학자 양명조(楊明照)의 「郭象〈莊子注〉是否竊自向秀檢討」 수보훤(壽普暄)의 「由〈經典釋文〉試探〈莊子〉古本」 등등이 있다."
196) 康中乾, 『장자와 곽상의 철학』, 86-87쪽.
197) 湯一介 選編, 『湯用彤選集』, 天津人民出版社, 1995, 299쪽.
198) 湯用彤, 『理學·佛學·玄學』, 北京大學出版社, 1991, 331쪽.
199) 『晉書』「荀晞傳」: "東海王越得以宗臣, 遂執朝政, 委任邪佞, 寵樹奸黨, 至使前長史潘滔·從事中郎畢邈·主簿郭象等操弄天權, 刑賞由己."

秀傅)에서는 곽상이 상수의 주석을 바탕으로 "그것을 계승하여 확장시켰는데 유가와 묵가의 학문은 천하게 보였으며, 도가의 학설이 마침내 성행하였다"(郭象又述而廣之, 儒墨之迹見鄙, 道家之言遂盛彦)고 평가하였다.

강중건 역시 "『진서』「곽상전」에 기록된 자료들을 보면 곽상의 성품은 그다지 좋지 않았던 것 같다. 특히 관직에 나서고부터 권세를 마음대로 부리는 것을 보면 그는 도덕적 기준을 갖고 있는 사람이 아니다. 그러나 『태평어람』에서 『진서』의 내용을 인용한 자료에 따르면 곽상은 또한 일정한 도덕적 기준을 갖고 있는 사람처럼 보이기도 한다"고 하였다.200) 그는 곽상의 장자 주석에 대해 이렇게 평가하였다.

　　상수와 곽상은 모두 『장자』에 주석을 붙인 적이 있지만 곽상의 『장자주』는 사상적 깊이와 이론적 수준에서 모두 상수의 주석을 넘어섰기 때문에 위진 현학의 발전 및 후세 중국 사상 문화의 발전과 더불어 역사는 점차 곽상의 『장자주』를 선택하게 되었다.201)

이상의 자료에서 알 수 있는 것처럼, 그에 대한 평가는 양가적이다. 그는 "일을 맡아서 권세를 전횡하였기 때문에", 사람들에게 조롱과 비웃음 그리고 공격을 받았다.202) 그런데 "『진서』의 편찬은 한 사람에 의해 지어진 것이 아니고, 더욱이 정치적 금기(禁忌)와 자료 선정에서의 누락이 있어서 곽상에 대한 기록의 전후(前後)가 일치하지 않게 되었기 때문에 후세의 연구에 모순과 어려움을 남기게 되었다."203)

---

200) 康中乾, 『장자와 곽상의 철학』, 77쪽.
201) 같은 책, 88쪽.
202) 許抗生·李中華·陳戰國·那薇, 『위진현학사』(하), 78쪽.

  곽상의 저작으로 『장자주』 33권 33편(내편 7편, 외편 15편, 잡편 11편), 『논어체략』(論語體略) 2권, 『논어은』(論語隱) 1권, 『노자주』(老子注), 『논혜소문』(論稽紹文), 『치명유기론』(致命由己論), 『비론』(碑論) 12편, 『곽상집』(郭象集) 2권 또는 5권 등이 있었다.204) 탕일개는 "비론 12편"(碑論十二篇)이 있었는데 모두 전해지지 않는다고 하였다.205) 지금 전해지는 주요 저작으로는 유일하게 『장자주』(莊子注)가 있다.

(2) 철학

  곽상의 "장자의 내성외왕의 도 사상을 계승하고 발전시켰다."206) 그런데 장자가 "이상과 현실, 인생과 사회, 자유와 필연 사이에서 발생하는 모순을 발견"했다고 한다면, 곽상은 "이것들의 상호 조화와 결합의 문제"였다. 즉 곽상은 "자신의 이상을 현실에서 실현될 수 있는 것으로 조화시키고, 정신의 자유와 행위의 필연성을 통일시키고자 했다."207) 그렇지만 사실 "이상과 현실, 인생과 사회, 자유와 필연"의 조화를 추구한다는 것은 어느 지식인이 되었든 마찬가지이다. 다만 이러한 문제에 대한 그들의 태도가 서로 달랐던 것은 그들이 각각 마주한 시대적 운명이 달랐기 때문이다.

  강중건의 말이다.

---

203) 같은 책, 75쪽.
204) 康中乾, 『장자와 곽상의 철학』, 78-80쪽. 참조 요약.
205) 湯一介, 『郭象與魏晉玄學』, 127쪽.
206) 康中乾, 『장자와 곽상의 철학』, 140쪽.
207) 같은 책, 142쪽.

정시 현학과 죽림 현학, 그리고 배위의 중조 현학에서의 사상적 실천에서 알 수 있듯이, 결국 명교와 자연의 모순을 해결하는 것은 단순히 명교와 자연 사이에서만으로는 불가능한 것이다. 즉 어떤 사람은 명교를 자연 속에 귀결시켜버리고, 또 어떤 사람은 자연을 명교 속에 귀결시키려고 하는데, 이러한 태도는 명교를 희생시킴으로써 온전한 자연을 성취하려 하거나 혹은 자연을 희생시킴으로써 온전한 명교를 성취하려는 것이니, 어느 것이든 결코 성공할 수 없었다. 그러므로 명교와 자연을 통일시키려면 양자 각각의 자체적 가치가 있고, 각각 존재의 필요성과 의의가 있음을 인정하며, 나아가 더욱 높은 차원에서 그것들을 통일시켜야 한다. 이것이 바로 서진 시기 곽상 현학이 직면한 사상적 과제였다.208)

곽상의 철학을 한마디로 말하면 '독화론'(獨化論)이라고 한다. 그는 이렇게 말하였다.

현명(玄冥)에서 독화(獨化)하지 않는 것은 없다.209)

여기에서는 두 가지 개념을 제시하였다. 그것은 '현명'과 '독화'이다. 그렇다면 '현명'은 무엇인가?

현명(玄冥)이란 '무'(無)에 이름을 붙인 것이지만 '무'가 아니다.210)

또 다음과 같이 말하였다.

---

208) 같은 책, 232쪽.
209) 『莊子注』「齊物論注」: "未有獨化於玄冥者也."
210) 같은 책, 「大宗師注」: "玄冥者, 所以名無而非無也."

독화(獨化)는 현명의 경지(玄冥之境)에 이르게 되니 또 어찌 그것에 내맡기지 않을 수 있겠는가?[211]

곽상이 말하는 '현명', '현명의 경지'는 모두 사물 변화의 궁극적 상태를 인식할 수 없고 이해할 수 없는 것이라는 의미이다. 그러므로 강중건은 "사람의 인식 능력에 대한 곽상의 소극적 태도와 인식론적 불가지론을 반영한다"고 지적하였다.[212] 그렇지만 어떤 것에 대한 불가지론과 그것에 대한 부정은 다른 문제이다.

다음으로 '독화'는 무인가?

그러므로 조물자(造物者, 造化者)가 주재함이 없이 만물은 각기 저절로 만들어지는 것이다. 만물이 각기 저절로 만들어지기 때문에 다른 것에 의지하는 바가 없는 것이 천지의 올바른 이치이다. ……만물이 비록 모여 함께 천(天, 天地自然)을 이루지만 모두 자연스럽게 홀로 (저절로) 나타남이 아닌 것이 없다.[213]

그런 까닭에 천지 만물이 존재함에 '조물자'(조화자)는 무의미하다.

다음과 같이 묻고자 한다. "조물자는 '유'(有)인가 '무'(無)인가? '무'라면 (없는 것이) 어떻게 만물을 만들 수 있는가? '유'라면 (이미 그 자체 한계가

---

211) 같은 책, 「齊物論注」: "獨化, 至於玄冥之境, 又安得而不任之哉?"
212) 許抗生·李中華·陳戰國·那薇, 『위진현학사』(하), 118-119쪽.
213) 『莊子注』 「齊物論注」: "故造物者無主, 而物各自造, 物各自造而無所待焉. 此天地之正也. 故彼此相因, 形景俱生, 雖復玄合, 而非待也. ……萬物雖聚而共成乎天, 而皆歷然莫不獨見矣."

있기에) 만물의 여러 가지 형체를 만들기에 부족할 것이다. ……"214)

곽상이 말하는 '독화'는 "천지 만물이 각자 독립적으로 존재하고 변화하는 것"으로, "모든 사물은 이러한 방식으로 존재하고 변화하며, 그 사물이 그러한 바(所然)가 곧 그 사물이 그러하게 된 바(所以然)이며, 자신이 곧 자기 존재의 근본이라는 것이다."215) 그러므로 '무'(無)를 본체로 내세울 필요가 없다.

'무'(無)는 이미 '무'이기 때문에 '유'(有)를 낳을 수 없다.216)

그는 "無의 실체성을 부정할 뿐만 아니라, 존재의 근거이자 생성의 힘인 無의 본체적 기능마저 부정한다."217)
또 이렇게 말하였다.

옛날부터 '유'(有)가 아직 없었던 때가 없이 항상 존재하였다.218)

이것은 '유'의 항존성, 영원성을 말한다. 그런데 곽상이 말하는 '유'는 "보편 일반 존재로서의 '유'(또는 '유'의 보편적 일반)가 아니고", 바로 "개체로서의 구체적 존재물이다."219)

---

214) 위와 같음: "請問: '夫造物者, 有邪無邪? 無邪? 則胡能造物哉? 有也? 則不足以物衆形. ……'"
215) 康中乾, 『장자와 곽상의 철학』, 452쪽.
216) 『莊子注』「齊物論注」: "無旣無矣, 則不能生有."
217) 이효걸, 「『莊子』「齊物論」의 '萬物齊同'에 대한 비판적 고찰」, 고려대학교 철학연구소, 『철학연구』 제50집, 2014, 11쪽.
218) 『莊子注』「知北遊注」: "自古無未有之時而常存也."
219) 許抗生·李中華·陳戰國·那薇, 『위진현학사』(하), 101쪽.

　곽상의 철학 체계에서 '무'는 '유'에 대한 상대적인 개념이다. '무'는 본체론적 함의가 없다. '유' 역시 개별적인 사물 또는 '무'에 상대적인 개념으로서 '유'일 뿐이기 때문에 본체론적 의미가 없다. 그러므로 그에게 '유', 즉 존재하는 것은 개별적인 사물들뿐이다.[220]

　'유'(有)는 곽상 철학 체계 중에서 가장 기본 개념으로 '유일한 존재'(惟一的存在)인데 그 존재의 근거는 자신 밖에 있는 것이 아니라 그 자신의 '자성'(自性)이다. 각각의 사물은 그 '자성'에 의거하여 존재하기에 반드시 '자생'(自生), '무대'(無待), '자연'(自然)을 조건으로 삼는다.[221]

　곽상의 '유'에 대한 관점은 세 가지로 정리할 수 있다.[222] 첫째, '무'는 '유'를 생겨나게 할 수 없다. 그러므로 '무'는 실체가 아니다. 둘째, '유'는 '유일한 존재'이다. 셋째, '유'의 존재는 무시무종(無始無終)한 것으로 절대적이다. 따라서 그가 '독화'를 주장한 것은 그의 철학 체계에서는 매우 논리적이다.
　그렇다면 그의 이러한 '독화론'의 현실적 의미는 무엇인가?

　곽상 현학을 비롯하여 그 외 당시에 출현한 다른 형식의 현학이 만약 이러한 과제를 완수할 수 있다면 성공적으로 역사에 기록될 것이고, 그렇지 못한다면 결국 도태될 수밖에 없었다. 이러한 의미에서 곽상 현학은 당시 사회의 과제, 즉 명교와 자연의 관계 문제를 아주 훌륭하게 해결했다. 이러한 과제를 완수할 수 있었던 이유는 다름이 아니라 곽상 현학이 독화론(獨

---

220) 김진선, 「郭象 철학의 無爲-自然 논리구조 연구」, 동양철학연구회, 『동양철학연구』 제92집, 2017, 295쪽.
221) 湯一介, 『郭象與魏晉玄學』, 227쪽.
222) 같은 책, 228쪽.

化論)이라는 본체론적 이론과 방법을 고안해 냈기 때문이다. 실제로 독화라
는 본체론은 명교와 자연의 관계 문제에서는 '명교가 곧 자연'(名教卽自然)
이라는 말로 표현되며, 또한 이것이 바로 곽상이 말하는 '내성외왕의 도'(內
聖外王之道)이다.223)

그러므로 "곽상의 내성외왕의 도는 통치자에 대한 수양 이론일 뿐
만 아니라, 또한 동시에 일종의 사회정치이론이기도 한 것이다."224)
그는 이 '독화론'을 통해 '명교'와 '자연'의 모순을 처리하였다.

말[馬]의 참된 본성[眞性]은 안장[鞍]을 거부하고 (사람이 자신의 등에) 올
라타는 것[乘]을 싫어하는 것이 아니라 다만 영화(榮華)를 탐하지 않는 것이
다.225)

소가 코를 뚫리고 말이 머리에 낙인을 찍히는 것을 거부하지 않는 것은
천명의 마땅함이다. 진실로 천명에 맞는 것이라면 그것이 비록 인간에 의해
행해지더라도 그 근본은 천(天)에 있는 것이다.226)

이것이 바로 '명교가 곧 자연이다'(名教卽自然)라는 관점이다. 그렇
지만 이것은 매우 독단적인 논리이다. 곽상의 논점은 철저하게 '명교'
로 '자연'을 비판한 것이다.

곽상은 이러한 사유에 기초하여 자신의 정치철학을 주장하였다.

---

223) 康中乾, 『장자와 곽상의 철학』, 232-233쪽.
224) 같은 책, 234쪽.
225) 『莊子』「馬蹄注」: "馬之眞性, 非辭鞍而惡乘, 但無羨於榮華."
226) 같은 책, 「秋水注」: "牛馬不辭穿落者, 天命之固當也. 苟當乎天命, 則雖寄之
人事, 而本在乎天也."

천 명의 사람이 모여 한 사람을 군주로 삼지 않으면 혼란해지거나 흩어지게 된다. 그러므로 현인은 많아도 되지만 군주는 많으면 안 된다. 현인은 없어도 되지만 군주는 없으면 안 된다. 이것은 하늘과 사람의 도[天人之道]이기에 (없어서는 안 되고) 반드시 그 마땅함[宜]에 이르러야 한다.227)

그러므로 그는 "무리를 지어 살아가는 인간의 세계에서 군주라는 존재는 필연적이며, 동시에 자연스러운 현상"이라고 생각하였다.228)

군신상하(君臣上下)와 수족내외(手足內外)가 곧 천리(天理)의 자연(自然)이라는 것을 알 수 있는데 어찌 바로 사람이 (인위적으로) 하는 것이겠는가!229)

곽상은 이것을 '내성외왕의 도'라고 하였다.

곽상이 주장한 내성외왕의 도(道)에서 말하는 도의 출발점과 토대가 된 것은 통치자 개인, 곧 사회의 최고 통치자인 군주이다. 곽상이 보기에 통치자가 마음을 쓰는 것을 마치 거울이 사물을 그대로 비추는 것과 같이 하고, 무심(無心)으로써 모든 드러난 현상에 순응하며, 무위(無爲)로써 다스릴 수 있으면 일종의 소요자득(逍遙自得)의 경지에 이를 수 있는데, 이것이 바로 내성(內聖)이다. 동시에 통치자가 무심(無心)으로써 모든 드러난 현상에 순응

227) 『莊子注』「人間世注」: "千人聚, 不以一人爲主, 不亂則散. 故多賢, 不可以多君, 無賢, 不可以無君, 此天人之道, 必至之宜."
228) 오일훈, 「곽상(郭象)의 정치사상(政治思想)에 관한 일고찰-군주론(君主論)을 중심으로」, 한림대학교 태동고전연구소, 『태동고전연구』 제47집, 2021, 305쪽.
229) 『莊子注』「齊物論注」: "故知君臣上下, 手足內外, 乃天理自然, 豈眞[直]人之所爲乎!"

하고 무위로써 다스리게 되면 온 세상이 비로소 완전히 다스려지게 된다. 여기에서 무위는 단순히 아무것도 하지 않는 것이 아니라 바로 어떤 것이든 하지 않는 것이 없는 무불위(無不爲)가 되므로 이런 사회에서 살아가는 사람들은 각기 자신의 본성에 따라 편안하게 생존할 수 있게 된다. 이것을 통치자에 대한 것으로 표현하면 바로 천하를 평정하고 만민을 구제하는 혁혁한 공적이 드러나는 것이며, 이것이 바로 외왕(外王)이다.[230]

그렇지만 곽상의 독화론은 인간의 현실 사회에서 드러난 문제점에 대한 해결책으로서는 여전히 문제점을 가지고 있다.

곽상 사상의 근본적인 주안점은 모든 사물은 각각 독립적이며 r '분'에 합당하게 존재한다는 점에서 균등하다는 사실에 있다. ……물론 '분'을 통해 군주 존재의 필연성을 강조하고, 이것을 '자연'으로 해석하는 곽상의 태도는 일견전제 군주제를 옹호하는 것으로 비추어질 수 있다. ……곽상이 강조하는 것은 현실의 어떠한 신분제도라도 그것이 '분'에 적합한 것이라면 '자연'이자 '천리'이며, 사회 구성원은 현실적인 '분'에 적합하게 살아가야 한다는 것이다. 이러한 곽상의 사상 속에서 현실 정치가 중앙집권적인 전제 군주제인지 혹은 지방분권적인 봉건제인지가 중요한 것이 아니라, 현실 속에서 드러나 작동하고 있는 체제, 그 자체를 있는 그대로 수용하는 것이 보다 중요한 것이라고 할 것이다.[231]

그렇다면 여기에서 말하는 만물의 '분'(分), 즉 '직분'을 어떻게 정당화할 것인가? 다시 말해 현실 사회에서 이 '분'이 정당하지 않을 때

230) 康中乾, 『장자와 곽상의 철학』, 233쪽.
231) 오일훈, 「곽상(郭象)의 정치사상(政治思想)에 관한 일고찰-군주론(君主論)을 중심으로」, 308쪽.

그 해결책은 무엇인가?

곽상의 '독화'와 '명교'의 관계이다. 그는 천지 만물이 '현명에서 독화한다'(獨化於玄冥)는 것과 '명교가 곧 자연이다'(名教卽自然)라는 관점은 전혀 서로 논리적으로 연결되지 않는다. 왜냐하면 만약 우리가 곽상의 '명교가 즉 자연이다'는 관점을 받아들인다면 어떤 면에서 현실에 대한 절대 긍정을 전제로 하는데 인간의 현실 사회에서 나타나는 다양한 모순을 어떻게 정당화하거나 해결할 것인가의 문제가 여전히 남기 때문이다. '자연'은 '명교'를 통해 해결해야만 한다고 또는 해결할 수밖에 없다고 주장하였다면 어느 정도 인정할 수 있을 것이다.

그런데 과연 곽상의 현학은 정시 현학과 죽림 현학에서 제기한 문제를 이론적/실천적으로 해결했는가? 만약 이 문제를 해결하지 못한다면 우리는 온갖 모순이 일어나는 현실에서 두 가지 선택밖에 없을 것이다. 배위처럼 '죽음'을 당하거나 '변절'이다. 배위의 '죽음'은 '자연'에 대한 통찰이 부족했기 때문이다. '자연'에 대한 통찰이 없이 무조건적으로 '명교'를 정당화했을 때 그 결과가 바로 배위의 '죽음'이다. 만약 『진서』의 기록이 정당하다면 곽상은 '변절'의 길을 걸어간 사람이다. 곽상이 말한 것처럼, 군주라는 절대 권력자가 그의 말처럼 '무심'(無心)으로 통치를 하지 않을 때 그는 어떤 선택을 할 수 있을까?

정시 현학과 죽림 현학, 그리고 원강 시기의 배위 현학을 통해 알 수 있듯이 명교와 자연 사이의 문제를 해결하는 데에 있어서 둘 중 하나를 다른 것에 귀속시켜서는 안 된다. 다시 말하면 명교는 초월되어서는 안 되지만 또한 어떤 이미에서는 초월되어야만 한다는 것이다. 그렇다면 남은 문제는

명교와 자연을 각각 확인하고 나아가서 그들을 유기적으로 통일하는 것이
다. 이것이 바로 곽상이 직면하고 있었던 사상적 임무였다.[232]

강중건의 말이 정당하다. 그렇지만 우리가 생각하기에 곽상은 '명
교'로 '자연'을 해결한 것이 아니라 '명교'를 정당화하는 과정에서 '자
연'을 제거한 것에 불과하다. 그 결과는 당연히 '변절'이다.

강중건은 위진시대 현학을 종합하여 다음과 같이 평가하였다.

  왕필의 이러한 서술들은 모두 질박함이 곧 도이며 자연이라는 것을 설명
하기 위한 것이다. 그러므로 왕필의 명교가 자연에서 나왔다(名敎出於自然
論)는 주장은 무(無)를 근본으로 삼는 그의 무본론(無本論)과 일맥상통한다.
다시 말해서 왕필은 본체론적 측면에서 무를 근본으로 삼고, 사회정치적인
면에서는 명교를 자연에 귀속시켰다. 이러한 '명교출어자연론'은 언뜻 보기
에는 자연과 명교의 관계를 해결한 것 같지만 사실은 자연으로써 명교를 풀
어내려 한 것이며, 나아가 명교를 자연 속에 묻어버린 것이다. 그러므로 왕
필에게는 아직 명교와 자연 사이의 모순이 진정으로 해결된 것이 아니다.
  ……그러나 죽림 현학에 이르러 사람들은 공개적으로 명교를 포기하고
순수하게 자연에 맡겨야 한다는 주장을 내세웠다. 이러한 구호 내지는 주장
은 아주 생동적으로 보이지만 사실상 허황된 것에 불과하다. 왜냐하면 명교
가 없어지면 자연도 또한 근원적으로 그 존재의 사회성과 현실성을 잃게 되
고, 환상 속에서만 존재할 수 있는 그림자가 되기 때문이다.
  ……배위(裴頠)는 공연하게 '숭유론'(崇有論)을 제기하면서 사회 명교를 옹
호하기 시작했다. 결국 그는 다른 극단, 즉 '자연을 넘어서 명교에 맡기는'
(越自然而任名敎) 길로 나아가게 되었는데, 이와 같이 순수하게 명교에 맡기

---

232) 康中乾, 『장자와 곽상의 철학』, 290쪽.

는 관점도 또한 실현될 수 없다. 사회에서 명교가 사라지면 자연 또한 허무한 환상이 되어버리고 아무런 의미도 없어지게 되는 것처럼 마찬가지로 사회에서 자연이 소실되면 명교도 또한 명분과 교화의 가치와 의미를 잃어버리고 동물의 왕국에서와 같은 행동방식으로 되어버리므로 오직 사회적 권력의 압박만이 남을 것이다. 이것이 바로 배위의 '명교에 밭기라'는 명제가 낳은 결과이다.

……정시 현학과 죽림 현학, 그리고 원강 시기의 배위 현학을 통해 알 수 있듯이 명교와 자연 사이의 문제를 해결하는 데에 있어서 둘 중 하나를 다른 것에 귀속시켜서는 안 된다. 다시 말하면 명교는 초월되어서는 안 되지만 또한 어떤 의미에서는 초월되어야만 한다는 것이다. 그렇다면 남은 문제는 명교와 자연을 각각 확인하고 나아가서 그들을 유기적으로 통일하는 것이다. 이것이 바로 곽상이 직면하고 있었던 사상적 임무였다.233)

위진 현학은 정시 현학의 '명교가 자연에서 나왔다'(名教出於自然), 죽림 현학의 '명교를 초월하여 자연에 임한다'(越名教而任自然), 원강 현학의 '명교가 곧 자연이다'(名教卽自然)라는 변화 발전 과정을 지나왔다.

이상의 내용에서 알 수 있는 것처럼, 국가라는 공동체 속에서 살아갈 수밖에 없는 인간은 언제나 자연과 명교 사이의 모순 또는 조화라는 시대적 운명에서 벗어날 수 없다. 그리고 또 한 가지 중요한 점은 지식인이 아무리 이론적으로 현실 문제를 해결한다고 하더라도 그것을 실제로 해결할 수 있는 힘은 정치 권력을 담당하는 권력자라는 사실이다.

---

233) 같은 책, 288-290쪽.

제12장 중국철학 11: 도학(5)
도학과 현대 사회

제12장 중국철학 11: 도학(5)
도학과 현대 사회

제1절 도학과 현실

오늘날 중국의 현대신유학은 중국철학(문화)과 서양철학(문화)의 융합에 대해 끊임없는 고민을 하고 있다. 이것은 서양의 근대 문명이 보여준 식민주의/제국주의에 대한 철학적 극복을 위한 작업이다. 이것을 철학적으로는 중체서용론이라고 부른다. 오늘날 물론 이 개념에 대해 비판적 시각이 존재하지만,[1] 필자가 생각하기에 비서구 사회에서 이

---

[1] 여기에서 말하는 '중체서용론'은 고전적인 의미의 '중체서용론'을 말하는 것이 아니다. 우리는 이 '중체서용론'을 새롭게 변형시켜야 한다. 그 방법은 몇 가지가 있다. ①중체서용론, ②중체중용론, ③서체서용론, ④서체중용론, ⑤중서체중서용론이다. 이 가운데 현실적으로 가능한 방법은 중서체중서용론뿐이다.

러한 방법론이 아닌 그 대안이 될 새로운 방법론은 아직 없는 것 같다. 솔직히 말해서 필자로서는 아직 알지 못한다. 애매한 개념이기는 하지만 '중서체중서용론'이 그 유일한 대안이라고 생각한다.

그런데 현대신유학의 이러한 노력에 비해 도학은 이와 관련한 고민이 전혀 보이지 않는다. 여전히 과거의 이론, 사유 체계, 방법론 등 여전히 낡은 방식의 철학이 이어져 오고 있다. 마치 현실 문제라는 것이 도학과는 무관한 것처럼 생각하는 것 같다. 그러나 중국 현대 신유학이 고민하는 문제 역시 도학도 마찬가지이다. 다시 말해 도학은 현대사회의 문제에 대해 무엇을 어떻게 고민하고 그 해결책을 제시할 것인가? 만약 이러한 문제에 대한 논의와 그 해결 방안에 대한 고민이 없다면 도학 역시 아무런 의미가 없는 철학이 될 것이다.

중국학자 동광벽(董光璧)은 일찍이 이렇게 말하였다.

> 오늘날 사람들은 도가를 선진(先秦) 도가와 진한시대의 황로(黃老) 도가로 구분하고 후자를 '신도가'(新道家)라 이름한다. 나는 니담으로 대표되는 저들 학자들을 '현대의 신도가'라고 일컫는다. 왜냐하면 그들은 도가 사상으로 돌아가려는 신과학의 일부 특징들을 제시하고 있으며, 아울러 동서양의 문화를 융합시켜 과학 문화와 인문 문화가 균형을 이루는 새로운 세계 문화 유형을 제창하고 있기 때문이다.[2]

그런데 그가 말하는 현대 신도가는 모두 과학자들이다. 그러므로 엄밀하게 말하면 그가 말한 현대 신도가는 철학을 의미하지 않는다.

그는 이 책에서 중국 현대 신유학에 맞춰 중국 '현대 신도가'[當代

---

2) 董光璧, 『도가를 찾아가는 과학자들』, 이석명 옮김, 예문서원, 1998, 13-14쪽.

新道家]라는 개념을 제안하기도 하였다.

> 내가 사용하는 '현대 신도가'라는 명칭은 '현대 신유가'(新儒家)와 대응시
> 키려는 의도에서 나왔다.3)

그런데 문제는 이러한 개념을 제시할 때 무엇을 극복하기 위한 것
인지, 즉 그 문제의식이 무엇인지를 알 수 없다. 또 그가 말하는 '현
대 신도가'는 '현대 신유가'에서 고민하는 '중체서용'적(엄밀하게 말하
면 '중서체중서용'이다) 논의의 고민이 보이지 않는다. 다시 말해 그가
말하는 '현대 신도가'는 서양 문화의 체용-즉 서양의 정신문화와 물질
문화-를 어떻게 중국의 도가철학으로 수용할 것인지에 대한 논의가
보이지 않는다. 만약 그가 말하는 '현대 신도가'에서 이 문제에 대한
고민, 논의, 해결에 대한 문제의식이 없다면 우리는 그것을 '현대 신
도가'라고 말할 수 없다.

호부침·여석침 교수는 『도학통론-도가·도교·내단』에서 다음과 같이
말하였다.

> 유럽, 미국과 일본 등과 같은 국가의 일부 과학인문주의 학자들, 예를 들
> 어 니담, 탕천수주(湯川壽澍), 카푸라 등은 도가사상의 현대성과 세계적 의
> 미에 주목하였고, 자신들의 저작 속에서 현대 과학과 철학으로 도가와 도교
> 문화의 정화를 섭취하여 도가의 새로운 형식을 발전시켰는데 동광벽(董光璧)
> 은 이들을 "당대신도가"(當代新道家)라고 찬미하였다. 우리는 마땅히 중국
> 학술계에서 일부 도가학자의 고루한 경학식(經學式)의 학문 하는 방법과 사

---

3) 같은 책, 14쪽.

유 방식을 신속히 바꾸어 현대 과학과 철학의 정화를 받아들이도록 노력하여 도학의 현대화를 실현하여서 중화 민족의 "당대신도가"를 출현시켜야 한다.4)

여기에서 제기한 문제의식이 주로 서양과 일본의 일부 과학자들의 견해에 관한 것이고, 또 현대 과학과 철학을 통해 도학을 새롭게 해석해야 한다고 주장하였지만, '도학의 현대화'를 어떻게 이룰 것인가 하는 문제 제기는 그 자체로 매우 중요한 문제의식이다. 그렇다면 우리의 질문은 이렇다. 중국의 도학은 '현대화'를 어떻게 이룰 것인가? 이 문제의식은 앞에서 동광벽의 문제 제기에 대한 질문이기도 하다. 왜냐하면 이 두 책에서 제기한 문제의식이 일치하기 때문이다.
다시 동광벽의 설명을 살펴보기로 한다.

내가 이해하는 바에 따르면 현대의 신유가는 유가 사상의 근대화를 통해 동양 문화의 부흥을 일으키고자 시도하고 있다. 그러나 '현대 신도가'들은 대부분 스스로를 '도가'라 자칭하지도 않고, 도가 사상의 '현대화'에도 전념하지 않는다. 그들은 현대 신과학이 동양 사상, 특히 도가 사상으로 복귀하려는 특징이 있음을 발견하고, 이러한 신과학의 업적을 바탕삼아 고금을 관통하고 동서양을 결합하는 새로운 문화관을 제창한다. 이것은 문화 추동성에 기초를 두는 세계주의 문화관이라 할 수 있다.
현대의 문화계와 철학계에서 현대 신유가 사상은 자못 각광을 받고 있으나 현대 신도가 사상은 그다지 주목을 끌고 있지 못하다. 하지만 현대 신도가 사상은 현대 신유가 사상과 거의 병행해서 발전하고 있다. 그것의 발달

---

4) 胡孚琛·呂錫琛, 『道學通論-道家·道敎·內丹』, 社會科學文獻出版社, 2004, 111쪽.

은 과학과 기술이 발달하면서 사회적 위기감이 팽배함에 따라 그에 대응하려는 일단의 과학자들이 연구하고 모색한 결과이다. 그 가운데서도 니담과 유카와 히데키(湯川秀樹) 그리고 카프라(Fritjof Capra)가 가장 주목을 받고 있다. 그런데 이러한 신도가 사상의 형성은 대개 현대 신도가와 신과학이 결합한다는 특징 때문에 과학을 잘 알지 못하는, 특히 과학의 진정한 의미를 이해하지 못하는 인문학자들에게 암암리에 심리적 장애를 주장하였다.[5]

동광벽은 여기에서 그가 말한 '현대 신도가'는 '신과학'과 결합이라는 것을 그 특징으로 한다고 주장한다. 그런 까닭에 우리는 그들이 주장하는 '현대 신도가'의 개념은 '현대 신도가'가 해결해야만 하는 근본적인 문제의식을 보여주지 못한다고 말한 것이다.

종합하면 여기에서 제기한 문제의식은 그 범위가 매우 좁다. 우리가 진정으로 '현대 신도가'를 말하려면 앞에서 말한 '중체서용'적 문제의식을 전반적으로 해결해야만 한다. 만약 이러한 방식의 해결이 아니라면 우리는 그것을 결코 참된 의미에서 '현대 신도가'라고 말할 수 없다.

현대 신유가와 마찬가지로 현대 신도가 역시 서양 문화와 중국 문화의 융합이라는 차원에서 그 '현대화'를 논의해야 한다. 이것은 단순히 도가와 과학의 결합/융합 차원의 문제가 아니다.

그런데 과거 전통 중국 사회에서 도학은 유학처럼 지배 이데올로기가 아니었다는 점, 그리고 유학에 비해 도학이 서양 문화와 융합하기 쉽다는 점, 현대 사회의 여러 가지 문제점에 대한 그 대안이 될 수 있는 어떤 시사점을 준다는 점 등등 여러 가지 유리한 점이 많다는

---

5) 董光壁,『도가를 찾아가는 과학자들』, 14-15쪽.

사실에 기초하여 마치 도학이 서양문명의 한계 또는 문제점에 대한 좋은 대안인 것처럼 주장한다. 그러나 현대 사회가 이처럼 발전한 것은 도학이 아니라 서양문명에 의한 것이라는 점을 분명히 할 필요가 있다. 다시 말해 인류문명이 이처럼 발전한 것, 그것에 관해 우리가 어떤 평가를 하든, 그것은 도학의 공헌이 아니다. 도학은 지금처럼 현대문명 사회가 과학과 기술이 발전하는 데 아무런 공헌도 하지 않았다. 이것은 도학만이 아니라 유학 역시 마찬가지이다. 그러므로 마치 유학이나 도학이 서양문명의 대안인 것처럼 말하는 것은 안이한 생각이다.

서양철학과 구분되는 동양철학의 독특성을 주장하면서 마치 그 독특성 때문에 동양철학의 모든 것이 정당화되는 것처럼 가정하는 것을 열등감에서 나온 자기기만에 지나지 않는다. 현대 산업사회의 발전이 인간성의 상실이나 인간소외 현상을 낳고, 이것이 바로 서양적 정신의 파국적 결말이며, 이런 파국적 결말을 피하는 하나의 대안이 동양적 사유라고 주장하는 것은 기껏해야 비현실적인 희망에 지나지 않는다.6)

오늘날 우리가 사는 현대 사회는 여전히 서양문명의 발전 과정에서 나온 체제이다. 즉 이것은 동양철학과 무관한 세계 체제라는 것이다. 그렇다면 동양철학, 여기에서 말하는 도학은 이와 다른 어떤 세계 체제를 말할 수 있는가? 이것은 앞에서도 말한 도학의 시각에서 새로운 세계 체제에 대한 대안을 제시해야만 한다. 그렇지만 필자가 아는 한 중국 현대 신도가는 이러한 문제에 대한 논의가 거의 보이지 않는다.

---

6) 김영건, 『동양철학에 관한 분석적 비판』, 라티오, 2009, 20쪽.

마치 이 문제는 도학과 무관한 일인 것처럼 생각하는 것으로 보인다. 그렇지만 다시 한번 강조하지만, 도학은 서구의 문명에 기초한 '신 식 민주의'적 세계 체제를 극복할 방법/대안을 제시해야만 한다. 그렇지 않다면 오늘날 도학은 전혀 무의미한 철학으로 남게 될 것이다.

제2절 도학의 현대적 의미

호부침·여석침은 현대의 새로운 도학을 '신도학'(新道學)이라는 개념을 사용하였다. 그는 이 '신도학'을 통해 '새로운 도학 문화'를 세워야 한다고 강조하였다.

그러므로 21세기 세계 문화는 필연적으로 "다원 문화가 병존하고 상호 융합하는"(多元竝存, 相互融匯) 것을 기본 특징으로 하고, 또 점차 세계 문화의 일체화로 향할 것이다. 이 추세에 근거하면, 우리는 도학 사상으로 현대 서양 문화 속의 선진적 요소를 받아들이고 세계 각 민족의 우수한 문화의 융합으로 새로운 도학 문화를 세워 도학 문화 중의 사상과 관념이 현대 사회 발전의 발걸음에 따라갈 수 있도록 해야만 한다. 신도학(新道學)은 마땅히 활력이 있고 발전적인 학설이 되어야 하고, 시대정신이 필요하고, 현대 사회의 실제 문제를 탐구하여야지 이미 무너지고 없어진 것을 고수하고(抱殘守缺) 허상을 힘쓰고 실질을 배제하는(務虛避實) 고루하고 폐쇄적인(固步自封) 치학(治學) 방법은 앞날이 없다.[7]

호부침·여석침이 말하는 '도학'(道學)은 도가(道家), 도교(道敎), 단도

---

7) 胡孚琛·呂錫琛, 『道學通論-道家·道敎·內丹』, 110-111쪽.

(丹道)를 포괄하는 개념이다. 그런데 여기에서 말하는 '신도학'은 동광벽이 말한 '현대 신도가'[當代新道家]와 같은 개념이라고 생각한다. 이것은 이미 앞에서 논의한 것인데, 이러한 관점으로는 현대 동양철학이 처한 문제를 해결할 수 없다. 그 대안은 그가 말한 "세계 각 민족의 우수한 문화의 융합으로 새로운 도학 문화를 세워 도학 문화 중의 사상과 관념이 현대 사회 발전의 발걸음에 따라갈 수 있도록 해야만 한다"는 주장에서 찾을 수 있다. 그렇지만 그러한 대안을 선언하는 것으로는 부족하다. 그 대안이 현실적이고 구체적인 대안, 즉 이론적/실천적인 성공할 수 있는 대안이 되어야 한다.

또 도학의 현대적 의미를 다음과 같이 말하였다.[8] 첫째, 도학의 평등, 관용 정신이다. 둘째, 평화를 추구하고 사랑하는 사상이다. 셋째, 사람과 사물을 잘 구제하는 인도주의 관념이다. 넷째, 천인합일, 자연으로 돌아가는 생태 지혜이다. 다섯째, 소박함으로 돌아가고, 이화(異化)에 반대하는 가치 경향이다. 여섯째, 검소하고 사치를 멀리하며, 만족을 아는 생활 원칙이다. 일곱째, 여성을 존중하고, 노인과 아이를 공경하고 사랑하며, 자선과 겸양하는 사회 윤리이다. 여덟째, 사욕을 적게 하고, 자기를 초월하며, 외물에 의지하지 않는 인격 수양이다. 아홉째, 생명을 중시하고 기르며, 공(功)을 쌓고 실천하는 수양 방법이다.

이것이 비록 매우 포괄적이고 당위적 요청에 불과하다고 비판적으로 말할 수 있겠지만, 사실 도학에는 오늘날 이처럼 과학 기술이 발전한 현대 사회에서 문제점으로 나타나고 있는 많은 윤리적 문제에 대한 한 가지 대안적 시각이 될 수 있다.

---

8) 같은 책, 102-108쪽. 참조 요약.

오늘날 우리가 사는 현대 사회는 여전히 과거의 국가 또는 민족이라는 단위의 '낡은 공동체'를 중심으로 정치적, 경제적, 사회적, 문화적 대결 구도를 벗어나지 못하고 있다. 이러한 상황의 존속은 어떤 면에서 과거 서구 문명의 식민주의/제국주의의 틀을 견지하고 있는 것으로 인류사회의 가장 기초적이고 공통적인 문제를 전혀 해결하지 못하고 있다.

21세기 현재 인류사회가 마주하고 있는 문제들 가운데 어떤 문제는 이제 국가 또는 민족 단위에서 해결할 수 있는 것들이 아니다. 우리 인류가 공동의 노력으로 해결하지 않으면 안 된다. 그 가운데 몇 가지 핵심 문제를 살펴보면 다음과 같다.

첫째, 국제정치의 불평등이다.

오늘날 우리가 살아가는 세계 체제를 '팍스 아메리카'라고 부른다. 즉 '미국에 의한 평화'라는 의미이다. 그렇지만 이것은 미국에 의한, 넓게는 서구에 의한 세계지배 체제라는 것이다. 그런데 이 세계지배 체제는 여전히 과거의 중심부와 주변부의 이중적 구조를 유지하고 있다. 그 결과 중심부는 주변부를 지배하고, 주변부는 중심부에 정치·경제적으로 예속된 상태가 유지되고 있다. 이것은 지난 20세기 초·중기에 국제정치학 이론에서 중심이 되었던 '현실주의'를 통해 정당화되었다. 그러므로 오늘날 우리는 이 '현실주의'가 아닌 좀 더 '이상주의'적인 대안(공상적 이상주의가 아니다)을 통해 극복해야만 가능한 일이다.

둘째, 국가 단위의 경제적 불평등이다.

국제 사회의 세계 체제에서 나타난 중심부와 주변부의 이중적 구조에서 나온 불평등이 국가 사이의 경제적 불평등이다. 오늘날 세계 경제 체제는 서구의 선진 자본주의 국가들과 비서구 선진국들이 개발도상국을 지배하고 착취하는 구조이다. 우리는 오늘날 개발도상국이라는 그럴싸한 경제 용어를 사용하고 있지만, 그 가운데 일부 국가는 경제적 낙후국, 경제적 후진국이라는 것이 객관적 사실이다. 그리고 그 가운데 일부 국가들은 지금의 국가 사이의 정치·경제적 불평등을 해결하지 않으면 지금과 같은 낙후국, 후진국의 상황에서 영원히 벗어날 수 없을 것이다. 이러한 용어를 사용하지 않는 것은 어디까지나 국가 사이의 정치·경제적 불평등을 감추기 위한 말장난에 불과하다.

셋째, 지구적 단위의 환경파괴 문제이다.

오늘날 세계의 정치·경제적 불평등, 그리고 그러한 불평등을 낳은 자본주의 경제 체제를 극복할 수 있는 그 대안으로서 새로운 경제 체제에 대해 고민을 해야만 한다. 다시 말해 지금과 같이 국가와 국가 사이, 인간과 인간 사이, 인간과 자연 사이의 착취와 억압으로 이루어진 '약탈적 자본주의'를 넘어선 그 대안이 될 수 있는 세계적 차원에서 새로운 경제 체제를 고민해야만 한다.

오늘날 세계를 지배하는 사유 관념은 '다원주의'이다. 이것은 어느 하나가 절대적으로 지배하던 과거와 같은 절대주의를 거부한다. 그러므로 이 '다원주의' 시대에는 각 국가와 국가 사이, 개인과 개인 사이, 인간과 자연 사이 등등의 여러 가지 관계에서 다양한 가치를 모두 긍정하는 새로운 이념을 제공할 수 있을 것이다. 앞으로 다가올 새로운 시대는 이러란 다원주의적 관점에서 중심이 없는 중심, 모든 것이 중심이 될 수 있는 새로운 세계관을 세워야 할 것이다. 이것은 결코 세계의 분열을 의미하지 않는다. 국가, 개인, 자연과 함께 모두 자유롭고 평등한 관계를 맺는 새로운 관계 문화를 세우는 것이다.

이상에서 말한 현대 사회의 여러 가지 문제를 해결하는데 도학은 매우 의미 있는 시각을 제공할 수 있을 것이다. 그렇다면 가장 좋은 그 궁극적 방법은 무엇인가? 동양 문화와 서양 문화의 융합이다. 이러한 방법을 통해 세계주의 문화 체제를 만들어야 한다.

[참고문헌]

1. 원전·주석·번역류

『老子』

『論語』

『孟子』

『墨子』

『荀子』

『史記』

『三國志』

『尙書』

『世說新語』

『神仙傳』

『禮記』

『魏書』

『莊子』

『春秋左傳』

『抱朴子內篇』

『韓非子』

- 357 -

『漢書』

『後漢書』

『准南子』

김근 역주, 『여씨춘추』(1/2/3), 민음사, 1993/1994/1995

김영식 옮김, 『상군서』, 홍익출판사, 2000

김필수·고대혁·장승구·신창호 옮김, 『관자』, 소나무, 2007

僧肇法師, 『肇論』, 송찬우 옮김, 경서원, 2019

沈揆昊 譯註, 『阮籍集』, 東文選, 2012

왕 필, 『왕필의 노자주』, 임채우 옮김, 한길사, 2005

李民樹 譯解, 『禮記』, 惠園出版社, 1993

이운구 옮김, 『한비자』(Ⅰ/Ⅱ), 한길사, 2002

임동석 옮김, 『신선전』, 동서문화사, 2009

陳 壽, 『三國志』(魏書2), 김원중 옮김, 민음사, 2007

혜강, 『혜강집』, 한홍섭 옮김, 소명출판, 2006

郭慶藩 撰, 『莊子集釋』(제4책), 中華書局, 1985

謝浩范·朱迎平 譯注, 『管子全譯』(上), 貴州人民出版社, 1996

蔣禮鴻 撰, 『商君書錐指』, 中華書局, 1986

陳鼓應, 『黃帝四經今注今譯』, 臺灣商務印書館, 1995

2. 단행본류

가마타 시게오, 『한국불교사』, 신현숙 옮김, 민족사, 2004

가야트리 스피박, 『포스트 식민 이성 비판』, 태혜숙 외1 옮김, 갈무리,
         2005

康中乾, 『장자와 곽상의 철학』, 황지원·정무 옮김, 예문서원, 2020

謙田茂雄, 『中國佛敎史』, 鄭舜日 譯, 경서원, 1985

高崎直道 원저, 『불교입문』, 洪思誠 편역, 우리출판사, 1997

敎養敎材編纂委員會 編, 『佛敎文化史』, 東國大學校 出版部, 1995

구보 노리타다, 『도교의 신과 신선 이야기』, 이정환 옮김, 뿌리와이파리,
　　　2004

구보타 료온[久保田量遠], 『中國儒佛道三敎의 만남』, 최준식 옮김, 민족사,
　　　1990

길희성, 『일본의 정토사상』, 민음사, 2002

김관도·유청봉 엮음, 『중국문화의 시스템론적 解釋』, 김수중·박동헌·유원준
　　　옮김, 天池, 1994

김경수, 『내단도교』, 문사철, 2020

김경호 외, 『인물로 보는 중국철학사』, 전남대학교출판문화원, 2019

김교빈 외5, 『함께 있는 동양철학』, 지식의 날개, 2007

金吉煥, 『韓國陽明學硏究』, 一志社, 1981

김동노, 『근대와 식민의 서곡』, 창비, 2009

김선희, 『동양철학 스케치 1』, 풀빛, 2019

김세정, 『왕양명의 생명철학』, 청계, 2006

김영건, 『동양철학에 관한 분석적 비판』, 라티오, 2009

김용옥, 『동양학 어떻게 할 것인가』, 통나무, 1986

金仁德, 『中論頌 硏究』, 불광출판부, 1995

김종박, 『중국역사의 이해』, 도서출판 호산당, 2007

김진석, 『한국 사상의 자리, 동양과 서양 사이에서』, 인하대학교 한국학연
　　　구소, 『한국학연구』 12권, 2003

勞幹, 『魏晉南北朝史』, 金榮煥 옮김, 藝文春秋館, 1995

다케무라 마키오, 『유식의 구조』, 정승석 옮김, 민족사, 1989

董光璧, 『도가를 찾아가는 과학자들』, 이석명 옮김, 예문서원, 1998

로버트 템플, 『그림으로 보는 중국의 과학과 문명』, 과학세대 옮김, 까치,
　　　1993

막스 베버, 『막스 베버 선집』, 임영일·차명수·이상률 편역, 까치, 1991

미네시다 히데오(峰島旭雄), 『서양철학과 불교(佛敎)』, 김승철 옮김, 황금두뇌,
　　　2000

민두기 편저, 『일본의 역사』, 지식산업사, 1980

민족사상연구회 편, 『四端七情論: 民族과 思想1』, 서광사, 1992

朴健柱, 『中國古代의 法律과 判例文』, 백산자료원, 1999

박성배, 『한국사상과 불교-원효와 퇴계, 그리고 돈점논쟁』, 혜안, 2009

박성수, 『부패의 역사』, 모시는사람들, 2009

方立天, 『불교철학개론』, 劉英姬 옮김, 民族社, 1989

裵宗鎬, 『韓國儒學史』, 연세대학교 출판부, 1985

福永光司, 『장자-고대 중국의 실존주의』, 이동철·임헌규 옮김, 청계, 1998

새뮤얼 헌팅턴, 『문명의 충돌』, 이희재 옮김, 김영사, 2016

서강대학교 사회과학연구소, 『사회과학연구』 제22집 1호, 2014

徐連達·吳浩坤·趙克堯, 『중국통사』, 중국사연구회 옮김, 청년사, 1989

소피아 로비기, 『인식론의 역사』, 이재룡 옮김, 가톨릭대학교 출판부, 2004

송영배, 『유교적 전통과 중국 혁명: 유교 사상, 유교적 사회와 마르크스주
        의의 중국화』, 철학과 현실사, 1992

아마도시마로, 『일본인은 왜 종교가 없다고 말하는가』, 정형 옮김, 예문서원,
        2000

앙리 마스페로, 『도교』, 신하령·김태완 옮김, 까치, 1999

양재혁, 『동양철학-서양철학과 어떻게 다른가』, 소나무, 1998

에드워드 S. 사이드, 『오리엔탈리즘』, 박홍규 역, 교보문고, 1995

玉城康四郎·鎌田茂雄·關口眞大 外, 『중국불교의 思想』, 정순일 역, 民族社, 1989

요시오카 요시토요[吉岡義豊], 『중국의 도교-不死의 길-』, 최준식 옮김, 민족사,
        1991

요한네스 힐쉬베르거, 『서양철학사』(상권·고대와 중세』, 강성위 옮김, 以文出版社,
        1988

王治心, 『중국종교사상사』, 전명용 옮김, 이론과 실천, 1988

우암평화연구원 편, 『정치적 현실주의의 역사와 이론』, 화평사, 2003

윌리엄 제임스 『종교적 경험의 다양성』, 김재영 옮김, 한길사, 2021

劉明鍾, 『宋明哲學』, 螢雪出版社, 1985

劉蔚華·苗潤田, 『稷下學史』, 곽신환 역, 철학과현실사, 1995

劉澤華 주편, 『중국정치사상사 선진편(上)』, 장현근 옮김, 동과서, 2002

유학주임교수실 편저, 『유학사상』, 성균관대학교 출판부, 2002

윤병렬, 『하이데거와 도가의 철학』, 서광사, 2021

이경환, 『중국 도가 윤리학』, BOOKK, 2022

이병욱, 『천태사상』, 태학사, 2005

이석명, 『회남자-한대 지식의 집대성』, 사계절, 2004

이석호, 『근세·현대 서양윤리사상사』, 철학과 현실사, 2010

이승환, 『유가사상의 사회철학적 재조명』, 고려대학교 출판부, 2001

李春植, 『中國 古代史의 展開』, 신서원, 1992

이춘식, 『춘추전국시대의 법가사상과 세勢·術』, 아카넷, 2002

林麗眞, 『王弼의 철학』, 김백희 옮김, 청계, 1999

窪德忠·西順藏 엮음, 『중국종교사』, 조성을 옮김, 한울아카데미, 1996

잔스촹, 『도교문화 15강』, 안동준·린샤오리 뒤침, 알마, 2012

장복동, 『다산의 실학적 인간학』, 전남대학교 출판부, 2002

장언푸, 『도교』, 김영진 옮김, 산책자, 2008

장현근, 『상군서-난세의 부국강병론』, 살림, 2005

정가동, 『현대신유학』, 한국철학사상연구회 논전사분과 옮김, 예문서원,
         1994

정구선, 『조선은 뇌물천하였다』, 팬덤북스, 2012

정수일, 『한국 속의 세계』(상), 창비, 2005

정원명, 『중국황로학』, 최대우·이경환 옮김, BOOKK, 2018

제레미 블랙, 『전쟁은 왜 일어나는가』, 한정석 옮김, 이가서, 2003

조셉 니담, 『중국의 과학과 문명 I』, 이석호 외3 역, 을유문화사, 1989

존 퍼킨스, 『경제 저격수의 고백』, 김현정 옮김, 황금가지, 2005

酒井忠夫 외, 『道敎란 무엇인가』, 崔俊植 옮김, 民族社, 1991

중국 북경대 철학과 연구실, 『중국철학사1』(先秦편), 박원재 옮김, 자작아카데미,
         1994

中國史硏究室 編譯, 『中國歷史』(상권), 신서원, 1993

陳 來, 『주희의 철학』, 이종란 외 옮김, 예문서원, 2002

------, 『양명철학』, 전병욱 옮김, 예문서원, 2003

채인후, 『공자의 철학』, 천병돈 옮김, 예문서원, 2002

------, 『맹자의 철학』, 천병돈 옮김, 예문서원, 2000

------, 『순자의 철학』, 천병돈 옮김, 예문서원, 2000

------, 『왕양명 철학』, 황갑연 옮김, 서광사, 1996

村岡典嗣, 『일본신도사』, 박규태 옮김, 예문서원, 1998

川崎庸之·笠原一男, 『일본불교사』, 계환스님 옮김, 우리출판사, 2009

탕용동, 『한위양진남북조 불교사 1/2』, 장순용 옮김, 學古房, 2014

湯一介, 『郭象與魏晉玄學』, 北京大學出版社, 2000

토오도오 교순·시오이리 료오도, 『中國불교사』, 차차석 옮김, 대원정사,
                                                                  1992

칼 마르크스·프리드리히 엥겔스, 『공산주의 선언』, 김태호 옮김, 박종철출판사,
                                                                  2017

平川彰, 『印度佛敎의 歷史』, 李浩根 譯, 民族社, 1991

平川彰·梶山雄一·高崎直道, 『中觀思想』, 경서원, 1995

프랑츠 파농, 『검은 피부 하얀 가면』, 이석호 옮김, 인간사랑, 2003

최대우·이경환, 『신선과 불로장생 이야기』, 景仁文化社, 2017

최영진 외, 『최한기의 철학과 사상』, 철학과 현실사, 2000

한국철학사상연구회, 『강좌 한국철학』, 예문서원, 2003

한국사상사연구회, 『실학의 철학』, 예문서원, 1996

許抗生·李中華·陳戰國·那薇, 『위진현학사』(상/하), 김백희 역, 세창출판사, 2013

B. 오운, 『합리주의, 경험주의, 실용주의』, 서상복 옮김, 서광사, 1997

E. K. 헌트, 『經濟思想史 Ⅰ』, 金成九·金洋和 共譯, 풀빛, 1982

J. H. 패리, 『약탈의 역사』, 김성준 옮김, 신서원, 1998

S. F. 메이슨, 『과학의 역사』, 박성래 옮김, 부림출판사, 1984

高晨陽, 『儒道會通與正始玄學』, 齊魯書社, 2000

孔令宏, 『中國道教史話』, 河北大學出版社, 1999

牟鍾鑒, 『≪呂氏春秋≫與≪淮南子≫思想研究』, 齊魯書社, 1987

牟宗三, 『莊子齊物論義理演析』, 中華書局, 1999

白奚, 『稷下學研究』, 三聯書店, 1998

孫以楷 主編, 『道家與中國哲學』(先秦卷), 人民出版社, 2005

孫以楷 主編, 陸建華·沈順福·程宇宏·夏當英 著, 『道家與中國哲學-魏晉南北朝卷』, 人民出版社, 2005

余敦康, 『中國哲學論集』, 遼寧大學出版社, 1998

王蘧常 主編, 『中國歷代思想家』(傳記滙詮 上冊), 復旦大學出版社, 1996

王曉毅, 『王弼評傳』, 南京大學出版社, 1996

陰法魯·許樹安 主編, 『中國古代文化史』(1), 北京大學出版社, 1996

李申, 『道教洞天福地』, 宗教文化出版社, 2001

李養正, 『道教概說』, 中華書局, 1989

任繼愈, 『漢唐佛教思想論集』, 人民出版社, 1994

將朝君, 『中國歷代張天師評傳』(卷一), 江西人民出版社, 2014

錢大群·曹伊淸 편, 『中國法制史通解』, 南京大學出版社, 1993

丁原明, 『黃老學論綱』, 山東大學出版社, 1997

朱謙之, 『日本的朱子學』, 人民出版社, 2000

朱謙之 編著, 『日本的古學及陽明學』, 人民出版社, 2000

湯用彤, 『理學·佛學·玄學』, 北京大學出版社, 1991

湯一介, 『郭象與魏晉玄學』, 北京大學出版社, 2000

韓國磐, 『中國古代法制史研究』, 人民出版社, 1997

韓强, 『王弼與中國文化』, 貴州人民出版社, 2001

胡孚琛, 『魏晉神仙道教-抱朴子內篇研究』, 人民出版社, 1991

胡孚琛·呂錫琛, 『道學通論-道家·道教·丹道』, 社會科學文獻出版社, 2004

侯外廬·趙紀彬·杜國庠·邱漢生, 『中國思想通史』(第三卷 魏晉南北朝思想), 人民出版社, 1980

3. 논문류

강성호, 「유럽중심주의 세계사에 대한 비판과 반비판을 넘어」, 호남사학회, 『역사학연구』 39, 2010

강철구, 「서양문명과 인종주의-이론적 접근-」, 한국서양사학회, 『서양사론』 Vol. 70 No. 1, 2001

고현철, 「「헐리우드 키드의 생애」의 탈식민주의적 해석」, 국제비교한국학회, 『비교한국학』 제13권 2호, 2005

구미숙, 「僧肇의 「物不遷論」에 있어서 운동부정의 논리와 중국불교적 성격」, 동아시아불교문화학회, 『동아시아불교문화』 제17집, 2014

김누리, 「총체적 미국화와 유럽적 가치」, 한국독일언어문학회, 『독일언어문학』 제58집, 2012

金得晚, 「臺濟六家七宗試評」, 韓國哲學研究會, 『哲學研究』 第30·31輯, 1980·1981

김백희, 「완적(阮籍): 전환기 지식인의 자아분열과 봉합」, 한국동서철학회, 『동서철학연구』 제65호, 2012

김상봉, 「동양철학 유감」, 철학아카데미, 『아카필로』 3, 2001

김성환, 「동양 논쟁의 허와 실」, 예문동양사상연구원, 『오늘의 동양사상』 5, 2001

김시천, 「유무론을 통해 본 왕필의 '자연'과 '인식'의 문제」, 한국철학사상 연구회, 『시대와 철학』 6, 1995

------, 「『노자』와 성인의 도」, 한국철학사상연구회, 『시대와 철학』 2010, 제21권 2호, 69쪽.

------, 「동양학과 진보론」, 한국철학사상연구회, 『시대와 철학』 제7집 1호, 1996

김영일, 「원효의 『십문화쟁론』 「불성유무화쟁문」 검토」, 한국불교학회, 『한국 불교학』 66, 2013

김용범, 「秘康의 意識構造에 관한 考察-내·외적 도덕개념을 중심으로-」, 한국 동서철학회, 『동서철학연구』 제70호, 2013

김용섭, 「회남자의 구성과 문제의식」, 경북대학교 퇴계학연구소, 『퇴계학과
　　유교문화』(제19집), 1991
김정호, 「일본 메이지유신기 계몽사상의 정치사상적 특성」, 『한국동북아논총』
　　제37집, 2005
金珠經, 「僧肇의 涅槃無名論 성립에 관한 諸問題」, 한국불교학회, 『한국불교
　　學』 23, 1997
김주경, 「物不遷論 저술 의도의 검토」, 한국불교학회, 『한국불교학』, 2010
金周昌, 「王弼 周易의 言象意 知識體系 理論 考察」, 한국중국문화학회, 『중
　　국학논총』16, 2003
김준석, 「阮籍 정치태도의 再照明-司馬氏와의 관계를 중심으로」, 中國語文學
　　會, 『中國語文學會誌』 제47집, 2014
김준석, 「지식인의 이상과 실천-嵇康과 阮籍의 비극을 통해」, 중국어문학
　　회, 『중국어문학회지』 제50집, 2015
김진석, 「철학의 광신적 대중화-김용옥의 경우」, 『사회비평』 제27권, 나남
　　출판사, 2001
김진선, 「郭象 철학의 無爲-自然 논리구조 연구」, 동양철학연구회, 『동양철
　　학연구』 제92집, 2017
金鎭戌, 「格義佛教新探」, 韓國佛教學會, 『韓國佛教學』 제30집, 2001
김태용, 「배위의 숭유론 고찰」, 한국철학사연구회, 『한국철학논집』 제36
　　집, 2013
김현구, 「승조의 상즉관에 대한 인도 중관학파적 리뷰」, 동아시아불교문화
　　학회, 『동아시아불교문화』 25집, 2016
남상호, 「淮南子의 道事一通의 방법」, 한국공자학회, 『공자학』 10권, 2003
박경일, 「동양 담론은 공허한가」(1), 예문동양사상연구원, 『오늘의 동양사상』
　　제7호 2002년 가을·겨울
-----, 「탈근대 담론들에 나타나는 관계론적 패러다임들과 불교의 공(空)」,
　　경희대학교 인문학연구소, 『인문학연구』 2, 1998
박배형, 「중국에 대한 라이프니츠의 이해와 중국철학에 대한 그의 해석-『최

근 중국 소식」과『중국인의 자연신학론』을 중심으로-」, 서울대학
교 인문학연구원, 『인문논총』 제68집, 2012

朴俸柱, 「齊國 經濟와『管子』의 經濟 政策論」, 東洋史學會, 『東洋史學硏究』 제52집,
1995

박상환, 「근대 서양의 중국 이해에 대한 문화사적 배경 고찰-비교철학자
라이프니츠를 중심으로(Ⅰ)-」, 동양철학연구회, 『동양철학연구』 제
49집, 2007

-----, 「周易과 라이프니츠-대립물의 관계성에 대한 인식론적 분석 시도-」,
성균관대학교 대동문화연구원, 『대동문화연구』 28, 1993

-----, 「라이프니츠의 유기체철학과 중국철학-과학사적 분석을 중심으로(Ⅰ)-」,
한국유교학회, 『유교사상연구』 제20집, 2004

-----, 「라이프니츠의 공간개념과 '天'의 해석」, 동양철학연구회, 『동양철
학연구』 26, 2001

朴勝顯, 「『회남자』에 나타난 道家思想의 傾向」, 한국중국학회, 『중국학보』
제45집, 2002

박용태, 「「유교자본주의론」의 베버 이론에 대한 오해-'프로테스탄티즘과자
본주의의 친화력' 문제를 중심으로」, 동양철학연구회, 『동양철학연
구』 제50집, 2007

박정심, 「한국 근대지식인의 '근대성' 인식 Ⅰ」, 동양철학연구회, 『동양철학
연구』 제52집, 2007

박태원, 「중국 불교의 도입과 수용-전개와 착근의 사상사적 의미」, 중국철학회,
『중국철학 Vol.6 N.1, 1999

박창호, 「스펜서의 사회진화론과 오리엔탈리즘」, 한국사회역사학회, 『담론』
201 Vol. 6 No. 2, 2004

박치완, 「아직도 보편을 말하는가-서양인들에 비친 동양 그리고 불교」, 예
문동양사상연구원, 『오늘의 동양사상』, 제7호 2002년 가을·겨울

박홍서, 「전반서화와 중국모델 사이: '중국 예외주의' 담론의 구조와 배경」,
한국사회역사학회, 『담론 201』 제20권 1호, 2017

邊成圭,「阮籍의 삶의 방식」, 한국중국어문학회, 『중국문학』 18, 1990

송석원,「문명의 외연(外延)화와 지배의 정당성: 후쿠자와 유키치(福澤諭吉)를 중심으로」, 『한국동북아논총』(제60호), 2011

양순자,「『한비자(韓非子)』의 법철학-도(道)와 법(法)의 관계를 중심으로-」, 중국학연구회, 『중국학연구』 제54집, 2010

------,「韓非子의 尊君 사상-仁, 義, 禮의 法家的 해석을 통해서-」, 동양철학연구회, 『동양철학연구』 제66집, 2011

양해림,「동양과 서양의 생산양식 구성은 어떻게 이루어졌나」, 한국동서철학회, 『동서철학연구』 제90호, 2018

오세영,「근대성과 현대성」, 서울대학교 예술문화연구소, 『예술문화연구』 Vol. 5, 1995

오일훈,「莊子序 眞僞 問題와 郭象의 『莊子』 編輯에 관한 고찰」, 한국도교문화학회, 『도교문화연구』 49, 2018

------,「곽상(郭象)의 정치사상(政治思想)에 관한 일고찰-군주론(君主論)을 중심으로」, 한림대학교 태동고전연구소, 『태동고전연구』 제47집, 2021

원정근,「예교에 대한 완전阮籍의 양가적 태도」, 중국철학회, 『중국철학』 7, 2000

원필성,「格義佛敎에 대한 재고-釋道安의 例를 중심으로-」, 동국대학교 불교문화연구원, 『佛敎學報』 58, 2011

李敬煥,「老子의 道와 德의 關係에 관한 硏究」, 전남대학교 석사학위논문, 1993

이 권,「老子와 王弼에서의 '一'과 '多'의 문제」, 한국도교문화학회, 『도교문화연구』 21, 2004

이명현,「Quine의 원초적 번역의 불확정성론: 그 비판적 검토」, 철학연구회, 『철학연구』 제9집, 1974

이석명,「『淮南子』의 道事調和論」, 고려대학교 철학연구소, 『철학연구』 제22권, 1999

------, 「통일 시대를 위한 철학적 구상과 그 전환」, 중국철학회, 『역사속의 중국철학』, 예문서원, 1999

이성원, 「위진사대부의 청담 문화와 '유지'론」, 한국중국학회, 『중국학보』 제67집, 2013

이연기, 「도올이 가야 할 길」, 철학아카데미, 『아카필로』 3, 2001

이재권, 「왕필 본말론의 성격」, 새한철학회, 『철학논총』 78, 2014

------, 「왕필의 본무론」, 한국동서철학회, 『동서철학연구』 제72호, 2014

------, 「何晏의 玄學 思想」, 한국동서철학회, 『동서철학연구』 15, 1998

------, 「魏晉時代 哲學의 道學化 傾向-魏初 何晏을 중심으로」, 大同哲學會, 『大同哲學』 제2집, 1998

------, 「유학과 도학의 경계」, 충남대학교 유학연구소, 『동양철학과 현대사회』, 2003

이진용, 「배위 「숭유론」의 명교와 현학」, 한국양명학회, 『양명학』 제55호, 2019

------, 「배위(裴頠) 숭유론(崇有論)의 존재론 연구」, 충남대학교 유학연구소, 『유학연구』 제49집, 2019

이호석, 「僧肇의 常滅本性과 宗密의 本覺眞心 비교-僧肇의 「涅槃無名論」과 宗密의 『原人論』에 한정하여」, 연세대학교 국학연구원, 『東方學志』 제154집, 2011

이효걸, 「『莊子』「齊物論」의 '萬物齊同'에 대한 비판적 고찰」, 고려대학교 철학연구소, 『철학연구』 제50집, 2014

임선애, 「옥시덴탈리즘의 역동성과 離散의 문제-〈압록강은 흐른다〉의 경우-」, 한국사상문화학회, 『한국사상과 문화』 제62집, 2012

-----, 「옥시덴탈리즘과 복제된 오리엔탈리즘의 한국적 기원: '초당' 연구」, 한국사상문화학회, 『한국사상과 문화』 54, 2010

임채우, 「王弼 현학 사상의 오해 비판」, 한국도교문화학회, 『도교문화연구』 14, 2000

------, 「王弼 體用개념에 대한 오해와 辨正」, 한국동양철학회,, 『東洋哲學』 7, 1996

임춘성, 「한국 대학의 미국화와 중국 인식」, 현대중국학회, 『현대중국연구』 Vol. 11 No. 1, 2009

임형석, 「완적의 대인 대망론-「통역론」의 새로운 독법-」, 한국유교학회, 『유교사상문화연구』 제85집, 2021

張炳漢, 「戴震과 沈大允의 理欲觀 문제」, 한국한문교육학회, 『한문교육연구』 21, 2003

全洪奭, 「근대 유럽 계몽주의에 대한 宋儒 理學의 영향과 그 문화 철학적 의미-프랑스 데카르트 학파의 좌파 베일과 우파 말브랑슈를 중심으로」, 동양철학연구회, 『동양철학연구』 제57집, 2009

정단비 「한비자에서 통치자와 피통치자 본성론의 간극과 통합-순자와 노자의 영향을 중심으로-」, 한국도교문화학회, 『도교문화연구』 제54집, 2021

정세근, 「왕필, 하안, 그리고 『주역』」, 한국동서철학회, 『동서철학연구』 제99호, 2021

崔大羽, 「茶山의 性嗜好說的 人間理解에 관한 硏究」, 충남대학교 철학박사학위, 1999

최은영, 「초기 중국불교에서 반야에 대한 이해(1)-2종반야와 3종반야의 전개를 중심으로」, 동아시아불교문화학회, 『동아시아불교문화』 36집, 2018

최재목, 「동서철학, 서투른 논쟁은 접자, 갈 길이 멀다」, 예문동양사상연구원, 『오늘의 동양사상』 7, 2001

황상진, 「승조법사가 사물의 운동과 변화를 부정한 이유-제논의 역설과 비교하여」, 한국불교사연구소, 『文学史学哲学』 제64호, 2021

王 博, 「論≪黃帝四經≫産生的地域」, 陳鼓應 主編, 『道家文化研究』(제3집), 上海古籍出版社, 1993

------, 「〈黃帝四經〉與〈管子〉四篇」, 陳鼓應 主編, 『道家文化研究』 제1집, 上海古籍出版社, 1992

李敬煥, 「莊子的自由論」, 中國社會科學院 博士學位論文, 2004

李學勤, 「楚帛書與道家思想」, 陳鼓應 主編, 『道家文化研究』 제5집, 上海古籍出版社, 1994

陳紅映, 「莊子思想的現代價值」, 『思想戰線』, 2000(人大復刊電子版)

4. 기타

최수철, 〈얼음의 도가니〉, 『1993년 이상문학상 수상 작품집』, 문학사상사, 1993

한국천주교주교회의, 『성경』, 한국천주교중앙협의회, 2005

동양철학 이야기 (제2권)

발　행 | 2023년 12월 22일
저　자 | 이경환
펴낸이 | 한건희
펴낸곳 | 주식회사 부크크
출판사등록 | 2014.07.15.(제2014-16호)
주　소 | 서울 금천구 가산디지털1로 119, SK트윈타워 A동 305호
전　화 | 1670 - 8316
이메일 | info@bookk.co.kr

ISBN | 979-11-410-5988-0

www.bookk.co.kr